Duanaire an Chéid

Duanaire an Chéid

Gearóid Denvir
a chuir in eagar

Cló Iar-Chonnachta
Indreabhán
Conamara

ISBN 1 902420 32 2
(*Gearrdhrámaí an Chéid* ISBN 1 902420 31 4
Gearrscéalta an Chéid ISBN 1 902420 33 0
Sraith iomlán: na trí leabhar ISBN 1 902420 34 9)

Ealaín chlúdaigh Tim Stampton
Dearadh Foireann CIC

Tugann Bord na Leabhar Gaeilge
tacaíocht airgid do Chló Iar-Chonnachta

Faigheann Cló Iar-Chonnachta cabhair airgid ó

The Arts Council An Chomhairle Ealaíon

Fuair an leabhar seo tacaíocht airgid
ó Chiste Foilseachán Ollscoil na hÉireann, Gaillimh

Clóchur: Cló Iar-Chonnachta, Indreabhán, Conamara
Fón: 091-593307 **Facs:** 091-593362 **r-phost:** cic@iol.ie
Priontáil: ColourBooks Ltd., Baile Dúill, Baile Átha Cliath 13
Fón: 01-8325812 / 01-8325825

Clár

Réamhrá

Is é atá sa duanaire seo an céad dán Gaeilge de chuid an fichiú haois is fearr leis an eagarthóir. Ach an oiread leis an tochas, is galar gan náire an fhilíocht agus is cinnte nach lia léitheoir ná tuairim i dtaobh na rogha atá déanta. Cá bhfios, fiú, dá n-iarrfaí ar an eagarthóir céanna bualadh faoin gcúram seo faoi cheann deich mbliana eile gurbh é an rogha chéanna a d'fheicfí dá thoradh? Dánta mar ráitis shuntasacha chruthaitheacha iontu féin seachas saothar le filí ar leith a roghnaíodh. B'fhurasta roinnt dánta le riar áirithe filí a roghnú ó thréimhsí éagsúla de chuid an chéid, nó sin fiú, roinnt dánta le chuile fhile, nó cuid shuntasach díobh, a d'fhoilsigh cnuasach le linn an chéid. B'fhurasta chomh maith féachaint le freastal ar aidhmeanna eile seachas fiúntas sainiúil na ndánta féin: sampla ionadaíoch de shaothar 'scothfhilí' na tréimhse a roghnú; saothar a léireodh forás stairiúil agus liteartha an chéid a chur i láthair trí shraith dánta in ord croineolaíoch a gcéadfhoilsithe ina leaganacha deifnídeacha i gcnuasaigh; cothromaíocht idirchanúna a chinntiú; a 'gceart' a thabhairt do bhanfhilí, d'fhilí Gaeltachta, d'fhilí cathrach, d'fhilí aeracha, mar shampla.

Ní hé sin cur chuige an duanaire seo. Baineadh gaisneas as slata tomhais aeistéiticiúla agus ealaíne amháin sa roghnú a rinneadh. Má fhágann sin go mbaineann tromlach na ndánta anseo thíos leis an tréimhse ó dheireadh na seascaidí anuas is ráiteas ann féin an méid sin, b'fhéidir, faoin bhforás a tháinig ar an bhfilíocht sa tréimhse atá i gceist. Is cinnte go bhfágann an leagan amach seo riar dánta ó fhilí aon dáin sa duanaire, filí nár scríobh mórán filíochta riamh roimh an dán áirithe sin ná go deimhin ó shin – Pádraig Ó hÉigeartaigh, Breandán Ó Beacháin agus Máire Ní Thuama, mar shampla. Fágann sé chomh maith go bhfuil riar dánta ann ó fhilí aon chnuasaigh a thug seal faoin bhfilíocht ach nár shaothraigh an cheird go leanúnach ina dhiaidh sin. Barr air sin, fágann sé filí áirithe ar lár ar fad a shaothraigh tamall nó atá fós ag saothrú leo go díograiseach i ngort na filíochta agus a bhfuil saothar suntasach saoil curtha ar fáil ag cuid acu i líon maith cnuasach – filí *manqués* d'eagarthóirí nó de chriticí san áireamh!

An méid sin ráite faoi aidhm agus modh eagarthóireachta an tsaothair seo, áfach, is léar san am céanna go gcaithfeadh sé a bheith mar thoradh tánaisteach ar a laghad ag duanaire mar seo léargas ionadaíoch, fiú stairiúil, a bheith ann ar fhilíocht na tréimhse atá i gceist. Ina theannta sin, is léar gurb ionann dán le file ar bith a roghnú agus aitheantas agus ómós don cheardaí chomh maith leis an déantús. Ar an ábhar sin, ní foláir gurb ionann, abair, ceithre nó cúig dhán le file a roghnú agus aitheantas ar leith don fhile sin thar, mar shampla, file nach roghnaítear ach dán amháin leis. Beartaíodh gan níos mó ná cúig dhán le file ar bith a chur san áireamh, arae dá roghnófaí, abair, scór dánta le Seán Ó Ríordáin, le Cathal Ó Searcaigh nó le Nuala Ní Dhomhnaill, le triúr de 'mhórfhilí' na haoise a lua, chuirfeadh sin cothromaíocht an duanaire as a riocht ar fad.

Ní 'Scoth-100' in ord feabhais fearacht phopchairteacha ár linne ná liosta dánta le marc moltóra i gcomórtas atá sa rogha seo ach an oiread. Ina dhiaidh sin féin, is minic gur ráiteas ann féin ord foilsithe dánta i nduanaire den chineál seo. Is iondúil go leantar ord croineolaíoch de shórt éigin: dáta breithe an fhile nó dáta foilsithe dánta i gcnuasach. Cothaíonn sin deacrachtaí áirithe, dar liom. Céard ba cheart a dhéanamh i gcás file a bhfuil níos mó ná cnuasach amháin i gcló leis? Má chuirtear an saothar i ndiaidh a chéile cailltear an léargas stairiúil. Má scartar ó chéile na dánta a roghnaítear ó chnuasaigh éagsúla cailltear aon léargas cuimsitheach ar an saothar ann féin. Agus maidir le filí comhaimseartha nó filí de chuid na glúine céanna, an ionann tús áite sa duanaire agus luacháil feabhais? Ar an ábhar sin, beartaíodh dánta an duanaire seo a chur i láthair de réir ord aibítre shloinne na bhfilí, agus sa chás go bhfuil níos mó ná dán amháin ann leis an bhfile céanna, cuirtear na dánta i láthair de réir ord aibítre na dteideal.

Deacracht eile fós a bhíos roimh eagarthóir ar bith is ea ceist na ndánta fada agus na sraithdhánta, leithéidí *Aifreann na Marbh*, *Trí Glúine Gael* agus *Beairtle*, mar shampla. Bíodh is gur sárphíosaí filíochta iad ar fad a bhfuil aontacht shoiléir aeistéiticiúil, théamúil agus struchtúrtha le sonrú orthu, tá a leithéid chomh fada ina n-iomláine go gcuirfidís an duanaire as a riocht chomh maith. Dá réir sin, beartaíodh gan ach sleachta ionadaíocha a chur i láthair anseo. Ceist eile fós ba ghá a réiteach ná teorainneacha ama an duanaire go mórmhór sa ré seo ina bhfuil bunáite na ndaoine ag dul amú ar cheartbhliain tosaigh na mílaoise féin. Beartaíodh tús a chur leis an duanaire le tréimhse na hAthbheochana Liteartha i dtús an fichiú haois nuair a féachadh le nuafhilíocht a chur ar fáil sa Ghaeilge i gcéaduair. Fágann sin nach bhfuil saothar leithéid Choilm de Bhailís, a maiseodh a rídhán 'Cúirt an tSrutháin Bhuí' duanaire ar bith, san áireamh bíodh is nár foilsíodh a chuid amhrán den chéad uair go dtí 1904 agus gur mhair an file féin go dtí 1906. Baineann a shaothar seisean, agus saothar leithéid Bhob Weldon (1835-1914) sna Déise, leis an naoú haois déag ó thaobh ábhair, foirme, meoin agus feidhme. Ach tá a sliocht liteartha araon san fhichiú haois anseo thíos – na filí pobail Joe Shéamais Sheáin Ó Donnchadha, Johnny Chóil Mhaidhc Ó Coisdealbha, Learaí Phádraic Learaí Ó Fínneadha agus Pádraig Ó Miléadha – gan trácht ar thionchar díreach a leithéidí ar shaothar filí eile Gaeltachta mar Sheán Ó Lúing, Seán Ó Curraoin, Máire Áine Nic Gearailt agus Micheál Ó Cuaig.

Buaicphointí atá i ndánta an duanaire seo a sheasfas, dar liom, teist scéalaíocht na haimsire agus a léifear le pléisiúr agus le hiontas chúns a bheas an Ghaeilge féin á léamh. Bréagnaíonn siad dearbhú Uí Chadhain in *Páipéir Bhána agus Páipéir Bhreaca* go bhfuil an iomarca éascaíochta ag roinnt le cumadh na filíochta agus nach bhfuil i bhfilíocht Ghaeilge a linne féin den chuid is mó ach 'liricí deasa neamhurchóideacha ocht líne'. Bhí a shainleagan féin ar an scéal seo ag Alan Titley, mar is dual dó, sa cheangal a chuir sé lena aiste 'Clocha Saoirsinne agus Bláithíní an tSléibhe':

> I gcás na Gaeilge is é an scéala
> na figiúirí go léir ní féidir a shéanadh
> go bhfuil triúr filí fós in aghaidh gach scríbhneora
> (agus fiú más fíor go scríobhann siad go léir seoda
> rud is éadócha is a chreidiúint ní fhéadaim)
> táimid go léir inár gcónaí faoi scáth an túr éabhair
> amhail is dá mba thuas ann a bhí dúchas na Gaeilge.
> (*Chun Doirne: Rogha Aistí*, lch 55)

Gan bhuíochas den leagan amach sin ar an scéal, creidim gur cúis cheiliúrtha atá i gcéad dán seo an chéid a léiríos beocht, fuinneamh, scóipiúlacht agus cumas cruthaitheach ar dheacair a leithéid a thuar do theanga a bhí ag saothrú an bháis agus filí thús an chéid sin ag bualadh faoi athbheochan na ceirde dúchais.

Glactar leis coitianta gurbh é *Ubhla den Chraoibh* Dhubhghlais de hÍde, a foilsíodh i 1901, an chéad chnuasach filíochta Gaeilge riamh i gciall nua-aoiseach an fhocail, a thug guth i gcéaduair, dá laige féin í, do nuafhilíocht na Gaeilge. Ainneoin chorrscail shuntasach chruthaitheachta as sin go dtí foilsiú chéad-chnuasach Uí Dhireáin, *Coinnle Geala*, i 1942, is beag filíocht de rath a cumadh le linn chéadghlúin liteartha sin na haoise. Tá a bhfuil ann di breac le traidisiúnaíochas iardhearcach a mhóras seansaol útóipeach na nGael mar a samhlaítear é don fhile mar urlabhraí de chuid ghluaiseacht na hAthbheochana. Tráchtar inti ar shaol an Ghaeilgeora, ar Chonradh na Gaeilge, ar thurais chuig an nGaeltacht, ar mhioneachtraí i saol pobail áitiúil. Moltar an ghluaiseacht náisiúnta saoirse agus an Ghaeilge féin, agus cáintear dá réir sin an seoinín gallda agus a mháistir, Seán Buí. Tá an saothar seo lán de dhóchas agus de mhisneach do-chreidte, do-chloíte, soineanta a d'eascair as spiorad na hathghabhála a bhí an cine dúchais mar a facthas dóibh féin é a dhéanamh ar a n-oidhreacht dhlisteanach stairiúil san am. Is deacair, áfach, a mhaíomh gur filíocht a bunáite i gciall ar bith den fhocal!

Mar a dhearbhaigh Frank O'Brien in *Filíocht Ghaeilge na Linne Seo*, ba é an Piarsach an chéad duine den ghlúin seo a scríobh filíocht inchreidte sa chéad phearsa, ach níl againn ar fad uaidh ach dornán beag dánta i ndeireadh thiar thall. Shaothraigh Liam S. Gógan an fhilíocht go dícheallach leanúnach óna chéad chnuasach ceannródaíoch *Nua-Dhánta* (1919) go dtí *Duanaire a Sé* (1966), agus is é an dán dea-shnoite, ceardúil, saothraithe, ardliteartha, más róléannta féin, gona núáil teanga agus foirme a fuineadh as an tseanteanga liteartha is mó a d'fhág sé mar oidhreacht ina dhiaidh. Tá sofaisticiúlacht nua-aoiseach cathrach, súil leathghéar, leathíoróineach ar an saol ina thimpeall, agus dearcadh láidir iarchoilíneach mar a thabharfaí inniu air, le sonrú ar a shaothar fré chéile, mianach a bhí sách gann i saothar a chomhaimsearthach i dtús a ré mar fhile go mórmhór. Baineann éacht ceapadóireachta Phádraig Uí Mhiléadha, *Trí Glúine Gael* (a foilsíodh i gcéaduair i 1953, ach a scríobhadh i 1944), le céadghlúin na nuafhilíochta ó thaobh ábhair agus foirme, fearacht na coda eile dá shaothar scóipiúil. Ní bhfuair an dán fada cumasach seo, ach an oiread le hiarracht fhada eile uaidh, *An Fiannaidhe Fáin* (1934), a cheart riamh ó lucht na critice, agus is ar amhráin dá chuid ar nós 'Sliabh Geal gCua na Féile' nó 'Na Tincéirí' is mó a chuimhnítear anois. Tarraingíonn sé ar mhodhanna reacaireachta scothfhilíocht Chúige Mumhan san ochtú haois déag in *Trí Glúine Gael* d'fhonn léargas bunúil géarchúiseach a thabhairt ar phobal cloíte a bhí i mbun athghabhála go neamhleithscéalach ar a oidhreacht féin. Rianaíonn sé scéal an phobail sin, agus a scéal pearsanta féin ina orlaí tríd, trí shúile duine de chuid na cosmhuintire in imeacht na dtrí glúine de stair na tíre ó aimsir a sheanathar i dtosach an naoú haois déag anuas go dtí urlár a lae féin. Ceann de mhórbhuanna an tsaothair, dar liom, an chaoi a n-éiríonn leis an bhfile dul i ngleic leis an saol iarbhír comhaimseartha i ndeireadh an dáin ar bhealach atá inchreidte agus réalaíoch amach is amach gan aon athrú ná feall ar stíl na reacaireachta mar a bhí ó thús an dáin, rud is léar sna sleachta atá sa duanaire seo. Eisceachtaí suntasacha ar an gcuma chéanna fearacht shaothar na bhfilí thuasluaite, buaicphointí lena linn féin, is ea na dánta anseo thíos le Piaras Béaslaí, Osborn Bergin, Áine Ní Fhoghlú agus Pádraig Ó Duinnín, agus ní miste iad a cheiliúradh dá réir sin, arae is é a chruthaigh céadghlúin sin na héigse ar deireadh thiar go bhféadfaí filíocht a chumadh athuair i dteanga a bhí fós féin i mbéal an bháis mar theanga labhartha agus liteartha.

Más cúraimí pobail seachas pearsanta, maille le ceisteanna teanga agus cultúir, a bhí ag dó na geirbe ag filí na hAthbheochana den chuid is mó, is é atá i saothar na glúine a lean allagar intleachtúil trí mheán an Fhocail leis an saol ina dtimpeall. Seo iad an ghlúin, i bhfriotal Uí Ríordáin ina dhán 'Na hÓinmhidí', a baisteadh i gCreideamh an Fhocail. Seo iad an dream a mhair i ré dhearóil, i *wasteland* lán *Angst* agus *ennui* na mblianta iarchogaidh. Níor leor feasta an leagan amach simplíoch, neamhcheistitheach, traidisiúnaíoch ar an saol. Ní tuairisc ná reitric ná dánta molta teanga agus tíre a bheadh feasta faoi rath ach imeachtaí na haigne a bhí cromtha le ceist. Má b'ionann filíocht agus feiceáil sa tseanré, b'ionann anois í agus athchruthú agus athleagan ar an saol trí shúile file, *imbas forasna* na ré úire. Saothar scóipiúil, dúshlánach, ceannródaíoch a chuir na rí-éigis i measc na glúine seo ar fáil. Má ba mhisniúil é dúshlán na chéad ghlúine faoi chumhacht na hImpireachta, b'amhlaidh don athghlúin a thug dúshlán cheartchreideamh an réimis nua dhúchais ar mhórán bealaí. Ba mhisniúil an seasamh, mar shampla, *non serviam* Uí Ríordáin atá le léamh ar chuile fhocal de *Eireaball Spideoige* a foilsíodh i 1952 go gairid tar éis chonspóid Bhille an Linbh agus na Máthar. Níor thaise é do ráiteas paiseanta collaí reacaire *Margadh na Saoire* Mháire Mhac an tSaoi a foilsíodh i 1956 mar is léar ó dhán cumasach ar nós 'Ceathrúintí Mháire Ní Ógáin' thíos – agus an méid sin ó fhile mná! Bean ag feadaíl nó ag filíocht, arú!

D'aithin Frank O'Brien mianach 'thriúr mór na nuafhilíochta', Ó Ríordáin, Ó Direáin agus Mac an tSaoi, in *Filíocht Ghaeilge na Linne Seo*, an chéad saothar critice leabharfhada faoi nuafhilíocht na Gaeilge, a foilsíodh i 1968. San am céanna, áfach, thug sé le tuiscint gur bheag eile ar fónamh a bhí á scríobh le linn na tréimhse 1939-1962. Tharla chomh maith gur bheag saothar eile critice de rath a bhí ar fáil sa Ghaeilge i réimse na filíochta, choinnigh an chanóin eisiatach bhrianach seo saothar suntasach comhaimseartha le filí eile ó shúile lucht léite agus pléite na filíochta cuid mhaith agus chinntigh sé nach mbronnfaí an teideal 'mórfhile' ar aon duine eile de chuid na haimsire sin. Chinntigh sé freisin go gcreidfeadh glúin i ndiaidh glúine de scoláirí ollscoile nach raibh de nuafhilíocht sa Ghaeilge ach saothar an triúir sin. Thug O'Brien beagán aitheantais, ach é ar easpa théagar machnaimh agus anailíse, do Thomás Tóibín agus Pearse Hutchinson, ach bhí saothar suntasach filíochta á fhoilsiú go leanúnach chomh maith in irisí mar *Comhar* agus *Feasta* ag Seán Ó Tuama, Micheál Mac Liammóir, Eoghan Ó Tuairisc agus Art Ó Maolfabhail, mar shampla, i ndeireadh na gceathrachaidí agus i gcaitheamh na gcaogaidí agus na seascaidí. Is deacair a thuiscint go bhféadfadh dán chomh cumasach le 'Aifreann na Marbh', a foilsíodh in *Feasta* i mí Eanáir, 1963, imeacht gan a thuairisc ón mBrianach. Tugadh leaba i measc na n-éigeas don drong seo ar fad, gan dabht, in *Duanaire Nuafhilíochta* Uí Bhriain i 1969, ar compánach é do *Filíocht Ghaeilge na Linne Seo*, ach b'aitheantas gan anailís an méid sin. Tháinig bláth suntasach ar shaothar na bhfilí seo i mblianta tosaigh na seascaidí le foilsiú riar mhaith cnuasach tábhachtach: Seán Ó Tuama, *Faoileáin na Beatha* (1962), Seán Ó hÉigeartaigh, *Cama Shiúlta* (1964), Art Ó Maolfabhail, *Aistí Dána* (1964), Micheál Mac Liammóir, *Bláth agus Taibhse* (1964), Réamonn Ó Muireadhaigh, *Athphreabadh na hÓige* (1964), agus Eoghan Ó Tuairisc, *Lux Aeterna* (1964).

Fágann bláthú seo na filíochta sna seascaidí nach fás thar oíche, gan fréamhacha in ithir bhisiúil, a bhí i saothar na glúine dá ngairtear *Innti* ó dheireadh na seascaidí ar aghaidh. Go deimhin féin, bhí nasc soiléir idirghlúine ann sa méid go raibh an Ríordánach ina scríbhneoir cónaitheach i gColáiste na hOllscoile, Corcaigh, agus Michael Davitt, Liam Ó Muirthile, Nuala Ní Dhomhnaill, Gabriel Rosenstock agus riar filí óga eile, ag dul i mbun pinn san institiúid sin i gcéaduair. Agus má bhaist an Tuamach *pied piper* na gluaiseachta ar Davitt, b'fhéidir nár mhiste an chraobh sin a bhronnadh air féin, tharla é a bheith ina Léachtóir i Roinn na Gaeilge sa Choláiste ag an am, agus saothar ceannródaíoch á sholáthar aige i réimsí na critice, na drámaíochta agus na filíochta Gaeilge, gan trácht ar a raibh de phlé dhúshlánach á déanamh ina chuid ranganna ós múinteoir den scoth a bhí ann freisin.

Más ceisteanna tromchúiseacha, duairce, dáiríre faoi bhrí na beatha le linn tréimhse ina raibh na seanchinnteachtaí ag titim as a chéile ar fud an domhain mhóir a thiomáin cuid mhaith d'fhilíocht Ghaeilge na gcaogaidí agus na seascaidí – agus díol suntais, ní miste a lua mar léiriú air sin, an easpa grinn ina bunáite – ceannairc agus treascairt spleodrach ba bhonn le cuid mhaith den fhilíocht is fearr de chuid ghlúin *Innti* go mórmhór sna blianta tosaigh. Labhair Gréagóir Ó Dúill ar son spiorad na linne ina dhán 'Díomas' nuair a mhaígh sé, 'De ghlúin mise nach bhfeacann go héasca' (*Blaoscoileán*, lch 11).

Ar leibhéal amháin lean an ghlúin seo, chuile fhile acu ina bhealach sainiúil féin, comhairle Uí Ríordáin in 'Fill Arís', agus chuadar faobhar na faille siar go Corca Dhuibhne ag sealbhú dhúchas na Gaeltachta mar a bhí sé beo beathach thiar murab ionann is an chonstráid de Ghaelachas agus de Ghaeltacht a shaothraigh cuid mhaith dá sinsir liteartha rompu. Mar a dhearbhaigh Davitt, agus go leor eile mar aon leis, aithne dhúnchaoineach a chuir siad orthu féin le linn an aistir sin. Féinaithne de thoradh 'léarscáiliú na mbóithre isteach' (aidhm na filíochta dar le Ó Muirthile) a bhí i gceist seachas leagan d'fhírinne oibiachtúil éigin a bhí le bronnadh orthu faoi shéala traidisiúnta, údarásach. Ní raibh aon chall feasta le héileamh róshaoráideach ró-chomhfhiosach ar an nGaelachas. B'ionann scríobh i nGaeilge agus a bheith san imirt. I bhfriotal Ghabriel Rosenstock, filí Gaeilge a bhí iontu seachas filí Gaelacha agus iad mar a dúirt Davitt ag gabháil de dhánta i gcomhthéacs sonrach cathrach. Cár mhiste gurbh iad an chéad bhuíon filí riamh iad, b'fhéidir, 'nach n-aithneodh an chopóg ón neantóg', mar a shonraigh Davitt ina dhán 'Seandaoine' óna chéad chnuasach, *Gleann ar Ghleann*. Tharla gur i nGaeilge a bhí siad ag scríobh, thiocfaidís le dearcadh Uí Ríordáin rompu ar an scéal i réamhrá cáiliúil *Eireaball Spideoige*:

> Tá daoine sa tír seo a deir ná fuil scríbhneoirí Gaeilge na linne seo traidisiúnta. Creidim go bhfuil dearmad orthu. Ag féachaint ar na scríbhneoirí ón gclós atá na daoine seo. Laistigh den teanga atá na scríbhneoirí agus ní amuigh sa chlós. I dteampall na Gaeilge atáid ag paidreoireacht agus má mhúsclaíonn siad paidir ar bith is í paidir na Gaeilge is éigean dóibh a mhúscailt. Ní féidir an teanga d'fheacadh as a dúchas. Ní féidir aon phaidir eile do theacht as teampall na Gaeilge ach a paidir féin. (lch 25)

Ní hionann seo agus a mhaíomh gurb earra liteartha ar fónamh 'rúibric fhilíocht an Bhéarla faoi fheisteas na Gaeilge' mar a thug Tomás Mac Síomóin air in agallamh in *Innti 5*. Má shíntear na teorainneacha traidisiúnta mar chuid de phróiseas an nua-aoisithe, má chuirtear braistintí nua le dioscúrsa, le cruinne shiombalach, le *mentalité* na Gaeilge, is ionann sin agus malairt bhisigh, domhan na Gaeilge in allagar forásach leis an saol mór amuigh. Ní ciorrú coil na cúl le dúchas ar bith é. Drochfhilíocht í drochfhilíocht agus drochfhilíocht í droch*phoetry* freisin!

D'fhógair oifigeach caidrimh phoiblí *Innti*, Michael Davitt, an méid sin go dúshlánach agus é ar a bhealach ar ais go dtí an domhan iarbhír tar éis deireadh seachtaine draíochtúil 'Ar an gCeathrú Rua':

> Mhiosáil mo chroí bít ar an gCaorán Mór
> éalaíonn Muimhneach ó
> ghramadach.
> (*Gleann ar Ghleann*, lch 39)

Treallchogaíocht friotail, foirme agus féithe atá ansin a cheistíos gaois chruinnithe na sean ón gceantar istigh seachas ón alltar amuigh. Easaontú umhal fíréin atá ann, uisce in aonturas faoi thalamh na seanbhó beannaithe a chuaigh thar abhainn slán go nuige sin d'fhonn bunús tuiscintí an domhain sin a cheistiú ó bhonn. Treascraíonn a leithéid an traidisiún agus tógann sé in athuair air, agus san am céanna fágann sé biseach beag air ina dhiaidh más filíocht ar fónamh atá inti. Athscríobhann ráiteas mar sin gramadach na filíochta agus na teanga araon, ach go gcaithfidh an tseanghramadach dhíochlaontúil rómhánach a bheith sealbhaithe sa chéad áit mar bhonn teilgthe, mar thalamh báin na réabhlóide. Ar an gcuma seo, níor dheoranta leis an nglúin seo popchultúr ná cultúr coiteann a linne ar fud an domhain ina rann, ó liricí na Beat Poets i Meiriceá agus na Beatles i Sasana go dtí tuairimí agus idé-eolaíocht an Maharishi san Ind nó Mao Tse Tung gona leabhar beag dearg sa tSín. Ba iad clann Marshall MacLuhan iad sa sráidbhaile nua domhanda, glúin ar chás leo mórcheisteanna na cruinne agus na linne: cearta, saoirse phearsanta agus uathúlacht shainiúil an duine aonair; blaisféime Hiroshima agus an cheist núicléach; cathrú agus tionsclú buile na linne; díothú ciníocha dúchais; cos ar bholg ar an duine beag sa bhaile nó i gcéin – agus féach gur filí a bhí chun cinn san fheachtas in aghaidh dhúnadh Scoil Dhún Chaoin i dtús na seachtóidí. Is fada ó bhaile a thaistil a mbunáite ón ngleann inar tógadh iad.

Ní feiniméan Corcaíoch amháin a bhí i saothar na glúine seo ris a ráitear *Innti*, áfach, ainneoin gur tháinig ann don athghlúin sa chathair chéanna le saothar cumasach ó Louis de Paor agus Colm Breathnach. Foilsíodh saothar le cuid mhaith filí óga as áiteanna éagsúla a bhí ag teacht in inmhe ag an am in *Innti* freisin, agus in irisí eile ar nós *Comhar*, *Feasta*, *An tUltach* agus *Nua-Aois,* agus chuir a mbunáite cnuasaigh shuntasacha ar fáil ina dhiaidh sin: Tomás Mac Síomóin, Cathal Ó Searcaigh, Conleth Ellis, Seán Ó Curraoin, Micheál Ó Cuaig, le cuid an bheagáin a lua. Ní hé scéal na bhfear amháin a ríomhadh ag an am ach an oiread. Aithnítear Nuala Ní Dhomhnaill go coitianta mar dhuine d'fhilí *Innti*, ach tháinig guthanna suntasacha baineanna eile chun cinn taca an ama chéanna: Biddy Jenkinson, Máire Áine Nic Gearailt, Caitlín Maude, Áine Ní Ghlinn. Go deimhin féin, is beag file sa duanaire seo a bhí suas le linn *Innti* nár fhoilsigh saothar san iris. Ar an ábhar sin, is mó de ghluaiseacht náisiúnta liteartha ná d'iris áitiúil filíochta a bhí inti. Ceist achrannach a eascraíos as seo ar fad, áfach, ná ceist na hathghlúine. Labhraítear ar fhilí *Innti* amhail is dá mbeidís i mbláth na hóige i gcónaí. Is í fírinne an scéil go bhfuil a mbunáite ag teannadh amach sna blianta. Tá a shliocht sin ar an duanaire seo nach bhfuil ann ach saothar le triúr filí atá faoi bhun an dá scór, agus beirt acu sin féin i bhfoisceacht bliana de mheán sin na haoise! Fadhb phráinneach an méid sin do thodhchaí na filíochta agus muid ar éigean thar thairseach céid agus mílaoise nua.

Maidir lena bhfuil de dhánta agus d'fhilí sa duanaire seo, agus i gcomhthéacs a bhfuil ráite agam go nuige seo, creidim go bhfuil sé de dhualgas ar eagarthóir a fhreagra sainiúil pearsanta féin ar an tseancheist, 'Céard is filíocht ann?', a thabhairt mar ghluais lena shaothar. Is minic in imeacht deich mbliana fichead teagaisc in ollscoileanna a chuir mé féin an cheist chéanna ar mhic léinn bhochta ag tús chúrsa filíochta. Is é an freagra céanna, mórán, a fhaighim i gcónaí uathu: meafair, meadaracht, uaim agus comhuaim, íomhánna, véarsaí, mothúcháin, smaointe pearsanta an fhile, filíocht mar mhalairt inmhianta ar phrós – fearas seachtrach uilig na filíochta mar atá sé ag *Folen's* nó *Cole's Notes*, ag an gCló Ceilteach nó ag múinteoir cumasach meánscoile a n-éiríonn lena rang slám maith grádanna A a bhaint amach san Ardteist chuile bhliain. Is beag scoláire riamh a d'admhaigh gur léigh sé/sí filíocht go rialta. Go deimhin, is minicí leathanaigh spóirt an *Star* nó leathanaigh lóistín an *Galway Advertiser* mar lón léitheoireachta acu ná cúrsaí litríochta i gcoitinne, gan trácht ar chúrsaí filíochta. B'fhéidir nach modh iontach eolaíochtúil a leithéid le teacht ar líon fírinneach na léitheoirí filíochta sa tír seo ach tá fírinní taithí ann atá níos bunúsaí ná modheolaíocht ar bith!

Aisteach go leor, is iomaí duine a d'admhaigh in imeacht na mblianta gur chumadar dán ó thráth go chéile i mBéarla nó i nGaeilge. Cuid acu ar ordú ó mhúinteoirí aislingeacha ar shuim leo an fhilíocht a spreagadh; cuid acu ó mhúinteoirí díograiseacha ar mhian leo scoláirí a ghríosadh le cur isteach ar chomórtais liteartha mar Oireachtas na Gaeilge, Slógadh nó éigsí áitiúla. Bhí an corréan (nó an t-éan corr) féin ann freisin a chum píosa filíochta de bhrí gur bhrúcht rud éigin aníos as íochtar a dhuineatachta féin ar ala aon uaire amháin. Más beag féin den líon aduain sin a tholg an galar, a lean an cheird i gceachtar den dá theanga dhúchais atá againn, sílim gurb iad is gaire a dhrann le tobar na fíorfhilíochta.

Maidir liom féin, tháinig mé ar an bhfilíocht i gcéaduair i ngan fhios dom féin in aois mo hocht nó naoi de bhlianta.

> Anois teacht an earraigh, beidh an lá ag dul chun síneadh,
> Is tar éis na Féile Bríde ardóidh mé mo sheol;
> Ó chuir mé i mo cheann é ní stopfaidh mé choíche
> Go seasfaidh mé thíos i lár Chontae Mhuigheo.
> I gClár Chlainne Mhuiris a bheas mé an chéad oíche,
> Is i mBalla taobh thíos de a thosós mé ag ól;
> Go Coillte Mach rachad, go ndéanfad cuairt mhíosa ann,
> I bhfoisceacht dhá mhíle de Bhéal an Átha Mhóir.

B'as an gCeathrú Bheag, Lochán na mBan, trí mhíle ó thuaidh de Chlár Chlainne Mhuiris, mo mháthair, Síle Nic Aogáin. Théadh muid siar go minic ann mar chlann, go mórmhór faoi Cháisc agus sa samhradh, i sean-*Box Ford*, cláruimhir ZE 109, agus ar ndóigh, tharla gasúir ar bord, bhíodh an bóthar le giorrú le scéalta agus le hamhráin. Má bhí sí ar bheagán Gaeilge í féin, agus murar thug sí dom ach an cheathrú sin thuas den iomlán, thaitníodh Cill Liadáin chomh mór sin le mo mháthair mar phíosa ceapadóireachta a fuineadh as a domhan féin agus as domhan a muintire siar – bhí a sin-seanathair beo sa dúiche chéanna in aimsir Raiftearaí – gur chuir sí d'fhainic orm féin agus ar an gcuid eile den ál gan an t-amhrán a ligean i ndearmad go deo. Ní mé faoin gcuid eile, ach níor léar dom féin ó Dhia anuas ag an am céard a bhí i gceist aici. Féach mar sin féin go ndearna mé rud uirthi ina dhiaidh sin is uile.

Bhí sé d'ádh orm sa bhunscoil agus sa mheánscoil go raibh múinteoirí maithe Gaeilge riamh agam ar spéis leo an teanga agus an cultúr dúchais i gcoitinne, ach ina dhiaidh sin féin níor rud beo an fhilíocht den chuid ba mhó bíodh is gur fhan dánta mar 'Cúl an Tí', 'Anseo i Lár an Ghleanna' agus 'An Tincéir Meidhreach Aerach, Sás Ó Néill' greanta ar m'intinn ó laethanta na bunscoile. Má múineadh go maith féin í de réir thuiscintí na gcaogaidí agus na seascaidí, agus sin faoi scáil uileghabhálach na scrúduithe stáit gona gcanóin thraidisiúnaíoch, ba rud seanda, seanchaite, iardhearcach a bhí inti nár bhain dáiríre lenár saol mar dhéagóirí cathrach. As ucht Dé ort, nach raibh chuile mhac máthar de na filí básaithe leis na cianta agus, fiú is go mb'éigean dúinn chuile líne den chúrsa filíochta a fhoghlaim de ghlanmheabhair, ba mhó i bhfad an fuadar a bhíodh fúinn ag tabhairt chluaise do liricí The Rolling Stones, The Beatles, The Animals, The Kinks, The Beach Boys agus a leithéidí. Agus ní raibh stró ar bith orainn iad sin a thabhairt linn gan amharc ar bith ar leathar ná ar mhaide cam múinteora crochta os ár gcionn.

Ba mar scoláire óg sa dara bliain i Roinn na Gaeilge, Coláiste na hOllscoile, Baile Átha Cliath, faoi stiúir mhealltach chineálta Eoghain Uí Anluain i mbliain chinniúnach fhileata sin 1970 a osclaíodh domhan draíochtúil na filíochta i gceart domsa. Sraith léachtaí ar shaothar Uí Ríordáin leis an Anluaineach maille le saothar critice Sheáin Uí Thuama agus Bhreandáin Uí Dhoibhlin a chuir ar mo shúile dom go raibh saothar cruthaitheach, idir fhilíocht agus phrós, á chur ar fáil sa Ghaeilge a bhí ionchurtha le rud ar bith a bhí mé a léamh san am i mBéarla nó i bhFraincis. Ní raibh rith an ráis ar fad leis an nuáil i gcúrsaí léinn agus litríochta ag an am, áfach, agus bhí scoláirí eile ann dár dteagasc a d'áitíodh go láidir nach traidisiún intleachtúil a bhí san *integral Irish tradition* agus nach dual do dhioscúrsa na Gaeilge modhanna smaointeoireachta agus iniúchta na critice liteartha mar a tuigtear coitianta ar fud na cruinne anois í. Castar tuairimíocht den chineál seo do dhuine i gcónaí sa túr éabhair, ach ábhar iontais a leithéid a bheith i mbéal file agus fear critice mar Ghréagóir Ó Dúill ina dhuanaire breá cuimsitheach, *Fearann Pinn*:

> Tá teanga na Gaeilge fréamhaithe sa talamh agus tugann sé sin neart áirithe di, ach fágann sé, fosta, nach furasta ag an fhile scríobh go teibí, ná ag an léitheoir an teibíocht a léamh. (Réamhrá, lch xxii)

Ní mé ar mheabhraigh aon duine an laincis, an *ne temere* sin do Dháibhí Ó Bruadair, do Sheathrún Céitinn, d'Aodh Mac Aingil, do Mhánus Ó Domhnaill ná d'aon duine d'aos intleachta, éigse agus léinn na Gaeilge riamh anall.

Bhí sé píosa maith i ndiaidh na mblianta coláiste úd go raibh mé in ann fráma tagartha smaointeoireachta de mo chuid féin a bhualadh ar an tuiscint instinneach sin, mar atá, gurb é a sainallagar intinne agus mothaitheach féin le saol na freacnairce trí mheán an fhocail a bhíos ar bun i litríocht chomhaimseartha na Gaeilge (fearacht chuile litríocht eile); go bhfuil cuid bhunúsach d'údarás agus de dhlisteanacht an allagair sin fréamhaithe i leanúnachas chointeanóid na teanga féin; agus, le forás nualitríocht na Gaeilge mar a thuigimid ó thús an fichiú haois í, go suitear í san am céanna i ndioscúrsa bhunáite litríocht agus fhealsúnacht Iarthar Domhain ó aimsir an *Renaissance* i leith tráth ar tháinig an duine aonair chun cinn mar lárphointe na cruinne mar mhalairt ar dhioscúrsa chruinneshamhail thraidisiúnta na Gaeilge a chuireadh an pobal i lár cuilithe.

Soilsíonn dán maith, rann maith, líne nó nath nó meafar maith, dar liom, cúinne dorcha a bhí thar m'eolas agus m'aithne sular casadh dom sa tslí é; nó sin tugann sé chun solais fírinne éigin a bhí i suan toirchis is tualangachta istigh ionam; nó sin arís tugann sé chun athléargais dom faoi chló eile fírinne a shíl mé ba léar dom cheana. Lasann dán maith tine ghealáin a mhaireann i bhfad tar éis ghníomh na léitheoireachta agus beireann sé ar fhírinne bhunúsach dhaonna ar bhealach diamhair a théann thar m'eolas, thar chumas dioscúrsúil anailíseach teanga. Mar a scríobh Eoghan Ó Tuairisc in eagarfhocal *Rogha an Fhile*:

> Preabann an focal is coitianta chun brí agus chun bíogúlachta faoi theannas na healaíne is foirfe dá bhfuil ag an duine, ealaín an fhriotail. (lch 8)

Is leor aon éinín amháin ar an gcraobh, nó sa sceach féin, leis an mbíogúlacht sin a bhaint amach arae, mar a scríobh Colm Breathnach in 'Ar Chúl do Thí':

> Sceach is ea gach dán
> ina bhfuil éan amháin
> faoi cheilt
> ag cantaireacht.
> (*Cantaic an Bhalbháin*, lch 10)

Geiteann dán maith an léitheoir chun léargais lena fhírinne agus lena aduaine araon, más ceadmhach bradaíl a dhéanamh ar théarma Uí Ríordáin i réamhrá *Eireaball Spideoige*. Ar uaire is é an focalphictiúr aonair i lár dáin a adhnas an splanc, fearacht an phictiúir seo thíos de phobal beag scoite a chruthaigh Michael Hartnett ina dhán 'An Séipéal faoin Tuath'. Meascán den sean agus den nua, den suthain agus den duthain, atá ann a chuimsíos gné amháin de scéal an phobail sin in aon radharc siombalach amháin:

> Is is capall uaigneach an pobal so
> ag dul amú san fhichiú haois
> chomh tuathalach le fear
> ag rince le bean rialta
> ag bainis.
> (*Éigse an Aeir*, lch 122)

Uaireanta eile is é an meafar fuinte, dánfhada a fhitear go ceardúil trí reacaireacht iomlán dáin a lasas an splanc, tréith shuntasach d'fhilíocht Mháirtín Uí Dhireáin, Liam Uí Mhuirthile agus Mhichíl Uí Chuaig mar a feictear sa duanaire seo, mar shampla. Nó sin in amanna eile, is é roiseadh mothaitheach an dáin a scuabas leis an léitheoir, mar a tharlaíos i gcás dhánta Nuala Ní Dhomhnaill, Áine Ní Ghlinn agus Phádraig Uí Mhiléadha anseo thíos.

Ní prós ná insint phrósúil atá i ndán ach bealach sceabhach, indíreach leis an saol iarbhír a chur de leataobh d'fhonn réalachas níos doimhne, níos glinne a thabhairt chun suntais agus cruinnis. Go deimhin féin, is é príomhlocht a gheobhainn féin ar chuid mhaith d'fhilíocht na Gaeilge le 100 bliain anuas go bhfuil sí róphrósúil, go mbíonn 'an fhírinne rólom ar an oileán', nach n-aimsíonn sí aon pheirspeictíocht ar leith seachas reacaireacht nó insint dhíreach ar leibhéal simplí na scéalaíochta. Níor chuir M. F. Ó Conchúir fiacail ann ina dhán 'Sráidéigse':

> Tá prós á scríobh go tiubh
> Mar dhea gur filíocht,
> Á reic os comhair an phobail,
> Á moladh ag lucht léinn . . .
> Fuath liom éigse phróis
> I ngiobal rannaíochta
> Gan tada idir cluasa an dáin.
> (*Cuisne Fómhair*, lch 11)

Is eagal liom go bhféadfaí riar nach beag de nuafhilíocht na Gaeilge a bhaint as a foirm líneach ar an leathanach agus a athscríobh go leanúnach i bhfoirm phróis, agus dúshlán file ar bith an díchonstráil phrósúil sin a chur ar ais ina cuma cheart 'fhileata'! Ní hamháin sin, ach déantar róshaothrú ar an líne ríghearr, fiú aonfhoclach, mar dhóigh de go bhfuil macallaí diamhra, cruthaitheacha, ardintinneacha á mbaint as ciúnas na spásanna bána ar an leathanach – ciúta liteartha nach bhfuil ar fáil don fhilíocht bhéil, ar ndóigh. Agus maidir le dánta faoi dhánta agus faoi cheapadh na filíochta féin, níl ansin ach teálta deiridh na heaspa ionsparáide i gcuid mhaith cásanna, ainneoin gur éirigh le Seán Ó Ríordáin in 'Fill Arís' agus le Tomás Mac Síomóin in 'Níl in Aon Fhear ach a Fhocal' thíos, agus le corrfhile eile mar Nuala Ní Dhomhnaill, ráiteas suntasach ealaíne a fhuint as fadhb na hurlabhra mar aonuirlis neamhfhoirfe, theoranta sireoireachta an daonnaí ina thóir ar bhrí éigin i gcruinne eascairdiúil, naimhdeach, bhagrach.

Ba cheart ar deireadh thiar gur mhó iomlán dáin ná suim na bhfocal, na meafar agus na ndeismireachtaí liteartha a mbaintear gaisneas astu ina chruthú. Ba cheart go ndúiseodh sé macallaí, ceisteanna, dúshláin agus fiú iomraill éagsúla aigne agus anama a mheallfadh ar ais an léitheoir. Dá réir seo, is mó ná cuntas fíriciúil ar eagla mná oíche stoirme 'An Stoirm' le Seán Ó Ríordáin, agus féach gur mó ná an stoirm eile chéanna sin meafar leanúnach fhuadar na stoirme ceoil in 'An Ceoltóir Jazz' Uí Mhuirthile. Ar an gcuma chéanna, tá i bhfad níos mó in 'Raiftearaí agus an File' le Johnny Chóil Mhaidhc Ó Coisdealbha ná agallamh simplí agus cuma na seanaimsearthachta air idir file Gaeltachta agus file dall an naoú haois déag. Ainneoin 'na milliúnaí cnámh sa reilig sin thall' sa dán, éiríonn an duine, agus trína bhíthin sin an pobal dar de é, os cionn an bháis le ceiliúradh dóchasach a dhéanamh ar a maireann beo mar mhalairt ar chomóradh maoithneach ar sheansaol atá ar throigh gan tuairisc. Dúisíonn dán Ghearóid Mhic Lochlainn, 'Brionglóid Dheireanach Chrazyhorse', na mianta aislingeacha céanna sin ag an duine atá faoi chois, mianta i ndeireadh na feide a sháraíos laincisí an tsaoil dhuthain agus a chuidíos leis an duine teacht slán i ríocht an spioraid.

Ní foláir freisin do léitheoir cruthaitheach talamh slán a dhéanamh i gcónaí de 'chumas teanga' an fhile ar leibhéal bunúsach, más simplí féin, na difríochta idir *is* agus *tá* – sochar amhrais nach dtuilleann chuile dhuine a ghlaofadh file Gaeilge air féin i gcaitheamh thréimhse an duanaire seo, ní foláir a dheimhniú, faraor. Filíocht Ghaorla a bhaist duine aitheantais de mo chuid féin ar fhilíocht nach bhfuil inti ach craiceann Gaeilge ar cholainn Bhéarla. É sin ráite, tá níos mó i gceist le filíocht, ar ndóigh, ná cumas teanga. Ní raibh aon amhras riamh faoi chumas teanga cuid mhaith d'fhilí Ré na hAthbheochana, go mórmhór iad siúd a raibh an Ghaeilge féin ó dhúchas acu nó sin a raibh saothrú scolártha déanta acu ar an teanga, ach mar a sonraíodh cheana, bhí bunáite a gcuid ceapadóireachta ar easpa iomlán samhlaíochta agus cruthaitheachta dá fheabhas dá raibh cuid di mar aithris ar fhilíocht thraidisiúnta na Gaeilge. Is mó ná aithris shimplíoch ar chanóin an traidisiúin san am a caitheadh an dea-fhilíocht.

Fuintear dán ealaíonta i bhfriotal a eascraíos as féidearthachtaí na teanga atá an file a scríobh. Mar a dúirt Pearse Hutchinson in agallamh in *Innti 11*:

> Má mhothaíonn an léitheoir nó an t-éisteoir go bhfuil fíorchaidreamh idir an file agus an teanga, go bhfuil an file agus an teanga ag caint le chéile agus ag freagairt dá chéile, ag damhsa le chéile, nó ag troid le chéile fiú, ag troid mar a bheadh cairde leapan, má mhothaíonn tú an gheit sin, tá sé Gaelach. Ní chreidim gur féidir aon rud eile a iarraidh ar an bhfile. Mar sin, molaim an éagsúlacht. Má mhothaíonn tú go bhfuil an file ag caint leis an dteanga, leis féin, agus go neamh-chomhfhiosach le pobal na Gaeilge, ní amháin le pobal beo na Gaeilge ach leis na sluaite a d'imigh romhainn a mhúnlaigh an Ghaeilge agus gur *beo* don teangbháil sin, is leor san. (lch 64)

Tá toise láidir spioradálta, nó reiligiúnda i gciall Uí Thuairisc den fhocal ina aiste iomráiteach, 'Religio Poetae', ag roinnt le saothrú seo na filíochta:

> Trí mheán a ealaíne, gan treoir ach treoir a cheardaíochta féin, tagann an *Poeta* ar bhunbhrí na cruinne: go bhfuil an dá shaol ann, an dá ghné den réalachas, agus tagann sé i dtuiscint gurb í is bunbhrí dá ealaín ná an dá shaol sin a léiriú agus iad fite ina chéile sa scéal céanna, sa rann céanna, san fhocal céanna fiú, agus an sean-nasc eatarthu ar a dtugtar an *religio* a aimsiú agus a chur i gcéill don phobal. An té a thuigeann an méid sin, tuigeann sé

> gur gairm bheatha í an Fhilíocht, cosúil leis an ghairm chun na Sagartóireachta, nó gairm an Mhúinteora, nó gairm an tSaighdiúra, nó gairm ar bith eile sa Chathair Pholaitiúil seo againn ar an saol. (*Religio Poetae agus Aistí Eile,* lch 15)

Tagraíonn file i ndiaidh file do Chreideamh seo an Fhocail mar mheán sireoireachta, tóraíochta, agus féinaimsithe. 'Cloch mhíle . . . ar gá don fhile í a scoitheadh, a dhul thairsti, agus é sa tóir ar a bhunús féin,' atá i ngach dán dar le Tomás Mac Síomóin in agallamh in *Innti 5* (lch 26) agus dearbhaíonn sé arís is arís ina shaothar nach bhfuil ag an duine ach an focal mar mheán tóraíochta d'fhonn teacht slán as an duibheagán. Mar a scríobh sé in 'Níl in Aon Fhear ach a Fhocal' thíos:

> Ach má taoi ag déanamh cré sa chill,
> A Chriomhthannaigh an oileáin,
> Gad do ghinealaigh fós níor bhris
> Ó chuiris cor id dhán,
>
> Ó d'íocais deachú an fhocail led nós,
> Ó bhreacais caint do dhaoine ar phár,
> Strapann do nae fós fál na toinne
> Idir Muir na mBeo is Muir na Scál.

Teampall nó tearmann i saol luaineach atá sa dán dar le Biddy Jenkinson, áit a dtig leis an duine éidreorach a theacht i dtír tar éis stoirm farraige, mar a léiríos sí ina dán 'An Dubhfhoinse':

> mar tá dán le fáil sa raic seo
> i dtruscar mothúchán,
> is níl samhailt níos fearr don fhilíocht agam
> ná póirseáil trá.
> (*Dán na hUidhre*, lch 14)

Dearbhaíonn Colm Breathnach ina dhán 'Tost' nach bhfuil againn 'ar deireadh ach focail le raideadh leis an duibheagán' (*Scáthach*, lch 65) más linn ciúnas síoraí na cruinne gan teorainn a chloí, tuairim a dtáinig Nuala Ní Dhomhnaill léi nuair a dúirt sí ag Léachtaí Cholm Cille i 1985 gur bealach í an fhilíocht le briseadh amach as 'fásach fuar inmheánach' ár linne:

> Líontán éigin cosanta is ea iad [na dánta] a chaithim amach romham chun gur fearrde mo léim caorach sa duibheagán, an léim sin nach foláir i scríobh gach dáin chun gur filíocht a bheadh inti seachas prós. . . Labhrann an fhilíocht amach as íochtar ár mboilg faoi mar a bheadh sí ag teacht as réigiún eile ar fad agus ar ndóigh tagann, mar bí siúráilte de gur ón saol eile a labhrann an fhilíocht linn. (lgh 147-8)

Ní mé, go deimhin, nach cuid mhór d'fheidhm na filíochta riamh anall an léim seo sa dorchadas, an míniú ar staid na cruinne mar atá, nó mar a shamhlaíos an file ba cheart í a bheith, á chur faoi chuing an fhocail ag an té a raibh údarás na ceirde ar chúl a ráitis. Sin é a rinne Muireadhach Albanach Ó Dálaigh, Dáibhí Ó Bruadair, Aogán Ó Rathaille agus Antaine Raifltearaí lena linn féin agus i dtéarmaí a bhain le feidhm a gceirde. Mar seo a chuir Raifltearaí é agus é ag cur críoch le dán in ómós don Athair Liam Ó Dúshláine:

> Maoin agus stór, airgead is ór,
> níl iontu ach ceo i measc daoine,
> is gur file gan treoir nár chruinnigh pínn fós
> a thug daoibhse an chomhairle chríonna.
> (*Raifltearaí: Amhráin agus Dánta*, lch 56)

Más mó de ghné na cuartaíochta, na póirseála, na ceiste atá i bhfilíocht an fichiú haois, ag sin freagairt na ceirde dúchais athuair do riachtanais agus d'éigeantais na freacnairce. *Imbas forasna*, fios a shoilsíos, an bua a bhí riamh ag an bhfile Gaeilge, más fíor, agus má d'athraigh léargas agus tuiscint na n-aoiseanna ar a mhianach ní fhágann sin nach ann i gcónaí dó mar aidhm na filíochta.

Tá cuid de na dánta sa duanaire seo reitriciúil, áititheach agus iad á reic sa ghuth pobail sin atá ar cheann de phríomh-shaintréithe thraidisiún na Gaeilge riamh anall, dar liom. Mar a sonraíodh cheana, tá fréamhacha *Trí Glúine Gael* Uí Mhiléadha le rianú siar go dtí filíocht an ochtú haois déag. Den mhianach reitriciúil céanna 'Óchón! A Dhonnchadha' Phádraig Uí Éigeartaigh, 'Caoineadh do Mhícheál Breathnach' Phádraig Uí Dhuinnín, 'An Gráinneach Mór' Joe Shéamais Sheáin, rídhán Eoghain Uí Thuairisc 'Aifreann na Marbh', an dán is ardaidhmeannaí sa Nua-Ghaeilge dar le hEoghan Ó hAnluain, agus 'Ó Mórna' Uí Dhireáin, ceann de na dánta is ansa liom féin ar fad ar a cheardúlacht agus ar a léargas garbh lom ar uabhar, ar uaigneas agus ar phaisean buile an duine. Ainneoin a éagsúla agus atá na dánta sin lena chéile ó thaobh ábhair, ríomhann siad scéal soiléir cinnte i nguth láidir údarásach nach gceadódh an dara hinseacht ar a scéal, díreach mar a dhéanadh Ó Bruadair, Ó Rathaille nó Raiftearaí.

Mar atá áitithe go minic ag an eagarthóir seo in imeacht na mblianta, gné bhunúsach an leanúnachas dioscúrsa i gcuid mhaith de scothfhilíocht na haoise ó chéadiarrachtaí stadacha lucht na hAthbheochana anuas. Saothraíonn an Ríordánach go comhfhiosach mar choincheap bunúsach ina shaothar ar fad é, geall leis (féach, mar shampla, 'Fill Arís' thíos), agus tá sé ar chúl gach ar scríobh an Direánach agus Mac an tSaoi, dá mhéid na difríochtaí idir a saothar araon (féach 'Ceathrúintí Mháire Ní Ógáin', agus 'Ó Mórna', mar shampla). Má chaith filí ghlúin *Innti* uathu laincisí an Ghaelachais róshaothraithe, b'ionann neamhaird a dhéanamh den ghné seo de shaothar filí mar Nuala Ní Dhomhnaill, Biddy Jenkinson, Colm Breathnach, Conleth Ellis, Michael Hartnett agus go fiú filí so-aitheanta 'cathrach' mar Davitt agus Ó Muirthile, agus míléamh iomlán a dhéanamh ar a saothar. Mar a dhearbhaigh Biddy Jenkinson go dúshlánach i léacht neamhfhoilsithe faoi thodhchaí na filíochta in Ollscoil na hÉireann, Gaillimh, i 1999 agus í ag amharc thar thairseach na mílaoise nua:

> Déanaimse, im scríbhneoir laistigh den traidisiún Gaelach, talamh slán de go bhfuil a fhios agam cé hí [an Bhé], gurb í an

> prionsabal cruthaitheach í, gurb í an ollmháthair í, gurb í an Mhór-Ríon í, gurb í flaithiúnas na hÉireann i riocht mná í, gurb í spiorad na héigse í . . .
>
> Iad siúd a chuir bonn úr faoi nuafhilíocht na Gaeilge céad bliain ó shin, braithim gur dílseacht don Bhé ina cáilíocht Ghaelach a spreag iad, Éire, Banba, Fódla. Bhí tuiscint éigin sna putóga acu gur bhaineadar le traidisiún áirithe, gur laistigh den traidisiún sin ba chóir freastal, go mbíodh an dán le clos i gCruachan agus in Eamhain Macha agus os comhair Ollamh Fódla an uair go mbíodh sé á reic i gcúlsheomra in Áth Cliath, b'fhéidir, agus triúr sa lucht éisteachta.
>
> Tá an bhé dhúchasach seo faoi ionsaí le tamall. Ba mhaith liom, mar athbhuille, a hainm a lua agus muid ag dul i dtreo na mílaoise. Nílim deimhin gurb ann di faoi aon chrot ar leith a luaigh mé léi ach oiread is a dhéanfainn deimhin de gurb ann do Dhia faoi aon chló ar bith gur féidir linn a aithint. Tá a fhios agam, ámh, gurb é an peaca in aghaidh spiorad naofa na filíochta ná a mhaíomh nach ann di. Le gur féidir leat bheith i d'agnóiseach caithfidh tú dhá cheann na meá a chosaint. Seasaim, mar sin, ar thaobh na Mór-Ríona agus í faoi ionsaí.

Tá buíon filí a bhfuil saothar leo sa duanaire seo, áfach, nach bhfuil aon chall dóibh dearbhú chomh féin-chomhfhiosach, inbhreithnitheach a dhéanamh maidir lena gceird, mar atá, na filí pobail, Johnny Chóil Mhaidhc Ó Coisdealbha, Joe Steve Ó Neachtain, Joe Shéamais Sheáin Ó Donnchadha agus Learaí Phádraic Learaí Ó Fínneadha. Tarraingíonn siad seo ina saothar ar mhodhanna reacaireachta agus braistinte agus ar shamhailchruinne ar féidir a bhfréamhacha a rianú siar gan bhearna trí thraidisiún na Gaeilge, agus níl aon amhras faoi, dá réir sin, ach go bhfuil a ndéantús go hiomlán taobh istigh de dhioscúrsa na Gaeilge. Tá buíon eile filí de bhunadh Gaeltachta sa duanaire seo chomh maith, Micheál Ó Cuaig, Jackie Mac Donnacha, Caitlín Maude, Máire Áine Nic Gearailt, Seán Ó Curraoin, Seán Ó Lúing agus go pointe Cathal Ó Searcaigh, ar nuafhilíocht i gciall chruinn an fhocail a chumas siad ach go bhfuil orlaí láidre dá ndúchas Gaeltachta fite go healaíonta trí fhoirm agus ábhar a saothair. Más fear de chuid a aimsire féin é príomhcharachtar shraithdhán cumasach Uí Churraoin, *Beairtle*, mar shampla ionadaíoch de shaothar na buíne seo, tá idir shean agus nua ina dhearcadh ar an saol a reictear i 'nglór údarásach ó gharrantaí beaga Bhearna' an tseansaoil. Is cinnte freisin go ndéanfadh Peaidí na gCearc ó Chlochar a chomórtar i ndán Uí Lúing, 'Uaigneas Comórtha', anamchara nó leathbhádóir d'fhear na Maoilíní.

Saibhríonn na macallaí inmheánacha seo as an traidisiún as ar fuineadh an fhilíocht Ghaeilge déantús na bhfilí seo ar fad ar bhealach sainiúil ar leith a bhaineas lena gceird dúchais féin amháin. Fréamhaíonn siad na filí go domhain i gcointeanóid dhioscúrsa na Gaeilge in imeacht na staire agus tá an ghné seo ar cheann de na sainfhreagraí comónta a feictear i bhfilíocht na haoise ar stoiteacht agus ar choimhthíos na cruinne ina mairimid. Tá guth dlisteanach thraidisiún agus dhioscúrsa na Gaeilge ina shnáithe aontachta i saothar na bhfilí seo, guth sainiúil Gaeilge ar urlár a linne féin. Fianaise chruthaitheach ar an gcoinníoll dhaonna ina gné Ghaelach chomhaimseartha a saothar a fuintear go comhfhiosach as a ndúchas agus a n-oiliúint araon. Ag seo freisin, b'fhéidir, an ghné is sainiúla den fhilíocht seo, an ghné a sháraíos aistriúchán sásúil iomlán ar deireadh thiar chuig an dara teanga, arae cailltear an dúchas sainiúil, agus dá réir sin an fhilíocht féin, san aistriúchán. Ní ráiteas idé-eolaíoch é sin faoi cheist fhlaitheas síc-chultúrtha agus soch-chultúrtha an Bhéarla i gcás na Gaeilge bíodh is gur léar don dall gur féidir é a thuiscint mar sin ag brath ar sheasamh idé-eolaíoch an té a bheadh ag éisteacht – agus féach gur duanaire aonteangach é seo chomh maith!

Gné eile den leanúnachas dioscúrsa seo a fhréamhaíos an duine go láidir ina dhúiche agus ina thraidisiún sainiúil féin, agus a saothraítear go leanúnach i bhfilíocht an fichiú haois, is ea coincheap an dinnseanchais. 'Músclaíonn na Maoilíní na paisiúin i mBeairtle,' mar a léirigh Seán Ó Curraoin. Téama lárnach i saothar mórchuid filí an dáimh bhunúsach shíceach seo idir an duine agus a thimpeallacht fhisiciúil, mar is léar ó

Beairtle agus ó shaothar filí mar Mháirtín Ó Direáin, Seán Ó Ríordáin, Nuala Ní Dhomhnaill, Cathal Ó Searcaigh, agus Micheál Ó Cuaig le cuid an bheagáin a lua. Déantar ceiliúradh spleodrach, neamhchairtéiseach go rialta ar na háiteanna naofa sin a chothaíos beatha inmheánach an duine agus a dhearbhaíos dó gurb ann do na tamhnaigh bhláthmhara i bhfásach aimrid shaol na linne seo. Ar an gcuma seo sa dán 'Carraig Aifrinn' thíos, faigheann Liam Ó Muirthile cuireadh ó gheata adhmaid cois trá i Muínis agus téann sé thar an tairseach idirshaoil sin ó dhomhan an driopáis is an fhorrú laethúil go dtí domhan níos liriciúla, níos ciúine, níos duineata. Ar an gcaoi chéanna, suitear faitíos, alltacht, iontas, cion agus gráin an ghasúir bhig ar a chuairt chuig teach a sheantuismitheoirí agus a phrintíseacht bheag i mbealaí na beatha agus an bháis á cur de aige, go sonrach i seanteach na muintire in 'Inbhear' Mhichíl Uí Chuaig. Agus ní i saol tuaithe an chomhthionóil fhuinniúil fhuinte amháin a thagas an duine ar na splancanna eipifeáineacha seo. Ainneoin tuairim léirmheastóirí áirithe nach dtig leis an nGaeilge déileáil 'go réalaíoch' le saol na cathrach, d'fhéadfaí aiste fhada dhinnseanchasúil a scríobh faoin rúibric 'An File agus an Chathair'. Fiú *Beairtle* Uí Churraoin, rinne fear cathrach seal de, agus léiríonn dánta cumasacha mar 'An Ghrian i Rath Maonais' le Michael Davitt, 'Ár nÁit' agus 'Whacker' le Liam Hodder, agus 'An Cúrsa Buan' le Liam Ó Muirthile sa duanaire seo, gurb ann do na *lieux sacrés* i gcomhthéacs cathrach, agus go dtabhaíonn siad a gceiliúradh freisin.

An méid sin ráite, áfach, éigean ar nuafhilíocht na Gaeilge a bheadh ann a dhearbhú nach bhfuil inti ach leanúnachas dioscúrsa nó ceangal leis an traidisiún. Pléann sí, ar fhianaise an duanaire seo, le hábhair atá chomh fairsing, chomh hilghnéitheach, chomh huileghabhálach le mianach mistéireach an duine féin 'sa tromluí stairiúil is beatha don Ádhamhchlann', mar a thug Eoghan Ó Tuairisc air in eagarfhocal *Rogha an Fhile*. Gheofar inti cíoradh ar bhuncheisteanna a bhaineas le cinniúint an duine agus é ag tabhairt aghaidh ar shaol luaineach na linne seo atá gan bhrí den chuid is mó, ó smaointe cráite Uí Ríordáin faoi chúrsaí reiligiúin go dtí bligeardaíocht *smart*áilte ghrúbhaeraí cathrach Davitt, ó chúrsaí tromchúiseacha pholaitíocht agus stair thuaisceart Éireann go dtí ceisteanna a bhaineas le hionad an duine i sochaí na linne (agus na ceisteanna féiniúlachta agus féinaitheantais a eascraíos astu araon), ó chúrsaí seirce agus síorghrá go dtí mioneachtraí faoi mhiondaoine ina ngnáthshaol laethúil.

Mhaígh Somhairle Mac Gill-Eáin in agallamh in *Innti 10* gurb í an liric 'buaicfhoirm na filíochta' agus tá an duanaire seo lomlán de dhánta aon uaire den chineál sin, nóiméid inspioráide, splancanna cruthaitheachta a bheireas go paiteanta ar mhionsonraí suntasacha i ngnáthshaol an duine bhig aonair ina choraíocht laethúil leis an saol amuigh: cúrsaí grá agus páirtíochta i saothar Choilm Bhreathnach; draíocht mhealltach agus scéiniúil in éineacht an tsaoil fhásta sin thar eolas an ghasúir a feictear in 'An Seomra Codlata' le Louis de Paor; laochas Christy Ring ina steillbheatha i ndán Sheáin Uí Thuama; samhlaíocht agus treallús na n-eisreachtaithe óga in 'Roy Rogers agus na hOutlaws' le Jackie Mac Donnacha . . . gá dtám ris gan cuid mhaith dá bhfuil de dhánta sa duanaire a lua go sonrach ina gceann is ina gceann as a dtréithe agus a gcáil.

I ndeireadh na feide, cúis cheiliúrtha agus ábhar mórtais ní hamháin a bhfuil sa duanaire seo ach filíocht na Gaeilge san fhichiú haois fré chéile. Míorúilt inti féin í a bheith ann chor ar bith, b'fhéidir, agus cluichí caointe na teanga féin á bhfógairt os ard ag saoithe dea-eolais leis na céadta bliain. Ní miste a mheabhrú athuair do lucht an díchreidimh gur le linn na tréimhse seo is mó a cumadh filíocht riamh sa teanga, b'fhéidir, bíodh is nach deimhniú fiúntais liteartha an méid sin ann féin, ar ndóigh. Is é atá sa chuid is fearr den fhilíocht seo allagar sofaisticiúil intinne agus anama an duine leis féin agus leis an gcomhshaol ina thimpeall, iniúchadh agus ceistiú muiníneach, neamhspleách ar shaol na freacnairce i bhfriotal atá nua agus sean, fréamhaithe go domhain agus saor ó theorainneacha agus ó laincisí in éineacht. Má scríobh Louis de Paor an méid seo faoi fhilíocht Mhichael Davitt sa réamhrá a chuir sé le rogha dánta Davitt, *Freacnairc Mhearcair*, is fíor an ráiteas freisin faoi chuid mhaith de lucht a chomhaimsire:

> The level of conviction and linguistic ease . . . is such as to imply that a rearguard action on behalf of the language may no longer be necessary, that, in the world of poetry at least, Irish can take its place in the Tower of Babel without the sanction of cultural protection. (lch XV)

Is cuí dá réir sin an focal scoir a fhágáil ag file i mbun an dáin ag fágáil a cloch shainiúil féin ar charn an tsaoil mhóir go dóchasach, dúchasach, muiníneach, neamhleiscéalach, mar a bhí, atá agus a bheas Biddy Jenkinson in 'Gleann Maoiliúra':

> Lá fliuch samhraidh sa charrchlós,
> an Leabhar Branach liom mar éarlais dílseachta,
> ag filíocht
> mar nach dtéann cuimhne daoine san áit seo níos sia
> siar ná Béarla
> agus gur uaigneach bheith gan sliocht dáimhe,
> ag baint macalla as learga dlútha an ghleanna
> in ainm na treibhe,
> ag cur cloch ar charn.
>
> Lá fliuch samhraidh i gcarrchlós bharr an ghleanna
> sáinnithe ag bruscar na gcóisirí,
> Bean de shliocht na bplandóirí mé
> ag reic dánta le taibhsí . . .
>
> Tá an lá ag scarbháil sa charrchlós,
> foiche ag giúnaíl i gcraiceann oráiste,
> fiach dubh ag grágaíl ar Shliabh an Fhearainn,
> gealán gréine ag óradh aitinne
>
> is mo mhún dreoilín i bhfarraige ama
> go cóir.
> (*Dán na hUidhre*, lch 97/108)

Gearóid Denvir
Samhain 2000

An Duanaire

An Fiach Dubh

Maidin sa bhFómhar le lónradh an lae
Is ea dhearcas ó fhuinneoig mo sheomra féin
Fiach dubh feasa ar an bhfalla ina shuí
Rianaí thaistil ó thalamh thar toinn.
Do raideas-sa grá don rábach aerach,
Preabaire fánach, fáthach, scéaltach!
Dob fhuirist a mheas ar chreat mo réice
Gur eitil thar lear ó Fhearann Gaeil Ghlais.
Do shíleas gur fhéach orm féin le trua dhom;
Do shíneas mo ghéaga fé dhéin an ghruagaigh.
Mheasas go ndúirt: 'Mo chumha thú, a Phiarais!
Is ainnis do chúrsa i ndlúthghlasa iarainn.
Do bhís-se uair go luaimneach tréan,
An mhaoilinn suas ba luath do léim;
Do chonacsa treall tú it lansa faobhrach
Fuinniúil, teann, gan beann ar éinne.

Nach cuimhin leat maidin d'éis breacadh an lae
Is tú ag tíocht abhaile is do chara let thaobh
– An cara dob fhearr dár tharla it líontaibh,
Do chara bocht Seán go brách ná fillfidh –
Fiach dubh go bhfacais sa bhealach go subhach
Is an ghrian ag taitneamh go geal ar a chlúmh?
Do mholais le greann a dhealramh sásta.
Mise bhí ann is do ghreann ba bhreá liom.

Is fada mo shaol im straeire fánach
Is fairsing mo réim thar sléibhte is bánta.

Do chonacsa a lán nár chás dom a insint
In Inis geal Fáil is thar sáile choimhthígh.
Níl ann ach seachtain ó chaitheas-sa tréimhse
I mball sa bhaile is aithnid duit féinig.

I nGleann Deasmhumhan i Múscraí bhíos-sa
Is na lomchnoic dhubha go dlúth im thimpeall.
Bhí brothall thar meon le róneart gréine ann,
Solas go seoigh ar bhordaibh fraoch-chnoc.
Bhí an loch os mo chomhair go lónrach gléigeal
Cothrom gan ceo gan leoithne ag séideadh.
Bhí buachaill i mbád i lár na linne
Is ar bhruach an tsrutháin bhí gártha bruinneal.
D'éisteas go sóch le gleo na mbláthbhan,
Gaeilge is spórt ag cóip ón gColáiste.
Bhí cuid acu ag trácht ar lá do bhí acu
Anuraidh ar fán de bharr na maolchnoc;
Dúirt ciabhfhionn bheag dheas go cneasta caoin bog,
'Bhí Piaras 'nár measc, is maith is cuimhin liom.'

Do chuala gliogar na n-eochair fém dhéinse,
Do chuala fothrom foirne an Bhéarla;
Do chonacsa fém dhéin na béir om chiapadh,
Is d'imigh an t-éan ins na spéartha siar uaim.

Wanderlust

Ní hé Nennius is cás liom, dá ársaí a chlúsan,
Ná Gofraidh Fionn Ó Dálaigh, dhein barda do mhúineadh,
Ná leathanhallaí lána, cé breátha iad ná Lúna,
Ach na bóithre fada bána is iad dom shámhtharraing chucu.

A malairt sin níorbh fhearr liom ach bád seascair siúlach,
Is í ag léimrigh le fánaidh is lán srutha fúithi;
Éamonn geal bheith láimh linn is do lámhsa dár stiúradh,
Is a chara dhil na n-árann, nárbh álainn an triúr sinn!

Mhuise, caithimis i dtráth uainn Pokárny agus Brúgmann,
Is a leabhair throma ghránna nach fearrde an té scrúd iad.
Cad é an mhaith a bhfuil i gClár Luirc de dhántaibh is d'údair
Seachas bóithre fada bána nó bád seascair siúlach?

Dán do Scáthach

an t-oileán glé úd gurb é tusa é
tá sé fairsing sléibhtiúil

ceilteach agus oscailte
is nuair a bhogann néalta
trasna na spéire os do chionn
léirítear ailteanna is machairí

seangacht agus méithe in éineacht
agus scáth ar scáth ag leanúint a chéile
timpeall ar do cholainn bhán go léir

tráth gur shínis amach
ar an dtocht lomnocht
sa tseomra dorcha
os cionn na mara
bhí caille ar d'éadan
a d'fholaigh do cheannaithe
do shúile fiú
nuair ba léir iad faoin bhfial
bhí mar a bheadh scim orthu

do bheanna mórtasacha
ag éirí is ag ísliú
gile fhíochmhar do chnis
ina hoileán i lár an dorchadais
shnámhas go dtí tú
m'fheargacht go léir ar crith
le tnúth agus le heagla
do lámha anall tharam is mé ag dul isteach ort

mar oilithreach chun do theampaill thánag
is mé ag foghlaim gaisce
san áit inar thit céad fear romham
níos fearr faoi chéad ná mé
níor chuala ach ceol na bpíob

nuair a léimeas thar do dhroichead
is nuair a réabas do bhaile poirt

ceol síoraí na bpíob
ag leagan urláir faoi mo chroí

an t-oileán glé gurb é tusa é
a chuir sciatháin le mo mhian

do bheanna mórtasacha ag éirí is ag ísliú
i gcónaí faoi gach gníomh a chuirim i gcrích

is cuma anois nó cuid díom tú
cé ná faca do shúile riamh
bhraitheasa do chroí ag bualadh

i siansán uafar na bpíob mór
is i nglórtha na ngaiscíoch a thit romham
faoi bhuillí fíochmhara ghile do chnis
sa tseomra dorcha os cionn na mara

oileán fairsing oscailte tú
a iompraím thart liom
im chroí ceilteach

Gráinne agus Diarmaid

do ghúna trom
faoi ualach na báistí is an phluda
atá dá bhfí isteach sa dlúth ann
le ráithe is sibh ar úr dteitheadh

nuair a luíonn a shúile ort
agus an fhearg ag dorchú a chuntanóis

ceileann an fhearthainn na deora
ar do leicne agus is dóigh leis arís
go bhfuil an croí ionat ina leac
gur chuiris d'iachall air éalú leat

ach deargaíonn 'dtí na cluasa air
chomh maith ar uairibh
nuair a bheireann tú air is é ad iniúchadh
is tú ag iarraidh tú féin a ionladh
i ndeireadh an lae

tá sé gafa, chomh teann leat féin,
i ngaistí is i ndola na seirce

a cholainn fann
ag arraing an ghrá is an cheana
atá dá sá trén gcroí ann
le ráithe is sibh ar úr gcoimeád

nuair a luíonn do shúile air
is an náire ar lasadh id ghruanna

bainid an ghruaim do

is an uair úd
dháilfeadh sé sú a chléibh ortsa
d'fhéadfá é a dh'ól te óna bhosaibh

Macha
(do Mhary)

Éiríonn éan as measc na dtom
mar a bheadh tobainne gáire páiste ann.

I do dhá shúil, a ghearrchaile,
tá péire éan donn neadaithe.
Ní heol dom a n-ainm Laidine

ach aithním as an nua iad gach uair
a theilgeann tú do gháire paiseanta uait.

Is insíonn do shiúlóid sheolta
i measc na bhfearnóg
nithe dom, leis,
ab eol don éan is don chré fadó.

Táid na clocha fiú ag éamh as d'ainm fíor ort.

Is inseoidh an dúthaigh seo
an taobh go bhfuilir ann

don té a éisteann
cantaic na mbalbhán

don té a fhéachann
léimt an bhradáin

agus a bhéarfaidh ar an gcarbad
ina scriosrás trí lár na má.

An Uachais

An dorchadas dubh, badh in é do thoil-sa:
an fhuinneog a chlúdach is an choinneal a mhúchadh.

Ansin d'fháisc tú go dlúth mé i do bhaclainn gan teimheal,
d'ainneoin do choil le teagmháil na gcneas;

is nocht tú do cholainn, a ógbhean na n-athruithe,
a ógbhean a bhí seachantach cúlánta searbh.

Is samhlaíodh dhomsa nár sheomra de mo chuid-sa
é áit sin na coinne is an chéileachais cheadaithe,

ach uachais cheilte amuigh ar an uaigneas,
uachais an mhiangais ar annamh aon chuairt uirthi

is nárbh eolas d'aon duine ach thusa a suíomh,
ná a tomhaiseanna ná a tréartha ná í a bheith ann.

Ní thuigim, áfach, an mar fhireannach fánach,
strainséara storrúil a tháinig an bealach

tráth féile, a fearadh orm an phribhléid?
Nó a mhalairt uilig—go raibh mé i láthair

i mo cháilíocht mar chompánach an choibhnis chinnte
a treoraíodh siar thrí thholláin do shaoil-sa,

siar thrí dhorchlaí dubha do chuid déaga,
thar an imreas, thar an éamh, thar an gcastacht, thar an gcéasadh,

gur theann mé ar deireadh leis an duine ba thusa,
gearrchaile naíonda sa dorchadas á nochtadh—?

Seoda Cuimhne

Mar fhíorchnuasaire
Ba chóir go gcuirfinn i mbosca iad,
Nó faoi ghloine le lipéad néata
Ar nós na Victeoiriach,
In ionad iad a fhágaint
Idir bileoga dialainne
Óna dtiteann siad
Chuile uair a osclaím í.
Is chuile uair cromaim go talamh
Chun iad a shábháil
Á mbailiú piotal ar phiotal,
Lusra is rósanna,
A chaith siad mar choinfeití orainn
Ag bainis i nDushanbe,
Is an bláth geal andúchasach
A thit óm ghruaig
Leath slí tríd an damhsa
Tite ó chéile anois,
Ar chuma páipéir shíoda
I bhfaonsolas Samhna.

Cé gur beag a ghnóthaím
As an gcreach seo a bheirim abhaile
Ní féidir liom scarúint leis
Mar is cuimhin liom an sú
Laistiar den tseargacht
Is má ghliúcaim go géar
Cá bhfios dom nach bhfeicfinn

Aghaidh na brídí, cosúil leatsa
Nuair a d'ardaigh tú a caille,
Is d'aithin tú eilit órga na sléibhte
Os comhair do dhá shúl.

Duitse Gach Dúil

Níl Bíobla ná Portús agam
Chun m'ómós duit a chur in iúl,
Ach toirbhrim duit
A bhfuil i mo thimpeall
Fad a thugaim sciuird
Trí Mhachaire Láir na hÉireann.

I bhfad uaim tinte ár sinsear,
I bhfad uaim fuil agus deatach
A n-íobairtí siúd.

Leagfad amach duit ina n-ionad
Tabhartaisí tuaithe do chruthaithe féin:
Feisteas geal glas na bhfáibhilí
Báinne ógh na sceiche gile
Agus goirme na seimire cré;
Bíodh corcra na craoibhe liathchorcra
Ina róba ríoga duit
Agus chugatsa laom an aitinn
Le teannas a dhúthrachta.
Toirbhrim duit an searrach nua,
A choirpín seang is a ghéaga caola;
Bíodh na heascracha cuara ar ais agat
Le lán mo chroí,
Maille le méithe an fhearainn bhriste –
Duitse gach dúil, gach dúil bheo.

An Ghrian i Ráth Maonais

sín siar thar scáilmhaidin
a ghrian sheaca shamhna seo
a chaith coincheap criostail
suas trí lár Ráth Maonais
a las foilt chatacha
i bhfuinneoga

is breá liom na scátháin
a mbíonn tú iontu
i bpáirtíocht lem thaibhrimh

neadaigh i gcrann dom tamall
go sciorrfad síos an chanáil dhuilleogach chugat
amach thar mo mheabhair

a chaoinghrian chaointeach
dall mé

Báisteach

Ar an Mullach Mór gála aduaidh
ag seiliú na báistí i gcoinne cheann an tí.
I dteas ár leapan amharcaimid
domhan dubh easach trí fhuinneog
agus glam nach binn an Atlantaigh
ag seoladh chugainn cuimhní taise
ina gcaisí reatha:
seomra ranga i Scoil Náisiúnta
Bhaile na mBocht
is an ghal ag éirí dínn os comhair
morc de thine ghuail.
Sráid Phádraig, Nollaig éigin sna caogaidí
is mé nach mór istigh faoi
scáth fearthainne mo mháthar,
máilín beag Santa ó Chash's
á dhianchlúdach agam
faoi chóta gabairdín.
Báisteach Choláiste na Mumhan
is mé ag snámh in abhainn an Ghaorthaidh,
mo chuid éadaí báite ar an mbruach
is an siúl scigeach leathnocht
aníos chun suanlios na mbréanstocaí.
Ceobháisteach ag scuabadh
go magúil thar Ghuagán Barra,
an Mangartan is Bealach Oisín
agus cacbháisteach Dhún Chaoin
ag creimeadh anuas go neamhthrócaireach
gan d'fhaoiseamh uaithi

ach móin nó pórtar.
Múraíl Chonamara ag brú
a gcuid plotaí solais rompu aniar
is an bogha ceatha os cionn
Loch Measc,
shuíomar ar chladach
tráthnóna Lúnasa in ochtó ceathair
ag déanamh iontais de shúil
an Chruthaitheora.
An balcadh earraigh a gheobhadh
garraíocha Mhín an Leá
is ár mbuataisí ag suirí
leis an chlábar
is caidé bheadh i ndán dúinn
ag tiomáint abhaile thar an Eargail soir
fríd An Ómaigh, Scairbh na gCaorach
is Muineachán ó dheas
ach síordhíle
is na cuimleoirí ar a míle dícheall
á scaobadh den scáileán.
Seanbhusanna Bhleá Cliath
bhíodh báisteach uathu
chun iad fhéin a chruthú.
Ní thabharfá aird ar na
rothaí móra bagracha san
nó go gcífeá chugat iad
ag díoscadh trí na sráideanna úrnite,
tonnta uisce á gcaitheamh isteach acu
ar lucht siúlta na gcosán.
Samhlaím lán bus de phaisinéirí
faoi chótaí fliucha olla

ar a slí chuig an gComhdháil Eocairisteach
i bPáirc an Fhionnuisce
i naoi déag tríocha dó,
samhlaím ollchruinniú
de chuid Dhónaill Uí Chonaill
agus an t-uisce ag gleadhradh anuas
ar chaoga míle Caitiliceach Rómhánach.
Inniu ní gá dhúinn bheith inár mbáiteacháin
ar son aon chúise
is nuair a chloisim tú ag gearán
ar an aimsir deirim:
'éirímis amach ar an urlár,
a chara liom,
tá oíche fhíorfhliuch Aodhagáin
ina hadhmhaidin.'

I gCuimhne ar Sheán de hÓra † 1989

Ba den 'bhog déil' tú fhéin leis,
Den tseanashaol a thál
Prima Donnas úd eile Dhún Chaoin,
Pound, Charlie, An File.
Bhís déanta dom bhrionglóidí féinig,
Rothaí aonair ó chathair anoir
D'iarraidh teacht in inmhe fir,
Dincthe isteach idir bláthadóireacht uile na *Hippies*
Agus cúis na teangan. (Níor bhain
Ceachtar cúis Corca Dhuibhne amach
Faoi lár na seascaidí, ná níor bhain ó shin).

Do shean-nós tigh Daniel Kane
A d'adhain mo chluas is mo shamhlaíocht
An chéad uair riamh. Do shainstíl
Órach féin gona stadanna obanna
Is a geonaíl; balcaire beag righin
Ina cholgsheasamh i lár an fhotharaga
Is déarfá *An Clár Bog Déil* faoi mar
Gur tú an suiríoch deireanach ar domhan
Fágtha ar charraig aonair i measc na dtonn
I gCuas na Nae, na súile leighte siar
Cúpla céad bliain id cheann,
Lámh neamhscrupallach ag tarrac
Patrún ar an aer idir tú
Agus do lucht féachana. (Chaith an lámh chéanna
Luch bheo as buatais rubair
Isteach i gcroílár tine móna lá

Is d'iompaigh mo ghoile nuair a chonac
Na súile ag leaghadh).

Ag ól *cider* cois na tine céanna oíche
D'fhiafraís díom cá gcaitheas an lá
Nó an ndeineas aon dán.
Bhí ábhar dáin agam, a dúrt.
Gur chuas ar thuairisc Phiarais Feirtéar
Agus go raibh comhrá beag agam
Leis an seanathaoiseach file,
Féasóg ceithre chéad bliain air
Is é suaite a dhóthain.
'An mbraitheann tú uait an seanashaol,
A Phiarais?'
'Ó braithim,' ar seisean,
'Is braithim uaim Sibéal.'

'Díreach ar mo chuma fhéin,'
Arsa tusa, a Sheáin,
'Nach ait an obair,
Díreach ar mo chuma fhéin.'

Lúnasa

másach mascalach stáidmhná
agus murúch fir
chuaigh ag tiomáint an tráthnóna lúnasa soir
faoi na tránna tréigthe

an breacsholas agus an dorchadas
ag iompó isteach is amach
idir gaineamh agus léas

taoscán vaidce agus toit

ruathar bóúil chun na taoide síos
ina craiceann gealaí
eisean de thruslóga rónda ar teaintiví
gur léim ar a muin de dhroim sobail
gur thiteadar i ngabhal a chéile ghoirt
gur shnámh a chéile trí chaithir thonnchíortha
faireoga tiarpacha le faireoga fastaímeacha

gur dhein pian amháin
de phianta an tsaoil
a shuaimhniú

dís débheathach
i bhfreacnairc mhearcair

Stórtha Arda

Tá áthas ar Aingeal gur chuimhnigh sí
ar a lapaí. Agus is mór an áis di freisin,
a culaith chait dhubh. I dtosach bíonn
imní uirthi eitilt róghar don ghealach
ar eagla go ndiúgfaí a cuid fola. Seans
go dtitfidh sí gan brat fúithi. Is rud
amháin é a bheith ag eitilt le linn taibhrimh –
sa saol seo is gá iarracht níos mó
a dhéanamh. Dein dearmad ar mheáchan
do choirp, a deir sí. Sín amach do ghéaga
ar nós curaidh céad méadar sa snámh brollaigh.
B'fhéidir gurb é seo an t-aon seans a gheobhas tú.
Ní theastaíonn uait fás suas i sluma.
Fiche stór ar airde. Gan chrainn. Gan jab.

Le héirí na gréine gabhann thar abhainn.
Tugann faoi deara dallóga liathdhearga
ag bolgadh as díonteach. Caith do shúil
thairis sin, molann di féin. Laistigh,
stacaí leabhar. Dealbha ón Oirthear.
Is ón urlár mailpe croitheann a scáth chuici.

An Seomra Codlata

Ní raibh aon ghlas ar an ndoras
ach focal crosta mo mháthar
dolúbtha mar bholta iarainn,
díomhaoin mar ghad um ghainimh
nuair a scaoileadh ár bhfiosracht den iall.

Scéigh néaróga bioraithe
le díoscán hinsí orainn nuair bhrúmar
isteach an doras righin
ag teacht ar bharraicíní
thar teorainn ár bhfeasa.

Chluthraigh an t-aer stálaithe
teas anála fé chuirtíní druidte
sa tseomra doiléir;
bhí mo chroí im bhéal
chomh mór le croí rónaofa Chríost
ag pléascadh ina chliabh ar sheastán
os cionn na gcoinnle oíche,
a dhá shúil martra ár bhfaire
chomh díomách le máthair nó Garda.

Bhí cófra greanta chomh mín
le huillinn piú sa chúinne,
boladh bróga nua ar an adhmad snasta
agus litir an Phápa os a chionn
mar bheadh fógra i ngort
ag fógairt stróinséirí amach

i gcas-scríbhinn Laidine
chomh dorcha le haibítir oghaim.

Nuair a tharraingíos an tarraiceán dúr
tháinig fuarbholadh bosca faoistine
aníos tré mhus mo chuid allais,
chuaigh méara oilte ar phócaí
a phiocadh ag taighde sa tsnámhraic
a caitheadh i dtír le stocaí,
haincisiúir is brístíní i ndrár
na bhfo-éadaí, bronntanaisí Nollag
na leanaí – giúirléidí daite gan mhaith
nár mhaith leo a chaitheamh
ná a chaitheamh amach, chomh táir
le hanam tuistiúin F.W. Woolworth.

Bhí lámhainní ar mo choinsias
ag leagadh an bhruis i leataoibh,
rásúr fiaclach le cos airgid
agus gléas míorúilteach
chuirfeadh faobhar ar lann mhaol,
seanghalas sa bhfaisean ba nuaí
i naoi déag caoga a trí,
carabhat le suaitheantas diamhair
Masónach – pionsúr ag stathadh fiacal.

D'éirigh stua ceatha
aníos ar mo mhalainn nuair a chonac
na grianghrafanna dubhagusbána,
mo mháthair i ngúna galánta
chomh mín síodúil gur dheas leat

an páipéar fuar a chuimilt led ghrua,
an buachaill ina chóta lachtna

ag teacht as stáisiún traenach
i Londain Shasana, amhras imirceach
ina shúil stuacach, olc air
gur chuir sonc uilleann an cheamara
isteach ar a mharana. Cad a bhí ina cheann
nuair ná rabhamar in aon chor ann,
nuair a bhíomar ar Neamh
ag ithe peaindí leis na leaids?

I gcúl an tarraiceáin laistiar den iomlán
bhí ionnmhus gan áireamh i dtaisce
i seodbhosca mo mháthar – bróistí,
breasláidí, fáinní óir is airgid –
taibhrí a bhain sí di ina gceann
is ina gceann de réir mar bhain na blianta
a mianta luachmhara dhi.

Ar oscailt an dorais
nochtamar dorchlaí geala
nárbh eol dúinn go dtí sin
inár dtighne; shiúlamar tré rúmanna
aeracha a thréigeadarsan fadó
nuair a thugamarna ár dtrioblóidí beaga
i mbróga salacha tré hallaí bána
a ndomhain gan smál.

Nuair a chuirim chun imeachta anois
ar eagla go mbéarfaí orm istigh

sa tsaol eile sin thar m'aithne,
go dtiocfadh fios i ngan fhios
aníos taobh thiar díom,
go mbuailfí leacadar fé bhun mo chluaise
is nárbh fhéidir liom éalú
tá m'aigne i ngreim,
ní féidir an doras
a tharrac
im dhiaidh.

Airím cheana
cogarnach leanaí
i mbarr an staighre,
ní féidir liom corraí.

Glaoch Gutháin

Sara dtosnaigh an guthán ag bualadh
tráthnóna i mí Eanáir
bhí crainn líomóin ar chúl an tí
ag lúbadh faoi ualach solais
is an ghrian
á searradh féin
le géaga cait.

Bhí pearóid in éide easpaig
ag praeitseáil le scuaine mionéan
a d'éist lena seanmóin ghrágach
chomh cráifeach
corrathónach
le buachaillí altóra.

Bhí m'aigne tuartha
ag an ngrian bhorb
nó gur ráinig do ghlór siúltach
ó chathairphoblacht i lár portaigh
mar a raibh pórtar ar bord
is allagar tromchúiseach ar siúl
i measc geansaithe olna is gúnaí fada
i dtithe óil cois abhann
is gaoth stollta
mar a bheadh gaotaire ramhar ón Meal Theas
ag rabhláil tré ghéaga na gcrann
ar Shráid an Chapaill Bhuí.

Chuaigh do chaint lán
de bhuillí uilleann is glún
ag dornálaíocht le scáileanna mo chuimhne,
focail tiufáilte ag rúscadh trím cheann
is do ghuth easumhal ag rásaíocht
mar a bheadh rollercoaster ceann scaoilte
sa charnabhal i mBun an Tábhairne.

I lár an mheirfin
i gcathair Melbourne
bhí frascheol píbe
ag clagarnach sa tseomra
mar bhí ríleanna báistí
is geantraí geimhridh
á seinm ag méara meara
ar uirlisí ársa
i gcathair an éisc órga.

Thar Am

Bhí sí déanach ariamh is choíche
mar a bheadh smut dá candam ama
abhus ar iarraidh i gcúl an chúits
nó i bpóca deannaigh
taobh thiar den matal
is gur leasc léi dul ar aghaidh
gan dul siar arís á chuardach
sa scoilt idir anois is anallód.

Cheartaigh a fear an dearmad
a bhí inti, dar leis, ó nádúr;
chas an tigh chun cinn ar an gclog
le breith ar ais ar an am
a bhí caite sa spás
idir buille Eilbhéiseach a chroí fhéin
agus buille mírialta na mná
a bhí díreach an méid sin
as alt i dticteach na cruinne.

Tá sí déanach i gcónaí
is táimid brúite i gcúl na cairte
chomh míshlachtmhar
leis an dtaobh istigh
d'uaireadóir briste,
ag triall, ní foláir,
ar Aifreann a haondéag.

Tá cloig ag bualadh,
adharca á séideadh
is uisce ón spéir á dhoirteadh
ar ghrua an ghaothscátha.

Tá cuimleoirí basctha
mar chiarsúr linbh ag smearadh
deor le súil an ghluaisteáin.

Seasann an draibhéir
ag bun an staighre sa halla
chomh righin le líne ón mBíobla,
is an ghrian ag dul faoi
ar chaol a chiotóige.

Tá monabhar a bhéil chomh ciúin
le siosarnach na leathanach
i leabhar urnaí,
a chroí buailte
ag buile an chloig.

Uabhar an Iompair

is n'fheadar ná gurb é seo anois
do chruth féin is do chló ceart
do chom chomh mór
le clog ardeaglaise
ag ceiliúradh na dtráth gan riail
ó iarmhéirí go heasparta na fola

tá do chiotóg buailte
le clár do dhroma
mar phrapa le huabhar
an iompair mar a chuirfeadh
fear a ghualainn le crann
is urlár luaineach an tsaoil
ag luascadh féna shála cipín

nuair a shéideann an doircheacht
ar an mbaile cois mara
ina maireann mo dhúil
baineann a hanáil simléirí
na dtithe gallda ar bhóthar na trá
sínim láimh leat thar an mbruth
faoi thír i lár na leapan

mo ghéaga caite os do chionn
is do phaisinéir laistíos
ag gabháil de dhoirne
ar dhoras mo bhoilg
clog cuaiche ag cuntas
na laethanta fé dhithneas
sara gcuireann mo chabhail in aer

Naoi dTimpeall

1 Tar aduaidh chuig an tobar beannaithe.
Beidh an ghrian ar do bhéal,
An dorchadas taobh thiar díot.

2 Siúl deiseal coslom ina thimpeall,
Naoi dtimpeall na spéire
Ar ghéarchosán na naomh.

3 Aithris na paidreacha agus tú ag siúl.
Cuir d'aghaidh faoin chraiceann.
Ól bolgam uaigneach fuachta.

4 Tusa ar a ngoilleann riachtanas
Balbh do dhúchais féin,
Feicfidh tú breac an leighis.

5 Roimh theacht aduaidh duit abhaile
Greamaigh mar chomhartha buíochais
Giobail ded éideimhne den sceach.

6 Smaoinigh gealmhaidin seo na féile
Ar an fháilte a fhearfar romhat
A luaithe a thagann tú slán.

7 Ar an bhaile déanfar dubhdhearmad
Gan mhoill ar an díol deora
A bhíodh ionat tráth.

8 Ní bheidh tú id dhíbeartach rúnda
Amach anseo ag do mhuintir.
Beidh tú eolach mar chách.

9 Cas ar ais sula mbainfidh tú amach
Tobar seo an tslánaithe.
Fill ó thuaidh leat easlán folláin.

Thàinig mo Rìgh air Tìr am Muideart

Sa halla beag stáin i nGaeltacht na hAlban,
Iad araon, Gaeltacht agus halla, ar mheá chothrom
Ar imeall an domhain – thiar farraige chonfach
An Atlantaigh, laisteas farraige fhuarchúiseach –
Labhraíonn píobaire agus rinceoirí i rúnchogar,
Tá aighthe Lochlannacha ar na cailíní beaga
A chanfaidh ar ball, agus cuirtear fidil i dtiúin.
    Lasmuigh cuireann an sioc loinnir sna réaltaí
    Go mbuaileann an sruthán faoin bhóthar
    Ina líne as amhrán idir dorchacht agus dorchacht,
    Ligeann an fia a scíth i measc na naosc,
    Codlaíonn an breac isteach i nduibhe an locha.

Agus anois seinneann an píobaire as samhlaíocht
Tubaiste chomh sean leis an cheo, é ag céimniú
Go taibhseach thall is abhus ó bhalla go balla, gleannta
Ar a chuimhne aige agus sléibhte, iad ag síoroscailt
Faoin fhuaim. Níl aon dul in éag de réir a chéile
Nuair a stopann sé. Níl ach bualadh na mbos.

    Le linn an tsosa sa chistin
    Taobh thiar den stáitse, teannann
    Na ceoltóirí le chéile ó scrúdúchán oíche
    Agus líonann an fidléir sna cupáin
    Bolgaim den Tè-Bheag don fhuacht
    A fhanann go marfach faoin chroí.
Agus anois tá na daoine ag gabháil dá gcosa, ag cantan
D'aon ghuth leis an bhean a chasann go garg

Amhrán na farraige sa Ghàidhlig sin a choimeádann
Na cnoic i bhfolach ó na réaltaí barbartha,
Agus lonraíonn na gluaisteáin sa solas a chaitheann
An halla stáin chomh fada leis an duibheagán.

Liobharn Stáit

Ar léinsigh órga an uisce
Ar a bhfuil na néalta daite
Tá an bád canálach liosta
Ag imeacht léi gan mhairg –
As fear a stiúrtha meata
Ag cuimhnithe gan aird.

Ní curtha i dtácht a ciste
A cáil ná cúis an aistir
Is í liodaracht na leisce
Luas dlisteanach a taistil
As ní scanraíonn sí an eala
As í ag dul thar bráid.

De chéime troma briste
Tá a capall seanda á tarraing
Ar cé na ciúise glaise
As ní mó le ríomh a ghradam
Atáid araon, mar mheasaim
Ar cáilíocht amháin.

Anois tá an t-ard á shroisint
As an loca dúch ar leathadh
As is gearr go mbíonn an tuile
Dá líonadh caise ar caise
Agus nochtaíonn fé mhaise
An mhachaire cónard.

Fé shuaineas ná coisctear
Ar aghaidh arís go ngabhaid,
Lichtéir na dtaibhrithí bhfolamh
As fuireann cúpla cnaiste
Nach eol dóibh gal as gaisce
Na bhfarraigí bhforard.

Ar éadan mhín an uisce
Siúd seanga-chruth na saileach
Mar ghréas a rinne clisteacht
Na méar ar sróll buí-dhaite
As ní clos ach tuairt an chapaill
As falaracht an bháid.

Na Coisithe

I gcoim na hoíche cloisim iad
na coisithe ar siúl,
Airím iad, ní fheicim iad,
Ní fios cá bhfuil a gcuairt.

I gcoim na hoíche dorcha,
Is an uile ní i suan,
Airím teacht na gcoisithe
I lár an bhaile chiúin.

An daoine iad nach sona dóibh,
Nó anamna i bponc,
Nach aoibhinn dóibh an t-ionad san
I gcónaíd go buan?

I gcoim na hoíche dorcha,
Is cách ina chodladh suaim,
Is ea chloisimse na coisithe
Ag teacht is ag imeacht uaim.

An Dobharchú Gonta

Dobharchú gonta
ar charraig lom
ga ina taobh,
í ag cuimilt a féasóige
ag cuimilt scamaill a cos.

Chuala sí uair
óna sinsir
go raibh abhainn ann,
abhainn chriostail,
gan uisce inti.

Chuala fós go raibh breac ann
chomh ramhar le stoc crainn,
go raibh cruidín ann
mar gha geal gorm;
chuala fós go raibh fear ann
gan luaith ina bhróga,
go raibh fear ann
gan chúnna ar chordaí.

D'éag an domhan,
d'éag an ghrian i ngan fhios di
mar bhí sí cheana
ag snámh go sámh
in abhainn dhraíochta an chriostail.

Fís Dheireanach Eoghain Rua Uí Shúilleabháin

Do thál bó na maidine
ceo bainne ar gach gleann
is tháinig glór cos anall
ó shleasa bána na mbeann.
Chonaic mé, mar scáileanna,
mo spailpíní fánacha,
is in ionad sleán nó rámhainn acu
bhí rós ar ghualainn cháich.

Ár nÁit

(do Helen)

Níl aer cumhra san áit a dtugaim duit grá,
ná sú craobh ag fás ann
ná meas d'aon sórt;
ní thagann longa arda ó thíortha i gcéin ann
is níl cuacha órga ar an mbord againn
ná ceol téide dár mealladh chun suain.

Ní éiríonn réalt eolais san áit a dtugaim duit grá
ná ní ghluaiseann mil
ina slaodaibh ann go farraige síos.
Ní bhíonn éinne fuar faoi thaitneamh gréine ann
ná ní chuireann an sioc riamh an t-allas trínn.
Is ní fios dom éinne ar thóir a mhuirnín
a shnámh go Cape Town nó Pernambuco.

Ní bhronntar péarlaí san áit a dtugaim duit grá
is ní chothaítear cneas ar éinne ann
atá chomh geal leis an ngéis.
Níl linn ghlé in aice láimhe
a ruaigeann éisc a chéile inti
is níl folt dréimneach ag titim le héinneach
go drithleánach go talamh síos.

Níl ach tithe ceárnacha maoldaite anseo,
iad daiseáilte leathscartha
agus méid áirithe simnéithe in airde
agus gealbhan nó dhó ag preabadh

i measc na dtor anaithnid atá
scaipthe go himeallach
thart ar dhronuilleog scaoilte
an chúlghairdín scamhaite. Os
ár gcionn lúbann sreanga teileafóin
trí chraobhacha cúnga
na ndroighneán searbh is bí cinnte go réabfar iad
lá gaoithe éigin. De gheit
tosaíonn gadhar fáin
ag tafann go fánach
is dónn ár gcait féin an féar
ina thuí fúthu. Cleachtann leanaí
na háite fuath fásta
ar a chéile is titeann billí thar
lic an dorais gan choinne
díreach mar a bhreac
na cága díon na cartach
gur briseadh an aeróg uirthi
sa mheaisín nite díreach inné. Caoga troigh
uainn tá lampaí sráide agus lastall
díobh tá tithe ina gcaitheann
strainséirí slachtmhara saol
atá chomh pointeáilte lena bhfál bearrtha.
Bhí fuacht coimhthíoch ann le gairid
ach an mhí seo chugainn rithfear
An Corn Domhanda is deir an fear teilifíse
go mbeidh an samhradh i mbliana go breá.

Seo é ár n-áit. Is ann a thugaim duit grá.

Whacker

Whacker Conners a thugtaí air,
Timmy ó cheart,
agus bhain sé le Fever Hospital Hill.
Bhí Murphy's Stack
in aice láimhe, túr taibhsiúil
breac le brící dearga,
é ina Empire State sa taobh seo tíre,
daingean do-sháraithe.

Thángadar ag creachadh oíche,
Whacker is a chriú, iad deataithe
óna searmanaisí danartha, brístí
gearra ar crochadh de théadáin bhréide,
faithní faoi bhláth ar a gcosa feannta:
Gabhadh mé ar fán im aonar
is gan mé ag faire na práinne.
Chas mé is lúb is scread.
Chaitheas géilleadh
dá gcroibh chíocracha,
a théadh i ngleic go fíochmhar
le gannchuid laethúil
is le saint a ndeartháireacha móra féin.

Ceanglaíodh mo chúig chaol.
Chothaigh an faitíos clúmh liath
ar theanga dhom is damhán alla
i mo cheann. Fadaíodh tine is,
idir an dá linn, dhóigh siad

go sásta mé le neantóga is
bhíog mé go fonóideach le craobhacha
úrbhainte.

I dtobainne
cuireadh stop lem chéasadh. Bhraith mo mháthair
mo chás ceithre chúlshráid ar shiúl
is tháinig anuas orthu ina balc samhraidh
is ghlan dá gcrá mé. Theith siad
óna haontsúil Bhalorach,
Whacker chun tosaigh orthu ar fad,
a shainmhagadh anois ina phrioslaí
go rábach lena bhéal leata.

Tá tríocha bliain anois 'mithe ar fán.
Tá. Breis is deich míle lá.
Bhronn muintir is cairde is leannáin
cabhair is cion orm i dteannta grá.

Dá bhfeicfinn anois é oíche bháistí
amuigh faoin dtuaith, dhá roth pollta faoi
is mise san aon charr ag imeacht na slí,
chuimhneoinn ar Chríost á chéasadh
is ar A mhórghrástaí.

Áit a bhfuair mé grá, ní raibh aige ach pian,
Nuair ba sheascair mé, bhí seisean tinn;
Ba othar é a chuaigh gach lá faoi scian,
Níor roinn an saol seo leis go caoin –

Is d'fhágfainn an bastard faoin bhfearthainn righin.

Máireoigín an Oilc

Preabann géaga an phuipéid;
osclaíonn is dúnann
a chlab go meicniúil;
brúchtann na bréaga as a bhéal.
Ní haon Fhear Stáin é
urlabhraí seo na Móir-Ríona:
tá Glúin Loite is Mai Lai ar a mhapa.
Faighim blas coirdíte,
blas napailm ar a fhocail,
is tá boladh an chraicinn dhóite
ar a anáil bhréan.
Nuair a stadann an chaint
mothaím
ciúnas treascrach pháirc an áir.
Tá meangadh plámásach ar an aghaidh fidil
a cheileann an phlaosc;
ach feicim scáil mhuisiriún an díobhaidh
ina mhic imreasáin,
is tá faitíos millteanach orm.

Amhrán Mhis ag Grianstad an Gheimhridh

Oícheanta seaca
i mbile cille
mar éan i ngreim i nglae
lem chleití flichreocha
síos liom in aon bhrat oighir,
an dá chois crochta asam
mar phrátaí seaca
ag ceangal
de ghasa fada feoite,
chanainn
caintic na maidine,
imní ag giollaíocht
ar mo sheamsán dóchais
is reo na maidine ag athreo,
mo chuisle ceoil
ag cuisniú
is ag titim
ina gháire dóite.

Is bheinnse imithe ar eadarbhuas
ar bhaothréim siúil
ag lingeadh léimeanna
ó leamhan go hiubhar
mo chíoradh féin ar dheilgní an droighin
im ghealt
mar shíleadar,
murach
istigh im shlaod smeara

san idirfhásach
idir ghealtacht geilte
is ghealtacht duine
cuimhne ag goradh
is ag spriúchadh teasa . . .

Maidin in ainnise in iubhar na cille
bláth seaca ar mo shúile
stualeirg mo dhroma
ag cnagadh
ar an stoc reoite,
mo mhásaí maoldearga
ag táth fúthu
in uanán buinní biolair,
chasas soir
is phóg gealán mo shúile
ag leá oighir iontu.

Lígh méar fhada gréine cuar mo bhéil
is shlíoc mo ghruanna,
neadaigh im leicne.

Bhraitheas an dúléan ag leá im chroí
an ghile ag nochtadh cneá isteach go braon
is an dubh ag rith uaim.
Shíneas uaim mo lámha chuig an ngrian
a dheargaigh néalta
a thug suntas
do gach lóipín sneachta gur las sé,
gur tháth tír is aer in aon mhuir solais
mar ar chuir mo chroí chun cuain.

Sa dúluachair,
i bputóga dubha gach bliana,
mar chúiteamh comaoine,
ceapaim an ghrian
i gcuaschomhlaí mo chroí
is teilgim í sna harda
le hurchar ceoil
de bhéala éin an earraigh.

Aubade

Is ní cuimhin liom a thuilleadh
ar fhás mé ar do bheola,
an scoiltghin mo shamhlaíochta thú
nó siolla gaoithe móire
ag tógáil toinn sa leaba seo
i lochán leasc mo bheosa.

Rabharta dubh na hoíche
ag síorchúlú ón gcoimheascar.
Lugach mé ar lomtrá is mo shuan
ag rith siar síos uaim

is ní cuimhin liom a thuilleadh
an tú féin nó leannán sí thú
nó mo bhás a thit im ghabhal
anuas de mhuin na gaoithe
ach gur dhíon tú ar an sceimhle mé
a líonfaidh le trá oíche.

Mo dhúshlán fút, a mhaidin
– ach mo shúile a choinneáil iata –
fanfad cruinn im leaba thráite
i ndo-eolas, gan cuimhneamh
nach bhfuil sciath ar an uamhan agam
ach comhluadar na gaoithe . . .
Lugach thíos faoin ngaineamh
ag feitheamh le hataoide.

Éiceolaí

Tá bean béal dorais a choinníonn caoi ar a teach,
a fear, a mac,
is a shíleann gairdín a choinneáil mar iad, go baileach.
Beireann sí deimheas ag an uile rud a fhásann.
Ní maith léi fiántas.
Ní fhoighníonn le galar ná smál ná féileacán bán
ná piast ag piastáil
is ní maith léi an bláth a ligfeadh a phiotail ar lár.

Cuirim feochadáin chuici ar an ngaoth.
Téann mo sheilidí de sciuird oíche ag ithe a cuid leitíse.
Síneann na driseacha agamsa a gcosa faoin bhfál.
Is ar an bhféar aici siúd a dhéanann mo chaorthainnse
cuileanna glasa a thál.

Tá bean béal dorais a choinneodh a gairdín faoi smacht
ach ní fada go mbainfimid deireadh dúile dá misneach.

Uisce Beatha

Bhí tart ar an sliabh inniu
an bogach scarbháilte, an móinteán dóite
is dusta an fhraoigh ag éirí mar cheo bóthair.
Is tá tart orm arís, seantart, an íota,
an triomach a dheighilfeadh ón saol táite mé im chaithnín snaoise
is nach bhfuil múchadh air go bá
san fheacht a ritheann faoi choim na cruinne
tríd na dúile, timpeall
in úscadh ceo, i dtuilte geimhridh, i sruthlam taoide
i mún spideoige, uisce na bhfiacla, deora caointe.

Ach lá Lúnasa, lá teaspaigh, lá seo an tsolais,
níor mhaith liom bheith im chuirliún
ag impí ceatha.
B'fhearr go dtiocfá faram go fras thar chorcra an eanaigh
go ndéanfaimis fraochlinn den fhraochmhá tamall
le tonnluascadh.

Is go sáimhreoimis i dteannta a chéile, tar éis ár mbáite
mar lochán ag suaimhniú,
tiopail ag snámh amach ar ár gcraiceann uisce
is a scáileanna ag cíoradh grinill ionainn go subhach.

Roy Rogers agus na hOutlaws

An-scannán sa halla beag anocht
Cúpla Ríoga na linne
Roy Rogers agus a chapall mór bán.
Agus gan an scilling againn i gcomhair an dorais.

Ach níor stop sin muid!
Plainc mór in aghaidh an bhalla
Faoin bhfuinneoig taobh amuigh.
Roy Rogers ar an gcapall mór bán
Ar tí na houtlaws a cheansú
Muid ar sceitimíní
Nuair lonradh lóchrann solais
Inár súile.

Sciorradh go talamh,
As go brách linn.
An cnoc amach a thug muid
Agus é inár ndiaidh
Le solas láidir.
Thug muid seans dó theacht níos gaire.
Agus ansin do na boinn aríst.
Fuinniúil.
Go ndeachaigh muid amú air
In Aill an Eidhinn.
Bhí sé fánach aige breith orainn
Capall nó gan capall!

Sa halla beag,
Roy Rogers ina ghlóire,
Na houtlaws ceansaithe.

Sa gcnoc
Muide inár nglóire
Na houtlaws saor fós
I measc na gcarraig
In Aill an Eidhinn.

An tEarrach mar Bhanphrionsa

Tá coicís agus dhá lá caite
ó scar Naomh Bríd
a fallaing thorthúil
thar garraí agus thar claí.
Tá borradh faoi na lusa
ar bhruacha abhann
is is gearr go ndéanfaid gaisce
as a dtrumpaí óir
– trumpaí balbha
nó go siúlann tú im threo
agus go gcloisfead scol.
Cuirfidh saileacha umpu
a gcóiriú uaine áthais
agus tú ag dul tharam.
Drithleoidh sailchuach,
sabhaircín, caisearbhán
i mbraislí faoi do chosa
agus na beacha malla
pailintroma,
umhlóidh siad duit
is iad ag crónán leo.
Séidfidh gaotha boga romhat
is seolfaidh néalta bána
i ngormspéartha
os cionn do chúil
atá gan criosma fós.
Ins an mustar seo go léir
an mbeidh mé féin
im ara
nó im phrionsa
ar d'insealbhú?

Dála Actaeon

Nor are, although the river keep its name,
Yesterday's waters and today's the same. (John Donne)

Abhainn is ea an saol, b'é Donne a dúirt,
i dtús ár ré, blianta coimpeartha na heolaíochta.
Ba mhó ba chlog an saol, i dtuairim Newton.
Shnífeadh an abhainn leis trí chlaiseanna
agus réileáin na n-aoiseanna,
ach trí bhíthin na samhla sin, an clog,
chuirfeadh síol cáiréiseach an eolaí
duine ar an ngealaigh lenár linn.

Céim ollmhór don chine, ba ea go deimhin,
ach céim síos don bhfile, an íomhá úd
ar scaileáin phlaisteacha an tsaoil mhóir
dár bhfiagaí geanasach, Diana,
faoi thráill ag an torathar craobhach,
ag pramsáil go buacach ar a cneas dothadhaill.

Amhail Actaeon beannach bunaidh, ámh,
nár éalaigh óna chonairt chraosach féinig
ó steall an bandia luisniúil a huisce ionnalta
ar gharmhac mínósach úd na gréine,
ar mhodh nár shearbh le Meileampas ná Pamfagas
gualainn stróicthe a máistir chlaochlaithe.

Dár ndeoin féin, síol solasmhar an réasúin,
steallann sruth íomhánna ó arda aerógacha
an aeir orainn, ár gclaochlú chun sainte,

ár saghdadh trí mhám agus fothair,
thar ailc agus fhearsaid an gheilleagair
ar lorg olltomhaltas na holltáirgeachta,
ionathar agus allas ár gciníocha linn.

A mhic, meabhraigh dá réir sin an baol
go bhfuil ár gcrúba gútacha nite,
is nuair a bheas an burgaire déanach ite,
go sruthlóidh an bháisteach aigéadach
ar ais sinn sa bhfarraige as a dtángamar,
sinne, an mórmhamach is coitianta
ar dhroim an domhain ché, agus glacfaidh
torathar eile chuige ár bpríomhghnó,
e-coli a iompar ina phutóga – le meatán
a ghiniúint chun ocsaigin an atmaisféir a dhó.

Mar is sinne ridirí na rúisce,
tufógaithe an turgnaimh dhéanaigh,
tóraithe an bhroma mhóir, ár dtamall caite againn
faoin gcioth buile a steall ár gcuid tnútha orainn.
I mairg na maothghréine dúinn,
cár mhiste tumadh arís san abhainn – abhainn
is ea an saol a shníonn leis go neafaiseach –
seachas cloí le samhail an triomaigh intleachta,
an clog, ag imeacht tic, tic, tic – tic – praiseach!

Na Cait

Níl siad ceansaithe agam fós
na cait allta seo mo shamhlaíochta:
cá háit ar threoraigh siad mé le mo linn
na cait dhorcha thostacha seo?
  Go háiteanna atá thar dhroim an domhain:
  go locha tine is fola a mbíonn éanlaithe ildaite
  ag cantaireacht os íseal ar a mbruach
  agus teangacha lasracha mar choróin
  ar a gcloigeann
  ansiúd faoi dhúghorm na síoraíochta:
  go flaitheasa niamhracha is go hifrinn atá
  chomh huafásach sin
  gurb éigean dom mo shúile a chlúdach faoi mo bhosa
  ag guí go ndéanfaí cloch díom
  cloch fhuar gan féith gan éisteacht gan léargas
  go nochtar dom ansin agus na cait á nochtadh dom
  go bhfuil féith is éisteacht is léargas
  ins an gcloch chomh maith
  agus gan teitheadh gan éalú gan fuascailt
  i ndán dom
  faoi luí na gealaí.
Na cait allta seo mo shamhlaíochta
tá siad thart orm i gcónaí
anseo i ndoimhneas na cathrach
áit a bhfuil m'óige á hídiú ag an am
mar bheadh crann á alpadh ag an gcnuimh:
na cait dhorcha
ag imeacht leo i mo thimpeall

istigh faoi spéartha bagracha an gheimhridh
faoi scréachaíl na ngluaisteán faoi shlámóga salacha
slámóga salacha sneachta
atá ag foluain anuas as béal na hoíche
ag foluain anuas 'nós brionglóidí briste
ar an domhan scriosta seo na mbrionglóidí briste
go fras fuaránda folamh fliuch
agus cait gháireata mo shamhlaíochta
ag siúl leo go tostach
ag siúl leo go maorga
ag siúl leo go tarcaisneach
a súile mar lóchrainn
i measc na scál:
scáileanna reoite an chiúnais gan éisteacht
le gleo na cathrach le torann na beatha
gan ann anois ach tost
gan ann ach cait
cait na samhlaíochta.

Seo iad mo chairde
seo iad mo chompánaigh
mise a bhreathnaigh ar an saol
nár cumadh domsa
ar an saol a chuireas ag gáirí
nó ag gol de réir mo thola
ar an saol seo ar thugas siamsa dó
mé ag damhsa os a chomhair ag rince ag cantaireacht
mé ag imirt cleas na míle lúb
mé ag baint gáire as an saol nó bualadh bos.
Caitheamh aimsire an ea?
Ba í fuil mo chroí a bhí ann agus

neart m'óige.
Nach groí grámhar iad
nach lách grámhar iad
nach lách lúcháireach
na fir seo ag breathnú orm
idir aimhreas is fiosracht
na mná uaisle seo
ag cogar ar chúl a lámh
na súile seo ag breathnú orm
na cluasa seo ag éisteacht liom
na bosa seo ag bualadh in aghaidh a chéile
an fuath seo a ghineas?

Tá an samhradh imithe leis
is é an geimhreadh atá ar fáil anocht
agus an chathair fuar folamh,
ach tríd an bhfásach seo na soilse is na scáth
tá na cait do mo threorú.

Séard tá mé a cheapadh
ó tá sneachta ar na leaca
agus cumhracht na Nollag ar an aer
b'fhéidir má ligim do na cait seo
do chait mo shamhlaíochta
mé a threorú níos faide fós
go gcrochfaidh siad leo mé
sa deireadh thiar thall
fiú amháin mise
go dtí an áit a mbeidh radharc agam
ar réaltóg ar lasadh
os cionn stábla íseal lom:

ríthe ar a nglúna ar an tairseach:
agus istigh ansin faoi thuí an dín
maighdean mhánla ina suí go socair
agus leanbh beag óg lena hucht.

Brionglóid Dheireanach Chrazyhorse

He had seen what had happened to the chiefs who went to the Great Father's house in Washington; they came back fat from the white man's way of living and with all the hardness gone out of them . . . Now the white man had bought Little Big Man and made him into an agency policeman. As Crazyhorse walked between them letting the soldier chief and Little Big Man take him . . . he must have tried to dream himself into the real world to escape the darkness of the shadow world in which all was madness . . .

(Dee Brown)

I

Scéal liom daoibh

Crainn bheannaithe
ar shroich a ngéaga na spéartha
leagtha is athdhéanta ina mílte
teachíní bídeacha.

Aibhneacha soilseacha, gnaíúla
anois deargdhubh
le putóga na gCnoc Dubh.

Bláir fhairsinge, gleannta doimhne,
roinnte ina mílte
gairdíní cúnga.

Éanacha an aeir
imithe thar farraige,
uibheacha an iolair
briste ina smionagar.

Mac tíre tostach
roimh ghealach fhuar, fhuilteach.

Dromanna na gcapall fiáin
lúbtha ag diallait
an chríostaí ramhair.

Cíocha torthúla, boga na mban
clúdaithe roimh fhealsúnacht
an tseanmóirí.

Déithe ársa mo chine
curtha ag eaglais
an tsagairt.

Guaillí crua, bródúla mo chairde
clúdaithe le cótaí gorma
an airm.

Laochra fiáine, uaisle
a throid go cróga ag mo thaobhsa
mar phuipéid an uisce bheatha.

Cnámha ag síneadh
trí chraiceann ghnúis
linbh shnoite

le linn do na mílte buabhall
bheith ag lobhadh
in aer teasaí an bhláir fholaimh.

II

Is cad a dhéanfadh Crazyhorse
dá mairfinn?
Cá rachainn san fhásach seo?
Cá bhfaighinn faoiseamh?

C'áit a gcluinfinn amhránaí
ag canadh faoi na seanchogaí?

Nach bhfuil siad tostach
roimh scréach na ngunnaí?

Is c'áit a gcluinfinn
an druma álainn ag bualadh?

Nach bhfuil siad balbh
roimh thormán na gcos
ag mairseáil?

Is c'áit a gcluinfinn
teangacha milse, míne
na Sioux, Cheyenne, Apache?

Nach bhfuil teanga an choimhthígh
ar a mbéalaibh?

Tá gach rud imithe,
tá an domhan ag druidim.
Níl ann ach brionglóid,
scáth-thír.

Sin mo scéal.

Fornocht do Chonac Thú

Fornocht do chonac thú,
a áille na háille,
is do dhallas mo shúil
ar eagla go stánfainn.

Do chualas do cheol,
a bhinne na binne,
is do dhúnas mo chluas
ar eagla go gclisfinn.

Do bhlaiseas do bhéal
a mhilse na milse,
is do chruas mo chroí
ar eagla mo mhillte.

Do dhallas mo shúil,
is mo chluas do dhúnas;
do chruas mo chroí,
is mo mhian do mhúchas.

Do thugas mo chúl
ar an aisling do chumas.
is ar an ród so romham
m'aghaidh do thugas.

Do thugas mo ghnúis
ar an ród so romham,
ar an ngníomh do-chím,
is ar an mbás do gheobhad.

Eitilt

Ba dhoras ag plaboscailt nó
coinneal thobann ag bláthú sa duibheagán
an meirleachfhocal údan
a chruinnigh isteach sa gcúnglach
fearacht roicéid á leagan
ar leaba láinseála

cúnglach ag cruinneáil
isteach sa leathanach
bhleaisteáil sí léi anonn
ar a turas parabólach
tharcaisnigh díreatas
tholl streoilíní 'gus
sainmhínithe gan áireamh
réab na múnlaí
fágadh buirgéiseoirí
ag gearradh fíor na croise
orthu féin, ag cáineadh
bhaois na hóige

agus cúnglach dá alpadh ag leathanach
is leathanach ag cúnglach
chaolaigh as amharc uilig
i liomatáistí na ciúine
nochtaigh grian scalltach
nár mhair ariamh fós
i súile na ndaoine

ach d'athionól dorchacht
chruinnigh grian úr
isteach sa leathanach
dála bonn nua le teann láimhseála
chaill a ghile
múchadh leathanach sa gcúnglach
athshaolaíodh focal
gona reosheithe
agus thit

anuas agus anuas do thit
roicéad caite ag titim
á shlogadh siar i measc na bhfoirgneamh
faoi shatailt na ndaoine

focal buailte ina luí i láib na sráide
is an doras druidte

Níl in Aon Fhear ach a Fhocal

Is mé ar mo mharana ag faire,
Leabhar Uí Chriomhthainn im láimh,
Ar rince Mhanannáin ilsúiligh
Um chríocha an oileáin –

Tír ghorm ghainéad is ghuairdeall
Go faillte Uíbh Ráthaigh ag síneadh
Is an Cnoc Mór mar chloch chinn
Ar phaidrín mo bhalla críche . . .

'A nae seisean nochtóidh nóiméad ar bith,'
Bhí an Tomás seo ag machnamh,
'Is fillfidh an Tomás eile aneas
Ar a róda goirte ón gCathair.'

Ach má gháireann cuan faoi aoibh na gréine,
Ceann Sreatha is Binn Dhiarmada,
Tá fothrach sramach taobh thíos ag feo
Is níl gáir i gcoileach na muintire;

Tá Tost ina Rí ar gach maoileann abhus
Is tá ceol na ndaoine go follas ar iarraidh;
An gadaí gan ghéim, nár fhan, mo léan,
Ina pholl taobh thiar den Tiaracht,

A réab gan taise thar chuan isteach,
A shealbhaigh gort an bhaile seo,
A strap anuas trí shúil gach dín
Gur shuigh isteach cois teallaigh . . .

Tá sé ag fuireach abhus ó shin;
Chím a scáth faoi scáth gach balla,
Is an chloch á baint ón gcloch aige,
An fhuaim ó gach macalla . . .

Ach má taoi ag déanamh cré sa chill,
A Chriomhthannaigh an oileáin,
Gad do ghinealaigh fós níor bhris
Ó chuiris cor id dhán,

Ó d'íocais deachú an fhocail led nós,
Ó bhreacais caint do dhaoine ar phár,
Strapann do nae fós fál na toinne
Idir Muir na mBeo is Muir na Scál . . .

Tá mise fós ar mo mharana ag faire
Is ó bhuanaigh do dhán a ndáil
Tá sluaite na marbh ag siúl go socair
Ar bhealaí an oileáin.

Is cluintear gáire mná le gaoth
Ag bearnú thost an bháis
Is cluintear gáir an choiligh arís
Ag baint mhacallaí as an ard.

Oisín: Apologia

Cheapamar an réalt
thug saol dár mbrionglóid
gur thaiscigh í
i gcabhail crainn

coll, dair agus beith
do sheas faoi bhláth
i bhfiobha ceoch
i lár an domhain

is nuair a shnámhadh ré
in ard na spéire
nuair d'óladh fíon lá bealtaine
chanadh draoithe
'coll, dair is beith'
is lastaí saol
leis an tine bheannaithe

'nár laetha óir ar mhá meall na séad
níor airigh gaim ag teannadh linn nó
an bás do rinne neamhní dár gcleacht
ach anoir do leath an anachain
anoir aduaidh do leath an fómhar
sciob an réalt is an duille odhar
is thit ár gcrann san anfa

anois, a phádraig,
im dhíriúchas idir-dhá-shaol
im aonarán duairc ar oileán ainnise
canaim im chiúintráth
'coll, dair agus beith'
go ngeiteann crann as
m'fhocla sanaise
an bheatha thadhaill
ar bharr a ghéag
rírá na n-uile
meallta chun séimhe
reann agus ré
'na n-áit cheart

bíonn síth in athréim
i ngleann na scál
sa bhfailmhe poill
i lár an tsaoil

An Mháthair

Ní fíor go bhfeiceann tú os do chomhair
seanbhean liath sheargtha
gan luas géag
ná mire meangan,
tite i bhfeoil.
Bhí mé óg, ach tá mé níos óige –
álainn, tá mé anois níos áille fós.
Nach bhfeiceann tú an triúr?
Gile na finne, na duibhe, na doinne –
mo thriúr mac, mo thriúr Oscar.
Féach an mhaorgacht i mo shúil,
an uaisleacht i mo ghnúis,
an óige,
an áille,
an luas,
an neart,
chuile bhua faoi thrí.
Is triúr fear óg mé,
luathláidir cumasach,
agus fós,
is triúr maighdean mé
i ngrá le triúr ógfhear –
maighdeanacha meidhreacha meangacha,
snadhmaithe i scáilí deoracha úra
aisteacha na coille –
an eala, an fiach dubh, an smólach
ag coraíocht i mo cheann.
Nach bhfeiceann tú na hógfhir

agus na maighdeanacha
agus iad ag caint, ag gáirí
agus ag gabháil fhoinn,
i ngreim láimhe ina chéile
ag dul síos an bóithrín
fada fada síoraí
agus an t-ór ag spréacharnaíl
ar gach taobh díobh?

Ceathrúintí Mháire Ní Ógáin

i

Ach a mbead gafa as an líon so –
Is nár lige Dia gur fada san –
Béidir go bhfónfaidh cuimhneamh
Ar a bhfuaireas de shuaimhneas id bhaclainn.

Nuair a bheidh ar mo chumas guíochtaint,
Comaoine is éisteacht Aifrinn,
Cé déarfaidh ansan nach cuí dhom
Ar 'shonsa is ar mo shon féin achaine?

Ach comhairle idir dhá linn duit,
Ná téir ródhílis in achrann,
Mar go bhfuilimse meáite ar scaoileadh
Pé cuibhrinn é a snaidhmfear eadrainn. .

ii

Beagbheann ar amhras daoine,
Beagbheann ar chros na sagart,
Ar gach ní ach a bheith sínte
Idir tú agus falla –

Neamhshuim liom fuacht na hoíche,
Neamhshuim liom scríb is fearthainn,
Sa domhan cúng rúin teolaí seo
Ná téann thar fhaobhar na leapan –

Ar a bhfuil romhainn ní smaoinfeam,
Ar a bhfuil déanta cheana,
Linne an uain, a chroí istigh,
Is mairfidh sí go maidin.

iii

Achar bliana atáim
Ag luí farat id chlúid,
Deacair anois a rá
Cad leis a raibh mo shúil!

Ghabhais de chosaibh i gcion
A tugadh chomh fial ar dtúis,
Gan aithint féin féd throigh
Fulag na feola a bhrúigh!

Is fós tá an creat umhal
Ar mhaithe le seanagheallúint,
Ach ó thost cantain an chroí
Tránn áthas na bpléisiúr.

iv

Tá naí an éada ag deol mo chí'se,
Is mé ag tál air de ló is d'oíche;
An gárlach gránna ag cur na bhfiacal,
Is de nimh a ghreama mo chuisle líonta.

A ghrá, ná maireadh an trú beag eadrainn,
Is a fholláine, shláine a bhí ár n-aithne;
Barántas cnis a chloígh lem chneas airsin,
Is séala láimhe a raibh gach cead aici.

Féach nach meáite mé ar chion a shéanadh,
Cé gur sháigh an t-amhras go doimhin a phréa'cha;
Ar láir dhea-tharraic ná déan éigean,
Is díolfaidh sí an comhar leat ina séasúr féinig.

v

Is éachtach an rud í an phian,
Mar chaitheann an cliabh,
Is ná tugann faoiseamh ná spás
Ná sánas de ló ná d'oích' –

An té atá i bpéin mar táim
Ní raibh uaigneach ná ina aonar riamh,
Ach ag iompar cuileachtan de shíor
Mar bhean gin féna coim.

vi

'Ní chodlaím ist oíche' –
Beag an rá, ach an bhfionnfar choíche
Ar shúile oscailte
Ualach na hoíche?

vii

Fada liom anocht!
Do bhí ann oíche
Nárbh fhada faratsa –
Dá leomhfainn cuimhneamh.

Go deimhin níor dheacair san,
An ród a d'fhillfinn –
Dá mba cheadaithe
Tar éis aithrí ann.

Luí chun suilt
Is éirí chun aoibhnis
Siúd ba chleachtadh dhúinn –
Dá bhfaighinn dul siar air.

Jack

Strapaire fionn sé troithe ar airde,
Mac feirmeora ó iarthar tíre,
Ná cuimhneoidh feasta go rabhas-sa oíche
Ar urlár soimint aige ag rince.

Ach ní dhearúdfad a ghéaga im thimpeall,
A gháire ciúin ná a chaint shibhialta –
Ina léine bhán, is a ghruaig nuachíortha
Buí fén lampa ar bheagán íle . . .

Fágfaidh a athair talamh ina dhiaidh aige,
Pósfaidh bean agus tógfaidh síolbhach,
Ach mar conacthas domhsa é arís ní cífear,
Beagbheann ar chách mar 'gheal lem chroí é.

Barr dá réir go raibh air choíche!
Rath is séan san áit ina mbíonn sé!
Mar atá tréitheach go dté crích air –
Dob é an samhradh so mo rogha 'pháirtí é.

Ag Tiomáint Siar

Labhrann gach cúinne den leathinis seo liom
ina teanga féinig, teanga a thuigim.
Níl lúb de choill ná cor de bhóthar
nach bhfuil ag suirí liom,
ag cogarnaíl is ag sioscarnaigh.

Tá an Chonair gafa agam míle uair
má tá sé gafa aon uair amháin agam.
Fós cloisim scéalta nua uaidh gach uile uair,
léasanna tuisceana a chuireann
na carraigreacha ina seasamh i lár an bhóthair orm
faoi mar a bheadh focail ann.

Inniu tá solas ar Loch Geal
á lasadh suas mar a dheineann an Cearabuncal
uair gach seachtú bliain nuair a éiríonn seal
aníos go huachtar na loiche is croitheann
brat gainní dhi. Bailíonn
muintir na háite na sliogáin abhann seo mar bhia.

Is ar mo dheis tá Cnocán Éagóir
mar ar maraíodh tráth de réir an scéil
'seacht gcéad Seán gan féasóg'
is na Sasanaigh ag máirseáil ar Dhún an Óir.
As an gceo

nochtann leathabairt díchéillí a ceann –
'nóiníní bána is cac capaill.'
Scuabann a giodam rithimiúil
síos isteach 'on Daingean mé.

An Bhatráil

Thugas mo leanbhán liom aréir ón lios
ar éigean.
Bhí sé lán suas de mhíola is de chnathacha
is a chraiceann chomh smiotaithe is chomh gargraithe
go bhfuilim ó mhaidin ag cur céiríní teo lena thóin
is ag cuimilt *Sudocream* dá chabhail
ó bhonn a choise go clár a éadain.

Trí bhanaltra a bhí aige ann
is deoch bhainne tugtha ag beirt acu dó.
Dá mbeadh an tríú duine acu tar éis tál air
bheadh deireadh go deo agam leis.
Bhíodar á chaitheamh go neamheaglach
ó dhuine go céile,
á chur ó láimh go láimh, ag rá
'Seo mo leanbhsa, chughat do leanbhsa.
Seo mo leanbhsa, chughat do leanbhsa.'

Thángas eatarthu isteach de gheit
is rugas ar chiotóg air.
Thairrigíos trí huaire é tré urla an tsnáith ghlais
a bhí i mo phóca agam.
Nuair a tháinig an fear caol dubh romham
ag doras an leasa
dúrt leis an áit a fhágaint láithreach
nó go sáfainn é.
Thugas faobhar na scine coise duibhe
don sceach a bhí sa tslí
romham is a dhá cheann i dtalamh aige.

Bhuel, tá san go maith is níl go holc.
Tá fíor na croise bainte agam
as tlú na tine
is é buailte trasna an chliabháin agam.
Is má chuireann siad aon rud eile nach liom
isteach ann
an diabhal ná gurb é an chaor dhearg
a gheobhaidh sé!
Chaithfinn é a chur i ngort ansan.
Níl aon seans riamh go bhféadfainn dul in aon ghaobhar
d'aon ospidéal leis.
Mar atá
beidh mo leordhóthain dalladh agam
ag iarraidh a chur in iúl dóibh
nach mise a thug an bhatráil dheireanach seo dó.

Geasa

Má chuirim aon lámh ar an dtearmann beannaithe,
má thógaim droichead thar an abhainn,
gach a mbíonn tógtha isló ages na ceardaithe
bíonn sé leagtha ar maidin romham.

Tagann aníos an abhainn istoíche bád
is bean ina seasamh inti.
Tá coinneal ar lasadh ina súil is ina lámha.
Tá dhá mhaide rámha aici.

Tarraigíonn sí amach paca cártaí.
'An imreofá breith?' a deireann sí.
Imrímid is buann sí orm de shíor
is cuireann sí de cheist, de bhreith is de mhórualach orm

gan an tarna béile a ithe in aon tigh,
ná an tarna oíche a chaitheamh faoi aon díon,
gan dhá shraic chodlata a dhéanamh ar aon leaba
go bhfaighead í. Nuair a fhiafraím di cá mbíonn sí

'Dá mba siar é soir,' a deireann sí, 'dá mba soir é siar.'
Imíonn sí léi agus splancacha tintrí léi
is fágtar ansan mé ar an bport.
Tá an dá choinneal fós ar lasadh le mo thaobh.

D'fhág sí na maidí rámha agam.

I mBaile an tSléibhe

I mBaile an tSléibhe
tá Cathair Léith
is laistíos dó
tigh mhuintir Dhuinnshléibhe;
as san chuaigh an file Seán
'on Oileán
is uaidh sin tháinig an ghruaig rua
is bua na filíochta
anuas chugham
trí cheithre ghlún.

Ar thaobh an bhóthair
tá seidhleán
folaithe ag crann fiúise,
is an feileastram
buí
ó dheireadh mhí Aibreáin
go lár an Mheithimh,
is sa chlós tá boladh
lus anainne nó camán meall
mar a thugtar air sa dúiche
timpeall,
i gCill Uraidh is i gCorn an Liaigh
i mBaile an Chóta is i gCathair Boilg.

Is lá
i gCathair Léith

do léim breac geal
ón abhainn
isteach sa bhuicéad
ar bhean
a chuaigh le ba
chun uisce ann,
an tráth
gur sheol trí árthach
isteach sa chuan,
gur neadaigh an fiolar
i mbarr an chnoic
is go raibh laincisí síoda
faoi chaoirigh na Cathrach.

Leaba Shíoda

Do chóireoinn leaba duit
i Leaba Shíoda
sa bhféar ard
faoi iomrascáil na gcrann
is bheadh do chraiceann ann
mar shíoda ar shíoda
sa doircheacht
am lonnaithe na leamhan.

Craiceann a shníonn
go gléineach thar do ghéaga
mar bhainne á dháil as crúiscíní
am lóin
is tréad gabhar ag gabháil thar chnocáin
do chuid gruaige
cnocáin ar a bhfuil faillte arda
is dhá ghleann atá domhain.

Is bheadh do bheola taise
ar mhilseacht shiúcra
tráthnóna is sinn ag spaisteoireacht
cois abhann
is na gaotha meala
ag séideadh thar an Sionna
is na fiúisí ag beannú duit
ceann ar cheann.

Na fiúisí ag ísliú
a gceanna maorga
ag umhlú síos don áilleacht
os a gcomhair
is do phriocfainn péire acu
mar shiogairlíní
is do mhaiseoinn do chluasa
mar bhrídeog.

Ó, chóireoinn leaba duit
i Leaba Shíoda
le hamhascarnach an lae
i ndeireadh thall
is ba mhór an pléisiúr dúinn
bheith géaga ar ghéaga
ag iomrascáil
am lonnaithe na leamhan.

Slán Chughat Thoir

Mo shlán chughat thall anocht
A fhir doghníodh
An cumann liom abhus
Thar cumann Naois!

Fásach an chúil úd thíos
'Na mbínn id dháil
Tráth cogarnaí an chroí
Le linn na mbláth.

Ní clos dom ilcheol caoin
Anois um neoin,
Ach garbhghuth na bhfiach
Ag aragóint:

Nó achrann sruth is seisc
Go lá na mbreath
In ionad suilt is seift
Is iomad cleas.

Ainnis do chumann liom
Dá réir, a fhir,
Gan toradh do bhéil anocht,
Mo shlán chughat thoir!

An Chéim Bhriste

Cloisim thú agus tú ag teacht aníos an staighre. Siúlann tú ar an gcéim bhriste. Seachnaíonn gach éinne í ach siúlann tusa i gcónaí uirthi.

D'fhiafraigh tú díom céard é m'ainm. Bhíomar le chéile is dúirt tú go raibh súile gorma agam.

Má fheiceann tú solas na gréine ag deireadh an lae is má mhúsclaíonn sé thú chun filíocht a scríobh . . .
Sin é m'ainm.

Má thagann tú ar cuairt chugam is má bhíonn fhios agam gur tusa atá ann toisc go gcloisim do choiscéim ar an staighre . . .
Sin é m'ainm.

Dúirt tú gur thuig tú is go raibh mo shúile gorm. Shiúil tú arís uirthi is tú ag imeacht ar maidin.

Tagann tú isteach sa seomra is feicim ó do shúile go raibh tú léi. Ní labhrann tú ná ní fhéachann tú ar mo shúile. Tá a cumhracht ag sileadh uait.

Tá an chumhracht caol ard dea-dhéanta is tá a gruaig fada agus casta. Cloisim thú ag insint di go bhfuil a súile gorm is go bhfuil tú i ngrá léi.

Osclaím an doras agus siúlann tú amach.

D'fhéadfá é a mhíniú dhom a deir tú. Dúnaim an doras.

Ní shiúlann tú uirthi. Seachnaíonn tú an chéim bhriste. Ní shiúlann éinne ar an gcéim bhriste. Déantar í a sheachaint i gcónaí.

Réadúlacht

Oscail na dóirse, caith suas na dallóga
Bain na bóltaí den gheata
Bain an laincis de mo chapall
Agus nuair a bheidh deoch fhada fíoruisce
Slogtha siar i mo scornach stiúctha,
Mo scámhóga lán chun an léim a chaitheamh,
Rachad féin agus mo chara
Le stiúir an tsriain
Baint cheoil as clocha.

Ní fhanfam go critheaglach
Le huisce an locha a bhrath;
Tá sé fuar agus domhain, agus dorcha ina lár.
Rachad féin agus mo chapall
Go dána ón bhruach ina chuilithe;
Géillfidh an chéad ghrinneall
Agus céadghoin shleá an fhuachta,
Beimid buach sa snámh
Fairsinge an locha agus an chroí mar aon
In eolas agus grá.

Cad is fiú imirt na bhfiacal ar theacht i dtír?
Cúr na habhann.
Géire an tsúil anois gan faichillí
Doimhne an anál tar éis úire an uisce
Airde-de an spiorad an gníomh creidimh.
Sinn ag éirí
Te teolaí
Agus cóta mo chapaill ag glioscarnaíl.

Ag rince a chuirfeam na clocha anois
Agus le sciatháin an áthais
Seolfam thar bhallaí
Trí chruamhachairí
Cur teachtairí gáire chun máthar an chruatain
Agus fir leasaithe carraig
Go bhfuil gléas a bhfaoisimh i mbroinn an locha
Is go gcaithfidh siad tumadh.

Sicisintiséis

Taoi ag glacadh bliain shabóideach!
Maith an rud gur bhriseas an tsreang imleacáin
Le snap tola i bhfad ó shin
Gan buíochas duit.
Tusa bhí chomh deimhnitheach
Go mbeifeá 'ann'!
Nach tú bhí id dhia beag agam anois
Is mórchomhacht agat (rud a bhí)

Nach mó deargsholas tráchta nach bhfacas
Is mé ar mire ad adhradh
A Bhaidhb,
A bhí chomh chomh foirfe, chomh 'hann'
Níos 'ainne' ná mar bhí aon mháthair riamh
Dar liomsa.

Thugais criáin is páipéar don bhunóc
Lena smaointe léiriú.
Falla suiminte is tusa laistiar de –
Tú chomh saor le gála gaoithe
Is an stiúir chéanna fút.
Mise, im chrogall
Ag iarraidh teacht thar an bhfalla chugat
Sa dóigh go nglacfá liom idir chorp is chraiceann
('Crogaillín deas!')
Dá snapfainn m'fhiacla féin
Ní fhéadfainn breith ort, a ghála gaoithe,
Atá ag glacadh bliain shabóideach
Amuigh i Meiriceá.

An mó beithíoch eile a chruthaigh tú
Led dhraíocht dhiablaí?

Capaill na bpláigh, leoin,
Beacha, deargadaoil . . .
Beidh siad siúd uile ag feitheamh ort
Nuair fhillfidh tú id spéirling
Cés moite den chrogall,
A bheidh faoi loch . . .

Guí an Rannaire

Dá bhfeicfinn fear fásta as Gaeilge líofa
Ag cur síos go sibhialta ar nithe is ar dhaoine,
Ar mheon is ar thuairimí i ráite an lae seo
Soibealta sómhar soicheallach saolta,
Bheinn an-sásta a theagasc a éisteacht:
File fiáin fearúil feadánach,
Bard beo bíogach bríomhar bastallach,
Pianta paiseanta peannphágánach.

Arú, mo chreach, cad é an fhírinne?
Státseirbhísigh ó Chorca Dhuibhne
Bobarúin eile ó chladaigh Thír Chonaill
Is ó phortaigh na Gaillimhe, mar bharr ar an donas!
Gaeil Bhleá Cliath faoi órchnap Fáinní,
Pioneers páistiúla pollta piteánta,
Maighdeana malla maola marbhánta,
Gach duine acu críochnúil cúramach cráifeach.

Dá dtiocfadh file ag séideadh gríosaí,
Rachainn abhaile, mo ghnó agam críochnaithe.

Raifttearaí agus an File

File
A Raifttearaí, a fhile, dá mairfeása tuilleadh
Le go mbeinnse agus tusa le chéile,
Cé againn an file nó an fhilíocht ba bhinne?
Ba cheist í a bheadh doiligh le réiteach.
Mise agus tusa a bheith ag iomaíocht sa gcluiche
Agus an bheirt againn ag an Scoil Éigse,
Thabharfainn mo mhionna nár ba mise ba dhona
Nuair a thabharfadh an réiteoir a léirmheas.

Raifttearaí
Is mise an file agus ní fhacas léargas na cruinne
Agus tá mise le blianta sa gcréafóig;
Cén t-údar, a dhuine, go luafá m'ainm is mo shloinne
Óir ní raibh cuireadh ná coinne againn le chéile?

File
Gabhaim pardún, a fhile, nó a thaise de dhuine,
An bhfuil do thriall siar go Scoil Éigse?
Beidh buille in aghaidh buille agus file in aghaidh file,
Is gabhfaidh an bheirt againn i gcúnamh dhá chéile.
Beidh fáilte is fiche romhat ag gach duine,
Beidh buideál agus gloine le chéile againn.
Beidh fáidh agus file is na ceoltóirí is binne
Ar fud na cruinne le chéile.
Seas go teann gan beann ar aon duine
Is ná tabhair do chúl don lucht éisteacht';
Tosóidh mise sa bhfilíocht is cliste
Agus críochnóidh tusa gach véarsa.

Raifthearaí
Ní fhaca mise áilleacht na cruinne,
Ní fhacas grian, gealach, ná réalta;
Ní fheiceann mise na nithe fheiceas tusa
Agus cén chaoi a gcríochnóinn do véarsa?

File (*Ag socrú Raiftearaí*)
Seas mar atá mise agus tabhair aghaidh ar gach duine
Is lig ort gur b'shin é an réiteoir.
Ansin déarfaidh mise, 'Seo é Raiftearaí an file',
Agus tosóidh muid beirt ar a chéile.
(*Leis an lucht éisteachta*)
'Seo é Raiftearaí an file'.

Raiftearaí
A bhí ann, ach a d'imigh
Agus atá anois ag na cruimhe is na péistí.

File
Cé againn is binne.

Raiftearaí
Mé féin nó mo dhuine?

File
Fág freagra na ceiste ag an réiteoir.

Raiftearaí
Ní raibh fear ar do chine, ar d'ainm ná do shloinne
A thabharfadh dúshlán ar fhile gan léargas.

File
Céard faoi Mherriman, a dhuine, nárbh fhearr é ná muide?
Céard faoi Tennyson, Shelley agus Shakespeare?

Raiftearaí
Milton, a dhuine, Séamas Dall agus mise,
Triúr nach bhfaca áilleacht an tsaoil seo;
Taoille trá is taoille tuile nár ba linne ba bhinne,
Ach an rós ná an lile níor léir dúinn.
An chuach ar stuaic binne agus an samhradh ag filleadh
Is na huain ag macnas is ag méileach;
Mo chrá géar, a Mhuire, nár thug do Mhac léargas dúinne
Mar thug Sé do Shelley is do Shakespeare.

File
Mara bhfaca tusa áilleacht na cruinne
Séard thú ná file a bhí bréagach;
Sí Máire Ní Eidhlin an pabhsae ba ghile
Dar chuir file ariamh ina véarsa.

A leaca ba chruinne ná clocha i mbéal toinne
Agus a guth ba bhinne ná an chéirseach;
Ach nach gcuala muide go mba stróinse í de dhuine
A bhí ag lorg fear óg le hí a bhréagadh.

Stróinse de dhuine a thug deoch dhuit i ngloine
Is anois molaimse go haer í
Mar Iúdás nuair a thréig sé Mac Mhuire
I ngeall ar luach cúpla péirse.

Raifthearaí
Stróinse de dhuine a thug deoch dhom i ngloine
Is go deimhin mhol mise go haer í;
An rud céanna a dhéanfas tusa má fhaigheann tú trí ghiní,
Is maith a mholfas tú Conradh na Gaeilge!
Ní uisce faoi thalamh ná brathadóir mise
Ach file le fuil agus cnámha;
Buíochas le Dia nach bhfuil mise mar thusa
Píoláit ag níochán a lámha.

File
Síleann an dall gur míol é gach meall
Is go bhfuil gangaid ina lán de mo véarsaí;
Ní chumfása dán mara mbeadh gloine agat is í lán
Agus cailín deas óg le hí a bhréagadh.

Raifthearaí
Chum mise dán is ní raibh an tOireachtas ann,
An Chomhdháil ná Conradh na Gaeilge;
Ach níor scríobh mé an dán, mar níor theastaigh uaim peann
Ní raibh maith ar bith dom ann ceal léargas.
Chum mé mo rann ag siúl cnoc, sliabh is gleann
Is mo chroí istigh lán leis an uaigneas;
Ba chuma as nó ann dhom an ghealach is í lán,
Bhí an oíche is an lá mar a chéile.

Ó nach uaigneach is nach mall mar imíos an t-am,
Nuair atá an oíche is an lá mar a chéile;
Don té atá ina dhall is ionann dath do gach ball,
Bíonn an dubh agus an bán mar an gcéanna.

File
Nuair a chum tusa dán ní raibh an tOireachtas ann,
Ní raibh duais as dán, as rann, ná as véarsa;
Bhí filí gann, mar ní raibh comórtas ann
Ag Dámh-Scoil ná ag Scoil Éigse.

Ach anois cuir i gcás nach bhfuair tusa bás
Is go mbeinnse is tusa in aghaidh a chéile,
Ó Direáin is Maude is de Bhailís a fuair bás,
Cé b'fhearr thú ná Ó Ríordáin is an méid sin?

Raiftearaí
Níl aon chur i gcás, mar ní bhfuair Raiftearaí bás,
Ach maireann a cháil ar fud Éireann;
Nó go bhfeice na daill, ní thréigfidh mo cháil
Is beidh meas ag Críoch Fáil ar mo véarsaí.
An bhfeiceann tú an ail a chlúdaíonn mo chnámh?
Is nach trua, nach trua dom an scríbhinn!
Greanta san ail tá m'ainm is mo cháil
Ag Uachtarán Chríoch Fáil, An Craoibhín.
Ó, tá milliúnaí cnámh sa reilig sin thall,
Tá bodhar, bacach is dall ann in éineacht;
Níl a n-ainm ná a gcáil greanta ar ail,
Tá siad uilig chomh dall lena chéile!

File
Deirtear gur fearr an té a chum ná an té a cháin,
Ach is iondúil go gcáintear an scríbhneoir.
Fuair Sean-Phádraic bás i ngan fhios do chách,
Cuireadh bráillín an bháis ina thimpeall.

Fuair Sean-Phádraic bás gan bean, leanbh, ná clann
Lena chur os cionn cláir ná é a chaoineadh;
Ní raibh lena ais ar an gclár ach píopa cailce leathlán,
Sparán agus píosa trí pingne.
Nach bocht an cás is nach náireach le rá
In Oileán na Naomh is na mBard mar an tír seo
Go bhfaigheadh Sean-Phádraic bás gan luach deoch an bháis,
Nach é fhéin a scríobhfadh an píosa air!

Raiftearaí
Achainí ghearr is ná heitigh mé féin,
Ach faigh cónra agus bailigh le chéile
A bhfuil fágtha ag cruimhe de Raiftearaí an file,
Tabhair leat é is cuir é sa nGaeltacht.
I gciúnas na cille, na bpéist is na cuile,
Cloiseadh aríst an Ghaeilge,
A briathra ba bhinne, a béimniú ba ghlaine,
Is ársaí ná teanga na Gaeilge.
(Glaonn an coileach)
Sin deireadh le mo spás táim ag teastáil ón mbás,
Ach feicfidh mé i bPárthas arís thú;
Go raibh lorg do láimhe ar litríocht Chríoch Fáil,
Is go maire do cháil is tú sínte.

File
Sochraide Stáit a chuirfear ar fáil
Is tabharfar ba bodhra as coillte ar fud Éireann;
Beidh gach fáidh is file dar chum ariamh dréachta,
Chun tú a thionlacan siar go dtí an Ghaeltacht.
Beidh tine ar gach cnocán, gach sliabh is gach crompán,
Is bainfear macalla as Cnoic Bheanna Beola;

Beidh complacht scaird piléar is toscaire ón gConradh
Is bratach an Náisiúin ar do chróchar.
Beidh Mac Liammóir, Ó Ríordáin, Ó Direáin is mise
Ag cumadh, ag casadh is ag véarsaíocht;
Beidh Raiftearaí an file á thabhairt chun na cille
Is á chur i measc uaisle breá Gaelach.
In am marfach na hoíche is an ghealach ina suí
Ansin tiocfaidh mise i m'aonar,
Beidh muid ag cogar is ag caoi ar feadh na hoíche
Is beidh troid na mba maol againn le chéile.

Préludes

(Ómós do Claude Debussy, 1862-1918)

Voiles

Trí chaillí corcra na maidne
Tá díonta is simléirí na cathrach
Lasta go hildathach
Faoi chéadsholas an lae,
Mar thúir is mar chruinneacháin
Chathrach ársa éigin i seanascéal ón Aráib:
Cathair a bhfuil na ceannaithe
Ag bailiú isteach ina margadh,
A gcamaill lastaithe go luachmhar
Le hór, le péarlaí, le samargaidí,
Le clóibh, le cainéal, le spíosra,
Le seálanna is le cairpéidí,
Earraí ó chósta Bhasra,
Ó Bhagdaid is ó Shamarcaind,
Ainmneacha a chuireann an tsamhlaíocht faoi gheasa
Chomh daingean le hortha dhraíochta de chuid na *jinn*:
Cathair ina mbeidh Al Raisíd faoi bhréigriocht
Ag éaló amach go hoíchiúil ag lorg grinn
Is ina gcloisfeá gáir chráifeach na *múezzín*
Ag glaoch na dtrátha ón miontúr.
Ach nuair ardaíonn na caillí
Feictear an tseanachathair ársa
Ar an Life cois an chuain,
A bhfuil a scéal chomh hiontach
Le heachtraíocht Sharazad.

Les sons et les parfums tournent dans l'air du soir

Canann an lon ón úllchraobh
Atá go fóill faoi bhláth,
Sneachta cumhra an tsamhraidh
Fós gan leá.
Tá an daol ag casadh
A chiúindhoird go sámh.
Trom é aer na hoíche
Le milseacht na mbláth.
Casann an fhuaim is an mhilseacht
Ina chéile san aer
Mar phointe is mar chontraphointe,
Mar dhlúth is mar inneach fite
Ina siansa is ina dtaipéis.

Le vent dans la plaine

Marcshlua garg na gaoithe
Trasna na má ag síneadh,
Ag réabadh na gcraobh is an uisce
Faoi bhuillí a n-eachlasc rábach.

Loingeas garg na gaoithe
Ar mhuir an fhéir ag siabadh,
Á únfairt is á shuathadh
Le buillí na maidí rámha.

Tromdháimh gharg na gaoithe
Ag reacaireacht go míbhinn,
Ag líonadh an aeir le huafás
Trí dhanarthacht a ndán.

Des pas sur la neige

Coiscéimeanna sa sneachta
Go neamhbhuan im dhiaidh.
Faoi bhoganáil na gaoithe
Éagfaidh siad gan rian.
Beidh gearrshaol mar a saolsan
Ag mo ghníomhartha im dhiaidh
Is gan fhios ag sliocht mo shleachta
Go raibh mo leithéid ann riamh.

Prélude à l'aprés-midi d'un faun

Faun ag seinm píbe
Ó scáth grianbhreac na n-ológ
Faoi ghlinnspéir na Gréige
I meirbhe na nónach;
Ag fí téide an bhinnis
Go mbíonn an t-aer ina chime
Faoi laincisí an cheoil.
Smaoiníonn sé faoin ngrá
Is faoi mhianta rúnda a chroí:
Béithe na coille ag rince,
Diana ag folcadh sa choill,
Afradaíté ón gcúrán ag éirí.

Tá ré na ndéithe caite.
Tá an garrán naofa ar lár
Is níl ina scéalta
Ach pisigeoireacht amadáin.

Ach fós i gcroíthe na leannán
Seinntear píob an *faun*,
Ag fí téide an bhinnis
Go mbíonn an t-anam ina chime
Faoi laincisí an ghrá;
Is rinceann na béithe coille,
Suíonn Diana cois linne
Is éiríonn Afradaíté go nua ón gcúrán.

Tá Ealaín ins an Mhóin

Sleán thar do ghualainn, a chara, lean ort
suas bóthar dubh ag lúbadh
i dtreo na spéire thuas,
agus bóthar dubh, agus bóthar dubh,
agus iad ag casadh lena chéile
taobh le moll mór cloch beag:
seas agus fiafraigh.
Portach, sléibhte agus farraige thall
na háilleachta uilig agus éist:
'Ní líonfaidh an áilleacht an bolg.'
Seas agus fiafraigh, díot féin más gá,
cén fáth nach mbeathaíonn na focail anall
ár n-aigne, cén dóigh a gcasfaimid le
sléibhte Choinn Uí Dhomhnaill agus
éan beag na manach? Cosmhuintir
na mbailte fearainn muid nach dtuigeann
ach réaltacht dhíreach an tsaoil.
Seas agus fiafraigh:
cum duit féin d'ẹan beag
agus gearr na sléibhte as an phortach.

Inbhear

Anseo a rinne do phrintíseacht
I mbealaí beaga an bháis.
Cnocán feidheartha, leic is criathrach,
Is áit na nGaorach, muintir mo mháthar,
Teach is garraí cúng ag tabhairt dúshláin
Urláimh bhuanúil an fhiántais.

B'iondúla ná a mhalairt é gruama fliuch,
Anois ag cuimhniú air,
Nuair a thagadh an bheirt againn
Lenár máthair ar an mbus maidin Shathairn,
Málaí teann le uibheacha is sólaistí
Don tseanmháthair a bhí fós cruachúiseach.

Dúiche seandaoine ab ea é againne.
Caorán nach samhlófá go deo leis
Gáire ná proinceadh gasúr.
Ach bhíodh muide inár bprionsaí
Ag uncail, aint is seanmháthair
Nó comharsa mhuinteartha a chasfaí isteach.

Bhíodh bís orainn ach scáth ina orlaí tríd
Ag dul soir ar cuairt
Tigh Mháire Mháirtín, a raibh siopa beag aici.
An creathadh a bhí uirthi a scanraíodh muid,
Chuile fhocal ar forbhás gur dhoiligh
Iad a fhastú sula sleamhnaídís.

Ach bhí fhios againn go maith ó thaithí
Nár bhuan na piorraíocha,
Mar ag teannadh le am imeachta
Théaltaíodh sí don tsiopa amach
(Ní mórán a choinníodh sí) is isteach
Le éadáil cácaí milse, brioscaí, bairíní . . .

In Inbhear labhraídís go srianta
Amhail a bheadh rún á cheilt
Nó drochdhán ag bagairt nár shona
Caidéis dó. Is tráth a gcasadh bus
Cloch Bhiorrach tráthnóna, áirgiúil faoi sholas,
Ba neach beo é ionann's dár saoradh.

Uchtóga

Sa bhfómhar a chuaigh muid
Triúr i gcriathrach
Ag baint deasú tí is sciobóil den fhiontarnach.

Le stracaí glan na taithí
Chruthaigh m'athair carnáin,
Is bhailigh mise is mo mháthair le barainn,

Dá fáisceadh in' uchtóga –
Cúig cinn a rinne ualach –
Gur chóirigh iad ar bruach cois Átha Íochtair.

Bhí briotaíl aisteach sa gcomhrá
An lá úd mar b'eol dúinn triúr
An ghile ag éag is an ghrian

Ag cailleadh an chatha;
Bhraith muid críoch is scarúint
Is mise ar thob eang eile a chur sa gcinniúint.

Ní mé céard a mheall mé
Siar trí rosamh na mblian
Don chriathrach cúlráideach sa ngleann,

Ach tá na huchtóga
Ag éamh le tamall –
An fhead ón speal, an fuadar ciúin, is an crapadh.

Beairtle

XXXVII

Músclaíonn na Maoilíní na paisiúin i mBeairtle.
Is nuair a bhíonn sé imithe ón mbaile
Bíonn maolchnoc is maoilín, droim is droimín
Ag déanamh deibhí scaoilte ina aigne.
Éiríonn a chroí le haoibhneas mar éiríonn an ghaoth ar na Maola,
Is mar scaipeas an ceo ar Sheana Fhraochóg.
Cloiseann sé arís fead naosc is grág chearc fhraoigh an tsléibhe
Ar na Maoilíní cuanna caomha
Is bíonn ríméad air dá n-éisteacht.
Caitheann sé séapannaí is éiríonn sé *macho*
Is buaileann sé cois ar sheanphoirt Chonamara.
Titeann ceo draíochta ina chornaí míne ar an nglaschloch . . .
Músclaíonn na Maoilíní na paisiúin
Is bíogann an croí le mórghrá don bhaile.
Bíonn díonbhrat na Bóirne tríd an gceo
Ar nós dílphóg mná óige dá mhealladh.
Tagann vaidhbeannaí aoibhnis ón tír thiar chuige
Is tig bhéarsaí grá chun a bhéil,
Is nuair a thiteann an codladh céadtach ar a chéadfaí
Bíonn fuadach faoina chroí
Ag brionglóidigh faoi na Maoilíní.

XLVII

De ghlaschloch an oileáin é Beairtle.
Ní fálróid ná spaisteoireacht
Ach obair dhanra é seo a dhéanann sé . . .
Toradh a bhaint as an talamh cnapánach, cnocánach, droimneach,
Achrannach, aimhréiteach, coilgneach, garbh seo,
Lena gcaitear dúthracht,
Lena gcuirtear allas,
Lena mbaineann pian is fulaingt.
Crannmhar tráth;
Níl ann anois ach sceacha is driseachaí,
Is giúsach ina luí go domhain sna portaigh.

'Tarraing a'd! Tarraing a'd!
Bí sa mbaile,' a deireann sé.
Tá na sinsir tábhachtach is na páistí
Mar slánaíonn siad an cine.
Ní bhíonn mórán foighde ag Beairtle leo,
Ach forrú, driopás, is deifir an tsaoil air.
'As ucht Dé oraibh is déanaí rud eicínt ceart,
A chloigeann cruacháin, ós tusa é!
Tá sé millte agaibh arís.
Fágaí sin! Fágaí sin!' Is téann sé tríothu ar nós Fathach na gCúig
gCeann . . .
'Leag Dia lámh ar an áit,' deir muintir an Achréidh,
'Is chuir aineamh is marach air.'
Ach tá a áilleacht féin aige sin freisin.
'Tús na breithe ag Mac Dé!'
Tréad caorach, mada caorach is banrach aige ar na sléibhte.
Cúite coilgneacha ag glinniúint amach as na háiteacha is na
sloinnte mórthimpeall.

Connacht, Conamara, Conraoi is Conceanainn,
Conchúir, Confhaola, Conaire is Conshnámha.
Ceol mór é seo –
Oghamcheol, éanogham, muirogham, ceartogham . . .
Éisteann na gasúir leis an seanchas ar an teallach ó Mheiriceá is
ó Shasana.
Lámha gágacha crannraithe,
Eitrí san aghaidh ídithe lioctha,
Dath na gréine is na gaoithe ar a chraiceann.

Ar dhaoine gan déantús maitheasa tosaíonn sé ag eascainí . . .
'Bíonn fonn orm imeacht sna tincéirí leath na gcuarta,' deir sé féin
ag magadh.
Ach seobh é an duine a d'fhan
Is a d'fhág a lorg ar thalamh is ar thrá,
Nár lig a chuid leis an strainséara.
Lena 'muise, by dad, ab ea? Ag baint lá amach . . .
Cén chaoi a bhfuil tú fhéin?
Ag strachailt leis an saol a bhíonns muid.'
Mar a shnoífí as an nglaschloch é.
Bliain i ndiaidh bliana
Le comhcheol an lae chrua
Seasann sé an fód.
Coinníonn sé leis.
Anois tá na fataí bainte.
Tá an mhóin sa mbaile.
Tá an féar sábháilte.
Tá na stucaí ceangailte.
Tá dán ar a shaol . . .
Siúd séan air!

Toghadh na bhFataí

Sa nGarraí Cúinneach a bhíodh na Cualáin ag toghadh na bhfataí,
Bhíodh allagar cainte acu
A chuireadh alltacht orm is mé i mo ghasúr.
Mar bhí farraigí an domhain siúlta aige
Bhíodh Ruaidí chun tosaigh.
Bhí sé sa nGunna Mór agus i nGardaí an Rí
Bhí culaith ghaisce aige ar chuile shórt
Agus scríobhfadh sé Táin an bhaile, mo choinsias!
Is chuirfeadh i gcló
Dá bhfaigheadh sé saol.
Bhíodh tomhaiseanna aige le cur faoi mo réir:
'Cé mhéid slat deataí a dhéanfadh unsa súiche?' ar sé.
Bhínn díomúch go maith nuair nach mbínn in ann a bplé.
'Ní foláir duit tuilleadh blianta a chaitheamh sa gColáiste Mór
Le cur ar do shon féin is ar shon an tsaoil mhóir.'
'Cuirfidh muid na criocháin i leataobh
Agus baileoidh muid na cinn mhaithe,'
Amhail uingí óir aige na fataí móra geala.
Is thagadh aoibh an tsonais ar a aghaidh á láimhseáil.

Ghlanadh sé an chré díobh
Is d'fheicinn na súile glórmhara
Ag breathnú amach orm ag gáire.
. . . Streachláin fhada . . .
Arm faoi éide, cheapfá,
I gcroí an iomaire . . .
Nuair a bhíodh buicéad líonta aige
Chaitheadh sé isteach sa bpoll iad

Agus thosaíodh sé air amanta sna 'jourdains' mhóra a bhíodh air
Ag damhsa is ag leipreach ar an iomaire
Ag feadaíl 'an Salamanca' nó na 'Bucks of Oranmore'.
Amanta ní bhíodh focal as . . .
Drochfhata – fata péisteach b'fhéidir.

Ghoineadh a aire é
Chruinníodh na fabhraí dubha sin ar a chéile
Is cheapfá gur múr a bhí ag tíocht aniar thar an gCaoláire.
Mar bhíodh sé ag aithris scéalta dom faoina athair
A fuair bean mharbh is a páiste ar a brollach ag Staighre na Ceapaí
An brollach ite aisti leis an ocras . . .

Bhraithfeá an anachain ag dul timpeall san aer.
Bhíodh sé á inseacht chomh sollúnta sin,
Agus shamhlaínn na mílte badhbh
Ag déanamh gleo agus ag tuirlingt ar an iomaire.

Mhíníodh sé agus liocadh sé an poll fataí
Sa gcaoi go gceapfá gur mionphirimid leis na Pharaohs
  a bheadh ann as a dheireadh aige.

'Fág sin,' a deireadh sé de glór borb
Dá mbeinn ag déanamh rud amscaí . . .
Mar a bhuailfeá ord ar inneon ag díriú amach an iarainn
  lena chló ceart a chur air
B'in é an glór a chuireadh criothnú i nduine . . .
Glór eile . . .
Glór údarásach ó gharrantaí beaga Bhearna.

Blianta an Chogaidh

Ní sinne na daoine céanna
A dhiúgadh na cáirt,
Is a chuireadh fál cainte
Idir sinn is ár gcrá.

Thuig fear amháin na mná,
Is é a thuig a gcluain tharr barr,
An bhantracht go léir a thuig
I gcrot aon mhná nach raibh dílis,
Is sinn ar thaobh an dídin
Den phéin is den pháis.

D'fhaighimis an seic, an giota páir,
An t-ara malairteach fáin,
Ar an saothar aimrid gan aird,
Is théimis chun an ósta ghnáith.

Níor chuireamar is níor bhaineamar
Is níor thógamar fál go hard,
Ach fál filíochta is argóna,
Idir sinn is an smaoineamh
Go rabhamar silte gan sinsear,
Go rabhamar stoite gan mhuintir,
Go rabhamar gan ghaisce gan ghrá
Gan aisce don fháistin
Ach scríbhinn i gcomhad.

Is réab gach éinne againn
Cuing is aithne ina aigne;
Aicme a bhí gan fréamha i dtalamh,
Dream narbh fhiú orthu cuing a cheangal,
Drong nár rod leo a n-athardha.

Cranna Foirtil

Coinnigh do thalamh a anam liom,
Coigil chugat gach tamhanrud,
Is ná bí mar ghiolla gan chaithir
I ndiaidh na gcarad nár fhóin duit.

Minic a dhearcais ladhrán trá
Ar charraig fhliuch go huaigneach;
Mura bhfuair éadáil ón toinn
Ní bhfuair guth ina héagmais.

Níor thugais ó do ríocht dhorcha
Caipín an tsonais ar do cheann,
Ach cuireadh cranna cosanta
Go teann thar do chliabhán cláir.

Cranna caillte a cuireadh tharat;
Tlú iarainn os do chionn,
Ball éadaigh d'athar taobh leat
Is bior sa tine thíos.

Luigh ar do chranna foirtil
I gcoinne mallmhuir is díthrá,
Coigil aithinne d'aislinge,
Scaradh léi is éag duit.

Gleic mo Dhaoine

Cur in aghaidh na hanacra
Ab éigean do mo dhaoine a dhéanamh,
An chloch a chloí, is an chré
Chrosanta a thabhairt chun míne,
Is rinne mo dhaoine cruachan,
Is rinne clann chun cúnaimh.

Dúshlán na ndúl a spreag a ndúshlán,
Borradh na fola is súil le clann ar ghualainn
A thug ar fhear áit dorais a bhriseadh
Ar bhalla theach a dhúchais,
Ag cur pota ar leith ar theallach an dóchais.

Slíodóireacht níor chabhair i gcoinne na toinne,
Ná seifteanna caola i gcoinne na gcloch úd,
Ionas nárbh fhearr duine ná duine eile
Ag cur ithir an doichill faoi chuing an bhisigh;
Gan neart na ngéag ba díol ómóis
Fuinneamh na sláinte is líon an chúnaimh.

Ó Mórna

A ródaí fáin as tír isteach
A dhearcann tuama thuas ar aill,
A dhearcann armas is mana,
A dhearcann scríbhinn is leac,
Ná fág an reilig cois cuain
Gan tuairisc an fhir a bheith leat.

Cathal Mór Mac Rónáin an fear,
Mhic Choinn Mhic Chonáin Uí Mhórna,
Ná bí i dtaobh le comhrá cáich,
Ná le fíor na croise á ghearradh
Ar bhaithis chaillí mar theist an fhir
A chuaigh in uaigh sa gcill sin.

Ná daor an marbh d'éis cogar ban,
D'éis lide a thit idir uille
Is glúin ar theallach na sean,
Gan a phór is a chró do mheas,
A chéim, a réim, an t-am do mhair,
Is guais a shóirt ar an uaigneas.

Meas fós dúchas an mhairbh féin
D'eascair ó Mhórna mór na n-éacht,
Meabhraigh a gcuala, a bhfaca sé,
Ar a chuairt nuair a d'éist go géar,
Meabhraigh fós nár ceileadh duais air,
Ach gur ghabh chuige gach ní de cheart.

Chonaic níochán is ramhrú dá éis,
Chonaic mná ag úradh bréidín,
Gach cos nocht ó ghlúin go sáil
Ina slis ag tuargain an éadaigh,
Bean ar aghaidh mná eile thall
Ina suí suas san umar bréige.

Chonaic is bhreathnaigh gach slis ghléigeal,
Chonaic na hógmhná dá fhéachaint,
Dá mheas, dá mheá, dá chrá in éineacht.
D'fhreagair fuil an fhireannaigh thréitheach,
Shiúil sí a chorp, las a éadan,
Bhrostaigh é go mear chun éilimh.

'Teann isteach leo mar a dhéanfadh fear,
Geallaimse dhuit go dteannfar leat,
Feasach iad cheana ar aon nós,
Nach cadar falamh gan géim tú,
Ach fear ded chéim, ded réim cheart.'
Pádhraicín báille a chan an méid sin.
Briolla gan rath! Mairg a ghéill dó.

Iar ndul in éag don triath ceart
Rónán Mac Choinn Mhic Chonáin,
Ghabh Cathal chuige a chleacht,
A thriúcha is a chumhachta
A mhaoir, a bháillí go dleathach,
A theideal do ghabh, is a ghlac.

An t-eolas a fuair sna botháin
Nuair a thaithigh iad roimh theacht i seilbh,
Mheabhraigh gach blúire riamh de,
Choigil is choinnigh é go beacht,
Chuaigh chun tairbhe dó ina dhiaidh sin
Nuair a leag ar na daoine a reacht.

Mheabhraigh sé an té bhí uallach,
Nach ngéillfeadh go réidh dá bheart,
Mheabhraigh sé an té bhí cachtúil,
An té shléachtfadh dó go ceart,
Mheabhraigh fós gach duais iníonda
Dár shantaigh a mhian ainsrianta.

Mhair ár dtriath ag cian dá thuargain,
Ba fánach é ar oileán uaigneach,
Cara cáis thar achar mara
B'annamh a thagadh dá fhuascailt,
Is théadh ag fiach ar na craga
Ag tnúth le foras is fuaradh.

Comhairlíodh dó an pósadh a dhéanamh
Le bean a bhéarfadh dó mar oidhre
Fireannach dlisteanach céimeach
Ar phór Uí Mhórna na haibhse,
Seach bheith dá lua le Nuala an Leanna,
Peig na hAirde is Cáit an Ghleanna.

An bhean nuair a fuair Ó Mórna í
Níor rug aon mhac, aon oidhre ceart;
Níor luigh Ó Mórna léi ach seal,
Ba fuar leis í mar nuachair;
Ina chuilt shuain ní bhfuair a cheart,
É pósta is céasta go beacht.

Imíonn Ó Mórna arís le fuadar,
Thar chríocha dleathacha ag ruathradh,
Ag cartadh báin, ag cartadh loirg,
Ag treabhadh faoi dheabhadh le fórsa,
Ag réabadh comhlan na hóghachata,
Ag dul thar teorainn an phósta.

Ag réabadh móide is focail
Ag réabadh aithne is mionna,
A shúil thar a chuid gan chuibheas,
Ag éisteacht cogar na tola
A mhéadaigh fothram na fola,
Ina rabharta borb gan foras.

Ceasach mar mheasadh den chré lábúrtha
Leanadh Ó Mórna cleacht a dhúchais,
Thógadh paor thar chríocha aithnid,
Go críocha méithe, go críocha fairsing,
Dhéanadh lá saoire don subhachas
Dhéanadh lá saoire don rúpacht.

Maoir is báillí dó ag fónamh
Ag riaradh a thriúcha thar a cheann,
Ag comhalladh a gcumhachta níor shéimh,
Ag agairt danaide ar a lán,
An t-úll go léir acu dóibh féin
Is an cadhal ag gach truán.

Sloinnte na maor a bheirim díbh,
Wiggins, Robinson, Thomson agus Ede,
Ceathrar cluanach nár choigil an mhísc,
A thóg an cíos, a dhíbir daoine,
A chuir an dílleacht as cró ar fán,
A d'fhág na táinte gan talamh gan trá.

Níor thúisce Ó Mórna ar ais
Ar an talamh dúchais tamall
Ná chleacht go mear gach beart
Dár tharraing míchlú cheana air:
Treabhadh arís an chré lábúrtha,
Bheireadh dúshlán cléir is tuata.

Tháinig lá ar mhuin a chapaill
Ar meisce faoi ualach óil,
Stad in aice trá Chill Cholmáin
Gur scaip ladhar den ór le spórt,
Truáin ag sciobadh gach sabhrain
Dár scaoil an triath ina dtreo.

Do gháir Ó Mórna is do bhéic,
Mairbh a fhualais sa reilig thuas
Ní foláir nó chuala an bhéic;
Dhearbhaigh fós le draothadh aithise
Go gcuirfeadh sabhran gan mhairg
In aghaidh gach míol ina n-ascaill.

Labhair an sagart air Dé Domhnaigh,
Bhagair is d'agair na cumhachta,
D'agair réabadh na hóghachta air,
Scannal a thréada d'agair le fórsa,
Ach ghluais Ó Mórna ina chóiste
De shodar sotail thar cill.

D'agair gach aon a dhíth is a fhoghail air,
D'agair an ógbhean díth a hóghachta air,
D'agair an mháthair fán a háil air,
D'agair an t-athair talamh is trá air,
D'agair an t-ógfhear éigean a ghrá air,
D'agair an fear éigean a mhná air.

Bhí gach lá ag tabhairt a lae leis,
Gach bliain ag tabhairt a leithéid féin léi,
Ó Mórna ag tarraingt chun boilg chun léithe
Chun cantail is seirbhe trína mheisce,
Ag roinnt an tsotail ar na maoir
Ach an chruimh ina chom níor chloígh.

Nuair a rug na blianta ar Ó Mórna,
Tháinig na pianta ar áit na mianta:
Luigh sé seal i dteach Chill Cholmáin,
Teach a shean i lár na coille,
Teach nár scairt na grásta air,
Teach go mb'annamh gáire ann.

Trí fichid do bhí is bliain le cois,
Nuair a cuireadh síos é i gCill na Manach
D'éis ola aithrí, paidir is Aifreann;
I measc a shean i gCill na Manach
I dteannta líon a fhualais,
Ar an tuama armas is mana.

An chruimh a chreim istigh san uaigh tú,
A Uí Mhórna mhóir, a thriath Chill Cholmáin,
Níorbh í cruimh do chumais ná cruimh d'uabhair
Ach cruimh gur cuma léi íseal ná uasal.
Go mba sámh do shuan sa tuama anocht
A Chathail Mhic Rónáin Mhic Choinn.

Nó chím go soiléir thiar sa seanam,
Fir is mná dearmadta mo mhuintire
Ar a bplé
Lá an phatrúin is lá an aonaigh,
Nó ina mbaiclí fá na sráidbhailte beaga suaracha,
A mbataí draighin leo i dtreo,
Agus a gcroí sa bhéal ag constáblaí an choncais,
Agus ag an sagart.
Agus nach beacht sa deireadh thiar
A leagadh amach
Blár nua aimhréidh ár leasa
Agus nach réidh a thógamar
Dlí agus feidhm an bhochtanais,
Agus mura miste leat, Shakespeare agus Wordsworth
Agus Longfellow inár málaí scoile,
Agus romhainn féin amach an neamhní.

Ach is é mo rún
Lá acu seo chugainn
An tseanchoill a thabhairt orm féin arís:
Agus an bata ceart draighin a aimsiú,
É cruinn díreach slíocánta;
Agus seal a chaitheamh ag cleachtadh,
Agus dordán dian na seanamhrán a shealbhú,
Is bealach úr na sean a shealbhú.

Agus más mise an té sin a chí tú
Ag siúl liom go dalba ar fud an bhealaigh,
Agus bata draighin liom i mo dhorn,
Ná bíodh aon imní ort: tá mé i ndiaidh bheith thiar
i gcoill chraobhach mo mhuintire.

An Gráinneach Mór

Ó fuair mise an t-údar, ní baol dhomsa cúlú,
Ach leanfaidh mé an cúrsa go fearúil,
Is scríobhfaidh mé uachta nach féidir a phlúchadh
Ar aon teallach i ndúiche Chonamara.

Gangman de Ghráinneach, fear tútach, neamhnáireach,
A bhuail fúm gan fáth is é as bealach;
Gan fógra, gan ábhar, is mé ag obair go sásta,
Sea fuair mise cárta ón mbacach.

Go deimhin, a Ghráinneach, dhá ndéanfá an dea-rud,
Is dhá n-imreá do chuid cártaí go cneasta,
Ní bheinnse mar námhaid ar chnoc ná i ngleann agat
Is ní bheifeá go brách faoi mo mhallacht.

Ach bhí tú róbheartúil, rócham, is ródhána,
Is níor thuig tú mo chás ar aon bhealach;
Ach is gearr uait an lá a mbeidh tú ar lár,
Is tú maslaithe go brách ag mo theanga.

In Áth Cinn atá an bráca ag Tomás Ó Gráinne,
Is níor labhraíosa tráth leis ina ainm;
Is go mb'fhearr leis na comharsana múchta agus báite é
Ná é a fheiceáil go brách ar an mbaile.

Seo cuntas a fuair mé as an mbaile taobh thall dhó,
Ar a chliú is ar a cháil nach bhfuil taitniúch,
Is beidh sé le tuiscint is le léamh ag a lán,
Is a chnámhanna leáite sa talamh.

Ní fhéadfadh an t-ádh a bheith tigh Thomáis Uí Ghráinne,
A dúirt muintir na háite atá ina aice,
Mar tá sé róchiontaithe ag sagart is ag bráthair
De bharr faltanas gránna is drochscanall.

Ní dhéanfainnse aon iontas dhá dtitfeadh an láimh dhó,
Mar is minic í sáite sa mailís,
Is go bhfuadódh sí an bhraillín den chorp ar an gclár,
Ach gan duine a bheith i láthair lena bhacadh.

An bhó is an chaora, an searrach is an láir,
Má bhíonn siad ar fán uait ar maidin,
Gheobhaidh tú a dtuairisc, más féidir a bhfáil,
Faoi ghlas ins an stábla ag an mbacach.

An tsluasaid, an píce, an láí is an sleán,
Ná fág ins an bpáirc ar do bheatha iad;
Smaoinigh ar an rógaire, Tomás Ó Gráinne,
A ghoidfeadh an t-ál is an lacha.

Smaoinigh ar an ógánach, is é do dhrochnámhaid,
Ná bíodh aon cheo fágtha ina bhealach,
Mar bíonn sé go síoraí ag creachadh na háite
Is tú i do chodladh go sámh ar do leaba.

Éireoidh mé ar maidin in ainm an Ard-Rí,
Beidh mo chú le mo shála is mo chapall,
Nó go gcuire mé fiach i ndiaidh Thomáis Uí Ghráinne,
Is fágfaidh mé fán is drochrath air.

Rachaidh mé ina thimpeall is déanfaidh mé fáinne,
Beidh cúnamh fear láidir ins gach baile
Ón Spidéal go Carna, an Tuairín is Doire Fhatharta
Go Scríb, Uachtar Ard, is Cnoc Raithní.

Dheamhan brocach ná áitiú dár chuir sionnach a cheann ann
Nach gcaithfidh a bheith gardáilte fairthe;
Má fhaigheann sé a chuid crága go daingean in aon sáinne
Ní foláir cúnamh láidir lena tharraingt.

Séidfidh mé an fheadóg go dúthrachtach, dána,
Agus cloisfear go hard mé i gCeann Caillí;
Beidh mná agus páistí ag rince ar na bánta,
Nó go ndéanfar an Gráinneach a leagan.

Baileoidh mé agam na sluaite as gach ceard,
Is a gcéad míle fáilte ar an mbealach;
Ach, a mhuintir Dhúiche an Bhlácaigh, ná tréigigí an cás sin,
Mar is cliú dhomsa go brách sibhse seasamh.

Fágfaidh mé an cás seo ar láimh Mhaidhc Ó Fatharta
Ag crosbhóthar an Mhám' bí ag faire air,
Nó má ligeann tú an Gráinneach ar na sléibhte taobh thall dhuit,
Ní thabharfaidh an saol brách de na beanna é.

Coinnigh Abhainn na Scríbe fairthe gach oíche
Sula bhfaighidh sé dídean ina haice;
Bíodh aireachas grinn agat thimpeall an Líonáin
Is ar na bóithre atá ag ritheacht go dtí an caladh.

Cuir *sentry* dúbailte ar bhóthar Chorr na Móna
Sula fhéadfas an stróinse a dul thairis;
Ach, in ainm Rí an Domhnaigh, ná lig i Sliabh an Úir é
Nó rachaidh sé amú i nGleann na bhFeadóg.

Déanfaidh mé ceannfort dhuit, a Phádraic Sheáin Pháidín,
Tá tú in eolas na háite le fada;
Tóigfidh tú stáisiún le taobh Loch an tSáile,
Is ar do dheasláimh, Baile an Teampaill.

Cuir arm fear garda ar sheansiléar na Spáinneach,
Ná lig an boc báire faoin talamh,
Cúnamh maith láidir ó thuaidh i bPáirc na Rásaí,
Is ag ceann Bhóthar na Trá, an t-arm capall.

Is cuirfidh mé geall leat, a Thomáis Uí Ghráinne,
Go mbeidh tú ar láimh roimhe Shatharn,
Mar beidh tú chomh sáinnithe le cat thíos sa mála,
Is ní fheicfear go brách thú in do gheaingear.

Shiúil muid amach an cúigiú lá 'Mhárta,
Is bhuail muid go mall is go haireach,
Is gurb é an áit a dhúisigh muid Tomás Ó Gráinne
Ins na Banracha Bána thiar i gCamus.

Siúd soir thar na mbóthar é chomh luath leis an ngála,
Is chuaigh sé don gheábh sin Cinn Mhara,
Ach dhá bhfaigheadh muid i Muiceanach idir Dhá Sháile é,
Tá mé cinnte nach bhfágfadh sé an baile.

Bhí sé róchliste le titim sa ngábh sin
Bhí eolas na háite aige cheana;
Ar Chnoc a' Dua a tharraing sé, soir leis na fána,
I measc scailpreacha arda agus sceacha.

Chaill muid sna lagphortaigh in aice tigh Eoin é
Nó gur bhain sé dhó a bhróga ag Loch Fada;
Ag dul soir thar Tigh an Fhathartaigh ba luaithe faoi dhó é
Ná stoirm ghaoithe móire ins an earrach.

Ag dul amach ag an bPríosún le taobh Locha Móire,
Bhí muide ins an tóir gar go maith dhó,
Ach ag éirí in aghaidh an strapa ag Tulach an Óráin,
Bhí an buachaill Jack Seoighe á ghreadadh.

Chuaigh sé sa ngleann agus chaith sé an tórainn,
Agus d'fhága sé an Seoigheach ina sheasamh;
Ag dul soir thar an abhainn ag tigh Phádraic Uí Mhóráin,
Chaith sé dhó a chóta is a hata.

Lúb sé go talamh agus d'imigh sé caoch uainn,
Soir Sliabh an Aonaigh le teannadh,
Ach ag ardú ó thuaidh dhó amach as an gcíocra,
Cailleann sé a bhríste san easca.

Ó thuaidh trí na portaigh, is gan air ach a léine,
Is ar Bhaile na Léime a bhí a tharraingt;
Dheamhan múta nó claise nár chaith sé go héasca,
Chúig slata dhéag ins gach amhóg.

Amach Bun na gCipeán a thug sé dhá shiúl é,
Ní fhéadfadh an cú a dhul ina aice;
Ach dhá dtéadh sé go Cúige Uladh, gheobhadh mise greim cúil air,
Ba in é an sórt rúin a bhí agam.

Bhí muid chomh tugtha i ndeireadh na cúise
Is nach raibh ionainn an cúrsa údaí a sheasamh;
Shuigh muid ar chnocán is ár gcnámhanna leonta,
Nó gur rinne muid dea-chomhairle a ghlacadh.

Rinne muid campaí ag teacht don tráthnóna
Is d'fhan muid go ciúin leis an maidin;
Le ceiliúr na fuiseoige, bhíomar inár ndúiseacht,
Mar a níodh Fionn Mac Cumhaill sa tseanaimsir.

In aice le Formaoil, dúisíodh aríst é,
B'iontach an smíste é gan aimhreas;
Nuair a d'éirigh sé againn, amach as na caochphoill,
Bhí an criathrach ina thimpeall ag preabadh.

Níor bhain muid aon chor as gur shroich sé Abhainn Bhéaláin,
Chaith sé de léim í ón talamh;
Níl caora ná feithideach dhá raibh ar na sléibhte,
Nach raibh ag rince is ag léimneach le scanradh.

Ba luaithe é ná an eilit, ná an giorria cíbe,
Ag dul síos ag tigh Phít Pheadair Bhreathnaigh,
Ach ag Clochar an Bhromaigh sea bhíomar ina thimpeall,
Pádraic Chearra ar a dhroim is é dhá lascadh.

Rug Pít ar an tsluasaid is Joe ar an láí,
Chroch Pádraic an cána ón rata,
Is ba ghearr leis na Fianna iad ar lomchosa in airde
I ndiaidh Thomáis Uí Ghráinne is Mhac Chearra.

Síos ar tigh Fenton sea rinne sé láithreach,
Cé a chasfaí sa tsráid leis ach Beartla;
Isteach ar na duánaí buaileann sé an Gráinneach
Is chuir sé go bású é sa gclaise.

A mhuintir dhúiche Shailearna, siúd agaibh síos é,
Tá an bithiúnach ag déanamh ar an gcladach;
Ná ceapaidh ina gcroí istigh go bhfaighidh sibh aon phríosún,
Ach cuiridh an diabhal caoch ar an Matal.

Bhí Pádraic Thaidhg Phádraic ar bharr Charraig Áine,
A phiostal in airde is a chlaimhe;
Is é dúirt sé go dána, 'A chlanna is a chairde,
Ná ligigí slán as na hAille é.'

Smaoinigh, a Mhac Eoinín, go gcaillfidh tú an cóta,
Má ligeann tú i dTóchar an Ghleanna é;
Má fhaigheann tú greim scóige air, tá mise is mo chóisir
Ag teacht ar an mbóthar lena lagadh.

Chuaigh sé den léim sin trí chladaigh chrua ghéara,
Trí chosáin chrua ghéara agus raithneach,
Is gur ag Bóithrín na Céibhe le éirí na gréine,
A d'fhága sé a léine ar na sceacha.

Ní raibh fhios ag na céadta a bhí cruinnithe le chéile
Go raibh an t-ógánach céanna chomh beaite,
Ach nuair a facthas an téagar ina chraiceann geal gléigeal,
Bhí malairt an scéil sin le ceapadh.

Bhí slua de na *blazers* ag Ard Iothlainn Shéamais,
A gcuid conairt faoi réir is a gcuid caiple,
Is bhí ardmheas ón *lady* le fáil ag an té sin
A ghabhfadh Tom Greaney ina chraiceann.

Scoith sé an Púirín is barr Shailethúna,
Thug dúshlán gach cú is gach capall,
Uachtar Bhothúna is thart Seanadh Mhóinín,
I measc driseacha úra agus aiteann.

Déanadh é a choradh thart timpeall na coille,
Is chloisfí i mBoluisce gach béic uaidh;
Dhá bhfeicfeása an buinneán ag dul thart ar na tuláin
Is Peadar Sheáin Stiofáin á phléatáil.

Anois tá sé leagtha ag Johnny Joe Mharcais,
Is bronnaim gach meas is gach céim air;
Ná déanaidh é a mharú, ach druidigí thart air,
Nó go gceanglófar le gad is le téad é.

Is é dúirt Íta Targin, sách tuirseach dhá haistir,
'Ná cuirigí bannaí ná cúirt air,
Ach fágaidh an bealach is scaoilidh isteach mé,
Nó go bhfaighe mise slais ar an tóin air.'

D'fhreagair Jack Mac í agus labhair sé go tapa,
Agus rinne mé staidéar ar céard dúirt sé;
É a cheangal ar bharra istigh i mála maith garbh,
É a thabhairt ag an Eas is é a phlúchadh.

An bhfeiceann tú an easna siúd thíos faoina mhaide,
Nár láidir an maicín é ina óige;
Ach d'éalaigh an saol thairis is rinne sé bladar,
De bharr muiceoil bheaite agus pórtair.

Anois cuiridh ina sheasamh é is crochaidh chun bealaigh é,
Is i bpríosún Chill Dara bheas a lóistín
Nó go ndéana sé aithrí ar son ár gcuid allais
A chuir muid ráithe an Earraigh sa tóir air.

Anois iontóidh mé tharam chun dea-chaint a chleachtadh,
Is déarfaidh muid paidir nó dhó dhó;
Tá an saol anois athraithe is tá an Filí bocht craite,
Ón lá ar thug sé an *sack* ar an mbóthar dhó.

Go dtabharfa Dia sólás is suaimhneas dhá anam,
I bParthas na nAingeal le glóire;
Is an fhad is sheasfas an teanga i measc Gaeil Chonamara,
Beidh trácht i ngach teaghlach faoin spóirt seo.

Caoineadh do Mhícheál Breathnach

Do chuala aréir tré m'aisling
An uaill i gcéin dá casadh,
Go buartha céasta cathach,
Is ar cuaird fám dhéin ag tarrac
Is ag bualadh i ngaobhar mo leapa,
Im chluais de ghéim gur screadadh
Gur ar an uair sin d'éag an Breathnach,
Buachaill séimh glic aibí,
De shlua na nGael ba mhaise.
Le buairt an scéil sin phreabas
Go luath de léim im sheasamh,
Ag uaill is ag éamh go daingean,
Is le huaigneas déara frasa
Anuas 'na réim lem leacain.

A Mhichíl Bhreathnaigh,
A ghrá is a thaitnimh,
Is brón le m'anam
Tú thíos i dtalamh,
Fá fhuacht an tseaca,
Gan lúth id bhallaibh,
Gan chaint id theangain,
Gan luisne id leacain,
Ach i gcomhrainn tana
Is ualach carthaidh
Ar dhruim do bhaithis.

Bata Draighin

Líne ghiotach dhonn
I seanlámhscríbhinn scéalach
De chuid na nGall:
Mheabhraigh sin
Go mbíodh mo mhuintirse
Muintir Uí Dhoibhlin
Thiar sa bhaile sa Lúb,
Agus Muintir Mhic an Bheatha
Mar a gcéanna,
Go mbíodh sin
Beag beann ar dhlí na tíre
Agus mímhúinte dalba
Ina ndóigheanna,
Go n-ionsaídís gan trócaire
Constáblaí agus sirriamaí
De chuid an Rí,
Go raibh Gaeilge acu go fóill
Á canstan,
Agus seanamhráin an drabhláis
A chuir scaoll ar an sagart féin.
Agus go raibh, mar a mheabhraigh an líne,
Feidhm mhór acu
Le sibhialtacht an Rí.
Agus an bhfuil a fhios agat seo?
Caithfidh mé a admháil inniu
Go ngealaíonn an líne sin de chuid na nGall
Go ngealaíonn sí mo chroí.

Mo ghraidhin is mo stór thú,
A mhaise na gcomharsan,
Tú i ngreim i gcónra,
I mbláth ceart t'óige,
Is gá go fóill leat,
Ag déanamh chóncais
Ar lucht an mhórtais.

Mo ghrá is mo chara thú,
Is ba mhór an mhaise thú
Ag teacht abhaile chughainn
Anall thar farraige,
Is do Ghaeilg bhlasta agat,
Gan cháim gan chamachlis,
Ar bharr do theangan tiubh,
Cé gur luath a leagadh thú,
Is do buaineadh tathag nirt
Is siúl is seasamh díot
A mhuirnín mh'anma.

Mo chara is mo rún tú,
Dá mairfeá, id dhúthaigh,
Is maith an cúnamh
A thabharfá dúinne
Atá ag iarraidh fiúntas
Is maise is cumhracht
Ár dteangan dúchais
A chur in iúl ceart
Do lucht na dtriúch so.

Mo stór is mo mhaoin tú,
Is is brón dod mhuintir
Is is trua tú sínte
I leaba íseal
Fá fhuacht an gheimhridh
Is an chré id thimpeall,
Is anuas 'na luí ort,
Gan duine id choimhdeacht
A dhéanfadh imní díot.

Thiar 'cois fharraige'
Tá mo chaolfhear treascartha,
An Gaeilgeoir caithiseach,
Gur bhreá leat labhairt leis,
Fear ciúin cneasta geal,
Ionraic acmhainneach,
Cúthail ceannasach,
Búidh mín caradúil,
Nár thréig an teanga sin
Thug Gaeil thar caise leo.

Ba mhuar é a shaothar,
Mo bhuachill gléigeal,
I Londain aerach,
Is sa bhaile féinig
I measc a ghaolta
Ag scaipeadh léinn chirt
Gan sos gan staonadh
Tré bháilte is mhaolchnoic
Inis Éilge.

Dá mairfeadh beo againn
An t-ógfhear eolgach,
Do bheadh 'na dhoirne
Peann deas córach,
Fuinte gleoite,
Is é ag déanamh cló leis,
Go gasta fórsach
Ag scríobh gach nóta
Is gach aiste fónta
Go glic is go róchruinn.

Mo bhuanchnead nimhneach,
A mhic an chroí ghil,
Tú bheith go híseal,
Is clár mar dhíon ort,
Ó radharc do mhuintir'
Atá i nguais is i bhfíorbhroid.
Go dian dod chaoineadh
Dé ló is d'oíche.
A ghléfhir mhiochair
Is réidh deas d'fhuinis
An scéal sin Kickham
I nGaeilg mhilis.

A stór is a mhaoinigh,
Go bhfóiridh Críost ort
Is a mháthair aoibhinn
Is aingil chaoine
Na bhflaitheas soilseach
I gcomhair na síoraíocht'.

An Ceangal

A pholla dhil den bhorbfhuil ba thréine i gcath,
Ataoi id chodladh anois, i gConnachta go faon i bhfeart,
Id shochraid ós donas damh nár fhéadas teacht
Coiscfeadsa dem gholfarta, is mo mhéala leat.

An Gruagach Ribeach

Is ríbheag an t-ábhar a fuair an gruagach ón bpáiste,
Nuair a mhol sé a chuid glasraí go cliste;
Iad feistithe go cóir le cur ar cheann boird,
Díol cinnire tíre nó ardrí.

Má shíleann an fear fánach ó mhaslaigh sé an páiste
Go mbuailfidh sé báire in aghaidh file,
Cuirfidh mise náire air má bhíonn sé san áit seo,
Mar is boc é a bhfuil cuma rud dona air.

Thug mise spás dhó, sular éiligh mé sásamh,
Nó gur scrúdaigh mé an t-ábhar níos cruinne;
Ach ós fíor a bhfuil ráite, bí feasta ar do gharda,
Is tiocfaidh mise lá ar bith os do choinne.

Faoi obair mhínáireach a dhéanas an burlamán gáirí
Mar is cosúil le béar é sa bhfuinneoig;
Fógraímse gráin air, tá moing síos go sáil air,
Agus dearcann sé ar nós an bhroc muice.

Labhróidh mé amáireach le óige na háite,
Is míneoidh mé an cás seo go cinnte,
Gur mhaslaigh tú an páiste gan tsiocair, gan ábhar,
Anois, leagan na slat agus cruit ort.

Ó choirnéal shráid Bhearna go ceartlár Uíbh Fhailí
Níor facthas aon rud leath chomh gliobach,
A tháinig don áit seo ag éileamh lá páighe,
Is bhí tú ina chall sin go cinnte.

Níl caraid san áit seo dá gcloisfidh mo chás-sa
Nach ndéarfaidh scéal cam ansin thoir ort;
Ó bhí tú gan náire is gur bhuail tú an páiste,
Fógraím anois fán agus critheadh ort.

Má táimse lagbhríoch nó ag éirí san aois
Seasfad fós talamh go teann leat;
Ná ceap is ná síl, a phus ribeach buí,
Go n-imeoidh tú saor ó mo lámha.

An Ghrian is an Ghealach

Caitheann an ghealach súil fhuar aimhreasach
ar an gcruinne
ag gliúcáil trí fhuinneoga
ag damhsa ar dhíonta
ag spiadóireacht trí dhuilleoga
óna dtiteann scáilí duán alla
ag líochán na farraige móire
le maidneachan, éalaíonn sí
go cladhartha ar chúl na gréine
an ghrian lán le teaspach an ghrá
ag diúl cíocha na mara
magairlí na gcnoc
baill fhearga na sléibhte
éiríonn an fharraige chuici
le teann rachmairte is fonn réithireachta
teastaíonn uaithi bheith mar aon léi
a bheith mar chuid den aer
den mhacnas
den tsolas
den ghile
den mhíorúilt chruthaíoch

Ochón! a Dhonncha

Ochón! a Dhonncha, mo mhíle cogarach, fén bhfód so sínte,
Fód an doichill 'na luí ar do cholainn bhig, mo loma-sceimhle!
Dá mbeadh an codladh so i gCill na Dromad ort nó in uaigh san Iarthar
Mo bhrón do bhogfadh, cé gur mhór mo dhochar, is ní bheinn
id dhiaidh air.

Is feoite caite atá na blátha a scaipeadh ar do leabaidh chaoilse;
Ba bhreá iad tamall ach thréig a dtaitneamh, níl snas ná brí iontu.
Is tá an bláth ba ghile liom dár fhás ar ithir riamh ná a fhásfaidh
chóíche
Ag dreo sa talamh, is go deo ní thacfaidh ag cur éirí croí orm.

Och, a chumannaigh! Nár mhór an scrupall é an t-uisce dod luascadh,
Gan neart id chuisleannaibh ná éinne i ngaire duit a thabharfadh
fuarthan.
Scéal níor tugadh chugham ar bhaol mo linbh ná ar dhéine
a chruatain –
Ó! is go raghainn go fonnmhar ar dhoimhinlic Ifrinn chun tú a
fhuascailt.

Tá an ré go dorcha, ní fhéadaim codladh, do shéan gach só mé.
Garbh doilbh liom an Ghaeilge oscailte – is olc an comhartha é.
Fuath liom sealad i gcomhluadar carad, bíonn a ngreann dom
chiapadh.
Ón lá go bhfacasa go tláith ar an ngaineamh thú níor gheal
an ghrian dom.

Och, mo mhairg! Cad a dhéanfad feasta is an saol dom shuathadh,
Gan do láimhín chailce mar leoithne i gcrannaibh ar mo mhalainn ghruama,
Do bhéilín meala mar cheol na n-aingeal go binn im chluasaibh
Á rá go cneasta liom: 'Mo ghraidhn m'athair bocht, ná bíodh buairt ort!'

Ó, mo chaithis é! Is beag do cheapas-sa i dtráth mo dhóchais
Ná beadh an leanbh so 'na laoch mhear chalma i lár na foirne,
A ghníomhartha gaisce is a smaointe meanman ar son na Fódla –
Ach an Té do dhealbhaigh de chré ar an dtalamh sinn,
ní mar sin d'ordaigh.

Lámha
(do Shéamus Ennis)

Ba iad lámha an mhairbh do lámha
ag seinm na píbe aréir –
ach na méara fada cnámhacha
má b'iasacht méar ón alltar,
binneas agus glaine do cheoil
faoi fhraitheacha an tí ba dhídean.

Níor leatsa amháin an ceol –
bhí scata a d'éag ag seinm.
Bhí lámh ag mac bádóra ann,
an slabhra ceoil ár gceangal.
Bhí lámh ag pianta mná ann
is ag fir sa chré ag tochailt.

Gleic an bháis do ghleic
ag plé le tost is uaigneas
agus sine an cheoil á crú
ag lámha cliste eolacha.
Ach dos is seamsúr chomh haerach
ní geall in aghaidh na tubaiste.

Lámha beaga a bhí ag m'athair
ag iompar málaí sa stáisiún
agus fágadh de cheangal ar mo láimhse
dílseacht, ceird agus uaigneas –
tréithe a fheicim i do cheolsa
is sna lámha marbha ar d'uirlis.

Uaigneas Comórtha

Ní bhíonn aon Éigse ag comóradh Pheaidí na gCearc
Ó Chlochar. Géag de threabhchas Flathartach.
Ní fheicfidh tú a chló ar phóstaeir ná cairt.
Ach ar an uain de bhliain nuair bhí sclábhaithe tearc
Ní hiad Eoghan Rua ná Aogán a bhí i mbéal na bhfear.
Nuair a bhíonn na barraí ag tuar agus na gais go hard
Mairg a bheadh i dtaoibh le gaisce bard.

Trí mhíle slí ó Chlochar go Cathair Cuinn
Bhí an talamh tomhaiste aige, iomaire agus clais.
Ag baint lae as.
Leathchéad bliain, fuacht nó teas
Cur earraigh agus baint fómhair
Rámhan le glúin ag scaobadh, ag rómhar,
Cré, cré, cré,
Taosc, taosc, taosc,
Céadchré, luathchré, athchré,
Seaimpíní, eipiciúir, criocháin, fadhbáin
A chaipín péacach ag díonadh a éadain
Scíth a ligean b'annamh leis
Leisce riamh níor casadh leis.

Milliún is ea Peaidí na gCearc
Cuardaigh Kilburn agus Hammersmith.
D'imíodarsan. D'fhan Peaidí.
Dá chill mhuintire ghéill sé a thaisí.

Ní bheidh aon Éigse ar Pheaidí na gCearc.
Beag an baol.
Ná aon ollamh ó Éirinn ná New York
Ag béarlagar as a chab.

Buaileann an Dúchas Bleid ar an Mheabhair

Ar mhuir ard na hintleachta éirím
amach as cuan na hóige:
ón lá seo suas ní ceadmhach áiféisí,
ní maith an bua seafóide.
Mar do seoladh chugam corn an leanna léin,
níor thógas uaidh borb ná leasc mo bhéal
ach d'ólas siar an deoch isteach i mo chléibh.

Ar mhuir ard na hintleachta téim,
is eagal liom an mhuir:
ar thoinn ard na gealaí ann gan gréin
an fios cá seolann sruth?
Ach do chuala mé lucht loinge á dhearbhú:
An fuathghrá don mhuir, más meanma dúr,
gur dual é ag an duine sa bharc is lú.

Ar mhuir lán na hintleachta chím
loingeas is maorga gléas
fá chuimse cnáibe in imeacht tomhaiste righin,
an toil ceart ach saobh an réalt;
seolta de mhianach is d'oiliúint fite,
an corda de chiall agus rún an duine,
os bord d'iardaí traidisiúin is cine.

Trí Glúine Gael

XLVI Mianach an Ghuail

Ar mhothú na moiche dhom chuala mé torann an tís,
Chloiseamar stoc agus ghluaiseamar orainn gan scíth;
Go bhfacamar scata is a lampaí lasta ina lámha,
Is ar mh'fhallaing nárbh fhada go rabhas ina bhfarra ar an bpáil.

Isteach linn ar nasc ins an gcás a bhí ullamh i ngléas,
Galadh ar an ngal agus fáscadh ar rotha na dtéad;
Scor ar an gcuingeal is síos leis ó sholas an lae,
Gur thit sé de thurraic in íochtar dubh an aigéin.

B'aisteach an t-amharc é, tóirsí ar sileadh i ngach áit,
Creasa ná gealadh, ar nós na tine ghealáin;
Gach solas ar sodar ag triall ar an ionad dár dhual,
Is nárbh fhollas dom roscaibh ach ciaire is doirche an ghuail.

Chonacas na curaidh i bhfuathaisí beaga ina luí,
Gaibhte ar a ngrogaibh ag fuadach na seilge duibhe;
Ceathanna deannaigh á múchadh ó mhaidin go nóin,
Sraite sa stracadh gur dhubhaigh is gur shearg a snó.

Thugas mo thuras is fuaireas mo cheacht ar an slí,
Is lem ghiolla mar urra do ghluaiseas ar m'aistear aníos;
Gheallas ar m'anam pé áit nó conair a gheobhainn,
Ná rachainn fé thalamh go brách go gcloisinn an dord.

A chuideachta shoirbh a shuíonn go seascarach, séimh,
I ngaire na tine is na síonta ar stealladh san aer,
Casaidhse sranga na smaointe ar ghoradh na spré,
Is ar na gasraí mheallann an spríos ó shloca na mbaol.

Ní giorra de thubaist an splanc a phreabann ón mblaodhm,
Ní giorra don urchar an long fé lannaibh an aeir,
Ní giorra don donas an t-uan i bhfogas an fhaoil,
Ná an mheitheal a mheileann ins na cuasa dorcha thíos.

An geas úd a phreabann is dh'fhágann fichidí fuar,
An charraig ar bhealach an áir ag titim anuas,
An tuile úd a scinneann gan ghíog is a bhascann an slua,
Tuisil a thigeann gan chuimhne i gclasaibh an ghuail.

XLVII An Mhonarcha ar Bharr Eathrach

D'imigh mo chiste agus tháinig an obair le glao,
Ionad ar ithir, mar b'áil liom solas an lae;
Níl athrú thagann, níl sás chun sochair i ngléas
Ná acar a ceaptar ná fágann lochta le léamh.

Ní bhacfad le tagairt do dhéine mo chos is mo lámh,
Maidir le feacadh na ngéag, do mholfainn an áit;
Ach bhí rudaí nár tugadh a ngnéithe meata fém bhráid,
Gur nochtadh a ndochar dom féin i gcaitheamh na dtráth.

Bhí geas de gach dath ann dár suaitheadh ar seothaladh riamh,
Bhí an geal is an dearg ann, uaithne, gorm is riabhach;
Bhí geas ann a phreabfadh ina bhlaodhm is a loiscfeadh an chliar,
Is bhí geas ann a leagfadh go tréith gan torann, gan méam.

Bhí innill ar ligint go fiáin, gan sosadh, gan suan,
Agus mise sa bhfoirinn ag rialú na roth ar a gcuaird;
Is é chuirim i gcoinne na ngléas, ná tuigim a mbua,
Nuair a thiteann an duine ina dhaor fé ridire an luais.

Caitheann is casann an aimsear brat ar an mbrón,
Chailleas an mhairg is d'adhain an mheanma im ghlór;
Níor shonas ar chois é, ach b'fhearr é nár casadh im raon,
Is choisceas mo shodar ag áras na ngeas is na ngléas.

D'imigh an time agus d'éalaigh na hachair úd siar,
Thiteas im chime le béasa is le cleachtadh na gcliar;
Tugadh dom cuireadh agus shíníos conradh leo,
An cumann a cumadh chun saoirse is cosanta an tslóigh.

Níor dheacair mé tharrac ar thaoibh mo charad i ngéibh
Ná feaca mé an tsatailt a chloígh is a cheangail na Gaeil?
Chonacas an chumannacht dhlúth a bhris ar an bhfeall,
Is murach cogar an chrochaire a dhúnfadh bille na nGall.

Siollaí na hÁilleachta

Thug mé iarracht
seilbh a fháil
ar aoibhneas na foirme
agus ba é mo mhian
na mogaill órga a ghearradh
a shnaidhm an ghrian
ina eangach chrithlonrach
ar ghrinneall na habhann
agus bhí spreagadh ionam le léim isteach
is lionnbheatha na habhann a ól
thíos faoin chúr is na duilleoga báite
ag éisteacht domh le cumhacht an easa
ina uisce ciúbach ag dortadh
le meáchan mór.

Bhí croch chéasta sa tuar ceatha briste
bhí fuil iontach dhearg ar bhéal fhuar an tsléibhe
bhí an fharraige nimhneach ag a sáile féin
is í ag pléascadh a cuid airm
ar imeall bhán an chladaigh
ar lorg suaimhnis,
agus ba léir domh suaraíl an phéintéara bhig
agus súile na naomh
agus lámha na naomh
ní raibh siad in innimh
mé a theagasc go héasca
nó bhí mé gan tuigse féin.

Bhí sé mar ghlacfainn an áilleacht isteach le m'anáil
is gur éag mo chiall ar an bhomaite
is thriomaigh néal ina phéint ar an spéir
is gortaíodh súil ag géargha gréine
is facthas 'mé féin' ina fhigiúr aonair
brónach iar mbás beag an mhachnaimh.

An Ceoltóir Jazz

Níl sa ghealach amuigh anocht
Ach spotsholas eile
A aimsíonn tine dhraíochta
Ina fheadóg mhór;
Scinneann lasracha
Óna gha airgid
Anois le fuadar stoirme,
Éist! Ní féidir breith air.
Ní lena chroí amháin
A sheinneann sé
Ach lena chorp iomlán,
Féach! Tá taoide rabharta
Ag líonadh a chromáin,
Is nuair a thránn sé
Chím iasc ciúin
In íochtar an aigéin
Agus loinnir an cheoil
Ina shúil.

An Cúrsa Buan

Maidin Luain luath
Tá madraí an bhaile amuigh faoi adhall;
Tá na háirsí Spáinneacha, na póirsí ciardhubha,
Fós á searradh féin as cá bhfios cén tromshuan.
Scaoileann siad solas an lae isteach,
Díreach dóthain chun a gclósanna a nochtadh ar fad.
Dá mbeadh smacht agam ar riaradh na gréine anseo thiar
Ní chruthóinn a mhalairt ach ríocht na maidine seo féin.
Tá an Choirib, an ailtireacht is an spéir
Aerach fós ón suirí a bhí acu aréir;
Cloisim uaim an chóisir lárabhann,
Tá tonnta consairtín ag seinm fonn
A chuireann fuil an rince ionam ag rás,
Is braithim mar aon leis an maidin is leis an áit.
Ach ansin tosaíonn fallaí ag titim isteach,
Tagann gearranáil ar dhoras leithreas na bhfear,
Tagann formad orm le slatiascairí na habhann,
Lena stóilíní, lena socracht, iad beag beann
Ar an éadáil stáin a thugann siad i dtír,
Agus madraí an bhaile amuigh fós faoi adhall.
Ach mothaímse an sruth síoraí ag gluaiseacht i ngach féith,
Tugadh an abhainn seo anois mé ar a cúrsa buan léi,
Amach thar teora chladaigh, de sciuird faoi dhroichead na ndeor,
Bainimis amach farraigí arda nach ligfidh sinn go brách
  chun suain.
Ní fiú bheith ag badráil níos mó le doirse gearranála,
Seasóidh fallaí, sárófar na mianta comhriachtana laethúla.

Caoineadh na bPúcaí

(do Tony Mac Mahon)

Sí suaill na mara ón ngaoith id cheol
a bholgann le pabhar na bpúcaí ár seol

Le gach ólaí a rabhlálann dínn
scúnn na cuilithíní an craiceann dínn

An ghileacht draíochta is í ag méarnáil
oíche ré láin is tú ag turnáil

Idir do lámha easnaíocha an bhosca
ar na cnaipí do mhéireanna ag floscadh

Is cuma linn cá bhfuil anois ár dtriall
ach an chóir seo a bheith againn de shíor

Ní bhíonn riamh idir sinn agus an bás
ach ár gcroí faoi lánseol agus an canfás

I gcuasa ár gcluas cloisimid seiseon na róinte
is caoineadh na míol mór ina thulcaíocha tonnta

Feannaigh dínn a bhfuil d'fheoil ar ár gcnámha
mar a bhearrann an ghaoth anoir gainimh na trá

Nuair a bheidh ár bport seinnte is é ina dhuibhré
éalóidh na púcaí asainne agus beidh ansan ina bháinté

Carraig Aifrinn

Seachas dún dúnta na soiniciúlachta
Osclaíonn mo chroí amach
Do gheata cois trá i Muínis;
Treoraíonn sé go discréideach mé
Isteach in aerspás Chonamara,
Agus san áit nach bhfaca mé féin
Ar chor ar bith
I locha dubha a súl
Faighim cuireadh anois
Ó gheata adhmaid i Muínis.
Roinnim libh
Rún ciúin na maidine seo,
Rón muiníneach, ba ar dhuirling,
Is tagann an fharraige
Timpeall na carraige
Mar a scuabfadh sagart
A lámha le chéile
Le linn aifrinn.

Ceolta Óir

Uaireanta ba mhaith liom
a bheith im cheoltóir.
Theannfainn freanganna
as sreaganna an droch-chroí,
ghinfinn comhcheol luí seoil
le Máire Bhuí,
ise ar an sacsafón
mise ar na píobaí;
chífí an léim
a thug an fia
thar an gCéim,
chloisfí inár dtreo
glórtha eacha an chatha
ar sodar leo ar an dord.
Agus leis an nóta
is binne ar fad,
an sians glé a chruinníonn
ón anam glan sa ghob,
thitfeadh deoir óir amháin
go grinneall Loch an Ghuagáin
a chomáinfeadh le fána
ár bhfuil mhear
ina lúcháir iomlán.

Faoiseamh

Go dtí an loch a chuaigh tú, a Mhaitéis,
i bhfolach ó na daoine,
is do phéire gadhar ag lúfáir leat,
ba gáire bhí i do chaoineadh;
nuair a lig tú scread na maidine
is tú ag caraíocht leis an daol,
ba tafann a chuaigh mar phaidir leat
nuair a léim tú as an saol.

Mar fhaoiseamh ón mbrú intinne
a rinne damnú ar do thuigse,
tháinig an phian a bhí dod chiapadh
ina glugar go barr uisce;
te teolaí fós i leapacha
a bhí an dream a shilfeadh deora,
agus muiníl gheala ealachaí
mar choinnle ar do thórramh.

Trí scór bliain a d'fhulaing tú
is easlán faoi do chúram,
gan saoirse, só ná scíth agat,
lá seachtaine ná Domhnach;
gan goir agat bean an chuingir leat
mar fhaoiseamh d'uaigneas sléibhe,
ba breithiúnas aithrí an faoistin dhuit
ina mheall ar bhéal do chléibhe.

Ní bheidh crois mar chomhartha ómóis dhuit
san áit arbh áil leat séalú,
ach beidh an lile bhreac ina hionad agat,
is ón gcrois a bhí ag éalú;
chuirfeadh géanna fiáine sochraid ort
le nádúr is aimsir chrua,
is beidh leacoighir greanta ó lámha Dé
mar scríbhinn os cionn d'uaigh'.

Mórtas Dálach

Fann anois clann Dálaigh,
Fada ó sheol Aodh thar toinn,
    Níl fios ar a ainm, féin,
    Do réir mar a chluinim
    Amuigh i Valladolid.
Chaoin Nuala go fras
Ach d'fhéad sí ligean den chaoi,
    Tá sise fosta faoin chré,
    Agus Aodh Mór agus Gorthaidh Laoch
    Agus an Iníon Dubh lena spré.
Folamh caisleán Leifir,
Gan flaith, gan giolla faoina dhíon,
    Ach go ndéantar dhá leith den domhan
    Molfar fónamh do phinn,
    A Mhághnuis, mhic Aodha, mhic Aodha Ruaidh,
    Mhic Thoirdhealbhaigh an Fhíona
    Uí Dhomhnaill.

Adhlacadh mo Mháthar

Grian an Mheithimh in úllghort,
Is siosarnach i síoda an tráthnóna,
Beach mhallaithe ag portaireacht
Mar screadstracadh ar an nóinbhrat.

Seanalitir shalaithe á léamh agam,
Le gach focaldeoch dar ólas
Pian bhinibeach ag dealgadh mo chléibhse,
Do bhrúigh amach gach focal díobh a dheoir féin.

Do chuimhníos ar an láimh a dhein an scríbhinn,
Lámh a bhí inaitheanta mar aghaidh,
Lámh a thál riamh cneastacht seana-Bhíobla,
Lámh a bhí mar bhalsam is tú tinn.

Agus thit an Meitheamh siar isteach sa Gheimhreadh,
Den úllghort deineadh reilig bhán cois abhann,
Is i lár na balbh-bháine i mo thimpeall
Do liúigh os ard sa tsneachta an dúpholl.

Gile gearrachaile lá a céad chomaoine,
Gile abhlainne Dé Domhnaigh ar altóir,
Gile bainne ag sreangtheitheadh as na cíochaibh,
Nuair a chuireadar mo mháthair, gile an fhóid.

Bhí m'aigne á sciúirseadh féin ag iarraidh
An t-adhlacadh a bhlaiseadh go hiomlán,
Nuair a d'eitil tríd an gciúnas bán go míonla
Spideog a bhí gan mhearbhall gan scáth:

Agus d'fhan os cionn na huaighe fé mar go mb'eol di
Go raibh an toisc a thug í ceilte ar chách
Ach an té a bhí ag feitheamh ins an gcomhrainn,
Is do rinneas éad fén gcaidreamh neamhghnách.

Do thuirling aer na bhflaitheas ar an uaigh sin,
Bhí meidhir uafásach naofa ar an éan,
Bhíos deighilte amach ón diamhairghnó im thuata,
Is an uaigh sin os mo chomhair in imigéin.

Le cumhracht bróin do folcadh m'anam drúiseach,
Thit sneachta geanmnaíochta ar mo chroí,
Anois adhlacfad sa chroí a deineadh ionraic
Cuimhne na mná a d'iompair mé trí ráithe ina broinn.

Tháinig na scológa le borbthorann sluasad,
Is do scuabadar le fuinneamh an chré isteach san uaigh,
D'fhéachas-sa treo eile, bhí comharsa ag glanadh a ghlúine,
D'fhéachas ar an sagart is bhí saoltacht ina ghnúis.

Grian an Mheithimh in úllghort,
Is siosarnach i síoda an tráthnóna,
Beach mhallaithe ag portaireacht
Mar screadstracadh ar an nóinbhrat.

Ranna beaga bacacha á scríobh agam,
Ba mhaith liom breith ar eireaball spideoige,
Ba mhaith liom sprid lucht glanta glún a dhíbirt,
Ba mhaith liom triall go deireadh lae go brónach.

An Stoirm

Tá an doras á chraitheadh is gan Críostaí ann
Ach gaoth dhall stuacach ag réabadh
Go liobarnach siar is aniar san oíche.
Tá a gúna á stracadh anonn is anall
Is á pholladh ag snáthaidí géara
Na fearthainne, atá ag titim 'na mílte.
Tá an tseanbhean fá chritheagla ag féachaint suas
Trí dhíon an tí, ag lorg Dé,
Is port gainmheach na fearthainne go diablaí thuas
Ag báitheadh an fhocail ar a béal.
Siúd léi go himníoch is coinneal 'na glaic
Ag daingniú na fuinneoige;
Nuair thit an solas coinnle ar an ngloine, las
Na ceathanna bolgóidí.
Do ghortaigh dealg fhuar fearthainne mo lámh,
D'fhéachas de gheit;
Braon duibh as an bpeann reatha dhein an smál,
Bheadh braon fearthainne glan.

Fill Arís

Fág Gleann na nGealt thoir,
Is a bhfuil d'aois seo ár dTiarna i d'fhuil,
Dún d'intinn ar ar tharla
Ó buaileadh Cath Chionn tSáile,
Is ón uair go bhfuil an t-ualach trom
Is an bóthar fada, bain ded mheabhair
Srathar shibhialtacht an Bhéarla,
Shelley, Keats is Shakespeare:
Fill arís ar do chuid,
Nigh d'intinn is nigh
Do theanga a chuaigh ceangailte i gcomhréiribh
'Bhí bunoscionn le d'éirim:
Dein d'fhaoistin is dein
Síocháin led ghiniúin féinig
Is led thigh-se féin is ná tréig iad,
Ní dual do neach a thigh ná a threibh a thréigean.
Téir faobhar na faille siar tráthnóna gréine go Corca Dhuibhne,
Is chífir thiar ag bun na spéire ag ráthaíocht ann
An Uimhir Dhé, is an Modh Foshuiteach,
Is an tuiseal gairmeach ar bhéalaibh daoine:
  Sin é do dhoras,
  Dún Chaoin fé sholas an tráthnóna,
  Buail is osclófar
  D'intinn féin is do chló ceart.

Oileán agus Oileán Eile

I: Roimh Dhul ar Oileán Bharra Naofa

Tá Sasanach ag iascaireacht sa loch,
Tá an fhírinne rólom ar an oileán,
Ach raghad i measc na gcuimhne agus na gcloch,
Is nífead le mórurraim mo dhá láimh.

Raghad anonn is éistfead san oileán,
Éistfead seal le smaointe smeara naomh
A thiomnaigh Barra Naofa don oileán,
Éistfead leo in inchinn an aeir.

II: Amhras iar nDul ar an Oileán

A Bharra, is aoibhinn liom aoibhneas do thí
Agus caraimse áitreabh do smaointe,
Ach ní feas dom an uaitse na smaointe airím
Mar tá daoscar ar iostas im intinn.

Le bréithre gan bhrí,
Le bodhaire na mblian,
Thuirling clúmh liath
Ar mo smaointe.

Mar chloich a cúnlaíodh
Do hadhlacadh iad,
Do truailleadh a gclaíomh
Im intinn.

Naoimh is leanaí
A bhogann clúmh liath
De cheannaithe Chríost
Nó de smaointe.

Tá an t-aer mar mhéanfuíoch
Ar m'anam 'na luí,
Bhfuil Barra sa ghaoith
Am líonadh?

Tá Barra is na naoimh
Na cianta sa chria
Is dalladh púicín
Ad bhíogadh.

Tá tuirse im chroí
Den bhfocal gan draíocht,
Bíodh dalladh nó diabhal
Am shiabhradh.

III: An Bíogadh

Tá ráflaí naomh san aer máguaird
Is an ghaoth ag fuáil tríd,
Tá paidir sheanda im chuimhne i léig,
Is mo smaointe á séideadh arís.

Anseo ar bhuaile smaointe naomh
Do léim chugham samhail nua,
Do chuala tarcaisne don saol
I nguth an éin bhí 'clagar ceoil.

An ceol a raid sé leis an mbith
Dob shin oileán an éin,
Níl éinne beo nach bhfuair oileán,
Is trua a chás má thréig.

IV: Oileán Gach Éinne

I bhfírinne na haigne
Tá oileán séin,
Is tusa tá ar marthain ann
Is triall fád dhéin,
Ná bíodh ort aon chritheagla
Id láthair féin,
Cé go loiscfidh sé id bheatha tú,
Do thusa féin,
Mar níl ionat ach eascaine
A dúirt an saol,
Níl ionat ach cabaireacht
Ó bhéal go béal:
Cé gur cumadh tú id phaidir gheal
Ar bhéal Mhic Dé
Do scoiltis-se do thusa ceart
Le dúil sa tsaol,
Ach is paidir fós an tusa sin
Ar oileán séin,
A fhan go ciúin ag cogarnach
Ar bheolaibh Dé
Nuair do rincis-se go macnasach
Ar ghob an tsaoil.

V: Oileán Bharra Naofa

Tráthnóna ceathach sa Ghuagán,
Ceo ag creimeadh faille,
Do chuardaíos comhartha ar oileán,
Do fuaireas é i gcrannaibh.

Im thimpeall d'eascair crainn chasfháis,
Dob achrannach a leagan,
Do lúbadar 'ngach uile aird
Mar chorp á dhó ina bheatha.

Mar scríbhinn breacaithe ar phár
Is scríbhinn eile trasna air
Chonac geanc is glún is cruit is spág,
Fá dheoidh chonac dealramh Gandhi.

A Bharra, chím i lúib na ngéag
Gur troideadh comhrac aonair
Idir thusa Dé is tusa an tsaoil
Anseo id gheanclainn naofa.

Nuair ghlanann ceo na fola léi
Tig áilleacht ait i rocaibh,
Is féidir cló a mheas ann féin
Sa tsolas cnámhach folamh.

Tá sult na saoirse i gcló na gcrann,
Is grá don tsúil a fiaradh,
Tá dúil sa rud tá casta cam
Is gráin don bhog is don díreach.

Is fireann scríbhinn seo na gcrann,
Níl cíoch ná cuar in aon bhall,
Tá manach scríte abhus is thall,
Sé Barra lúb na ngéag seo.

A insint féin ar Fhlaitheas Dé,
Ag sin oileán gach éinne,
An Críost atá ina fhuil ag scéith
An casadh tá ina bhréithre.

Is macasamhail dá oileán féin
Oileán seo Bharra Naofa,
An Críost a bhí ina fhuil ag scéith
An phúcaíocht ait i ngéagaibh.

VI: An Sasanach agus Mé Féin

Tá Sasanach ag iascaireacht sa loch
Is measaimse gur beag leis an t-oileán,
Ach ní feasach dom nach iascaireacht ar loch
Don Sasanach bheith ionraic ar oileán.

Raghad anonn is fágfad an t-oileán,
Fágfad slán le smaointe smeara naomh,
Raghad ag ceilt na fírinne mar chách,
Raghad anonn ag cabaireacht sa tsaol.

Siollabadh

Bhí banaltra in otharlann
    I ngile an tráthnóna,
Is cuisleanna i leapachaibh
    Ag preabarnaigh go tomhaiste,
Do sheas sí os gach leaba
    Agus d'fhan sí seal ag comhaireamh
Is do bhreac sí síos an mheadaracht
    Bhí ag siollabadh ina meoraibh,
Is do shiollaib sí go rithimeach
    Fé dheireadh as an seomra,
Is d'fhág 'na diaidh mar chlaisceadal
    Na cuisleanna ag comhaireamh:
Ansin do leath an tAngelus
    Im-shiollabchrith ar bheolaibh,
Ach do tháinig éag ar Amenibh
    Mar chogarnach sa tseomra:
Do leanadh leis an gcantaireacht
    I mainistir na feola,
Na cuisleanna mar mhanachaibh
    Ag siollabadh na nónta.

Píobaire na mBan

Faoi dheireadh nuair a tháinig
an lá go raibh air
bean a sholáthar dó féin,
d'aimsigh Tomás a' Leasa
na píobaí uilleann a bhí crochta
ar thaobh an bhalla
agus rinne a bhealach
thar chnoc amach
agus stad ní dhearna sé
gur shroich sé Log na gCaorach.

Le dul faoi na gréine
thosaigh sé ag píobaireacht,
na goltraithe tréana ceoil
ag líonadh an aeir mórthimpeall air
is ag titim anuas
mar cheo draíochta
ó na sléibhte is na cnoic
is ag líonadh
na ngleannta uaigneacha
le binneas na síoraíochta.

Is iomaí scéal a instear
faoi áilleacht an cheoil úd.
Bhí cailín amháin
a bhí ag crú na mbó
agus nuair a chuala sí an ceol
d'ardaigh sí a ceann

agus mar a bheadh sí faoi gheasa
d'fhág a hathair is a máthair
agus lean lorg an cheoil
riamh is choíche.

Anseo ag Stáisiún Chaiseal na gCorr

Anseo ag Stáisiún Chaiseal na gCorr
d'aimsigh mise m'oileán rúin
mo thearmann is mo shanctóir.
Anseo braithim i dtiúin
le mo chinniúint féin is le mo thimpeallacht.
Anseo braithim seasmhacht
is mé ag feiceáil chríocha mo chineáil
thart faoi bhun an Eargail
mar a bhfuil siad ina gcónaí go ciúin
le breis agus trí chéad bliain
ar mhínte féaraigh an tsléibhe
ó Mhín an Leá go Mín na Craoibhe.
Anseo, foscailte os mo chomhair
go díreach mar bheadh leabhar ann
tá an taobh tíre seo anois
ó Dhoire Chonaire go Prochlais.
Thíos agus thuas tchím na gabháltais
a briseadh as béal an fhiántais.
Seo duanaire mo mhuintire;
an lámhscríbhinn a shaothraigh siad go teann
le dúch a gcuid allais.
Anseo tá achan chuibhreann mar bheadh rann ann
i mórdhán an mhíntíreachais.
Léim anois eipic seo na díograise
i gcanúint ghlas na ngabháltas
is tuigim nach bhfuilim ach ag comhlíonadh dualgais
is mé ag tabhairt dhúshlán an Fholúis
go díreach mar a thug mo dhaoine dúshlán an fhiántais

le dícheall agus le dúthracht
gur thuill siad an duais.

Anseo braithim go bhfuil éifeacht i bhfilíocht.
Braithim go bhfuil brí agus tábhacht liom mar dhuine
is mé ag feidhmiú mar chuisle de chroí mo chine
agus as an chinnteacht sin tagann suaimhneas aigne.
Ceansaítear mo mhianta, séimhítear mo smaointe,
cealaítear contrárthachtaí ar an phointe.

Cor Úr

Ciúnaíonn tú chugam as ceo na maidine
mus na raideoige ar d'fhallaing fraoigh
do ghéaga ina srutháin gheala ag sní
thart orm go lúcháireach, géaga
a fháiltíonn romham le fuiseoga.

Féachann tú orm anois go glé
le lochanna móra maorga do shúl
Loch an Ghainimh ar dheis, Loch Altáin ar clé
gach ceann acu soiléir, lán den spéir
agus snua an tsamhraidh ar a ngruanna.

Agus scaoileann tú uait le haer an tsléibhe
crios atá déanta as ceo bruithne na Bealtaine
scaoileann tú uait é, a rún mo chléibhe,
ionas go bhfeicim anois ina n-iomláine
críocha ionúine do cholainne

ó Log Dhroim na Gréine go hAlt na hUillinne
ón Mhalaidh Rua go Mín na hUchta,
thíos agus thuas, a chorp na háilleachta
gach cuar agus cuas, gach ball gréine,
gach ball seirce a bhí imithe i ndíchuimhne

ó bhí mé go deireanach i do chuideachta.
Tchím iad arís, a chroí, na niamhrachtaí
a dhearmadaigh mé i ndíbliú na cathrach.
Ó, ná ceadaigh domh imeacht arís ar fán:
clutharaigh anseo mé idir chabhsaí geala do chos
deonaigh cor úr a chur i mo dhán.

Cré na Cuimhne

Agus ach ab é gur chan mé thú i mo dhán, a dhuine,
rachadh d'ainm i ndíchuimhne . . .

1

Amuigh ansiúd i mbéal an uaignis
ag leanstan lorg a shinsear go dílis;

Ag dreasú caorach, ag beathú eallaigh,
ag mairstean go dtiocfaidh an bás.

Mar mhadadh ag cur car i gcaoirigh
is iomaí mairg a bhain an saol as

Ach bhí sé i dtólamh suáilceach, lán de chroí,
'is beag ár sáith agus is gairid ár seal

Agus níl a dhath is deise ná gáire geal,'
a deireadh sé, mé i mo shuí ag baint taitnimh

As an eatramh ghréine a thigeadh ina aghaidh
idir ceathaideacha pislíneacha a chuid cainte;

Stothóg fionnaidh ag gobadh as a léinidh
chomh liath le broc ag gabháil i dtalamh;

Boladh nádúrtha a cholainne chomh teolaí
leis an easair úrluachra a leagadh sé gach lá

Ar urlár an bhóithigh. 'Tchí Dia, cha dtig leis na ba
ach oiread linn féin luí ar an leac lom.'

2.

Mar thréadaí, bhí aithne cinn aige ar na caoirigh
agus iad ainmnithe go cruinn aige as a dtréithe;

'Raimsce na Coise Duibhe, Peata Abhainn an Mhadaidh
Bradaí an Leicinn Bháin agus Smiogadán na hAitinne',

Ainmneacha a sciorr as altán a bhéil comh héadrom
le héanacha an tsléibhe ag éirí as dos agus tom.

'Ná bí lom leis na caoirigh is cha bhíonn na caoirigh
lom leat,' a deireadh sé liom i dtús an gheimhridh

Agus é ag tabhairt ithe na glaise daofa ar na híochtair
nuair a bhíodh an t-iníor feoite ar na huachtair.

3.

Bhí sé i gcónaí deaslámhach i mbun a ghnaithe, díreach
agus néata. Agus cocaí na gcomharsan cam agus ciotach

Shín a chuidsean i línte ordúla chomh teann le dorú.
Bheartaigh sé a chuid cróigeán ar bhlár an chaoráin

Amhail is dá mba clár fichille a bhíothas a shocrú.
Bhí a charabhat Domhnaigh chomh righin le bata draighin.

Agus é ag tabhairt bheairdí air seo, bheairdí air siúd,
tharraingeodh sé go haicseanta as cruach na cuimhne

Scéalta chomh cumtha ceapaithe le sopóg chocháin;
Ó shin tá mé á muirliú is á n-athchognadh i m'aigne.

4.

Dálta na sreinge deilgní a bhí timpeall a gharraidh
bhí a chuid orthaí cosanta á chrioslú i gcónaí:

Bratóg Bhríde agus Créafóg Ghartáin fuaite i gcoim a bhrístí
lena chuid bheag den tsaol a chosaint go colgach

Ó bhaol agus ó bhradaíocht na dúchinniúna,
a dhéanfadh foghail, ach seans a fháil, ar cheapóg a bheatha.

Ach in ainneoin a dhíchill dhéanfaí slad air go tobann:
chaillfí bó leis i ndíog; d'fhágfaí é gan phingin, gan bhonn

An t-am a dtáinig na tincléirí chun an tí is é ar Aifreann
agus d'imigh lena raibh ann. Le gaoth shéidfí a chuid stucaí
as cuibhreann

Isteach i gcuid na comharsan, fear nár bheannaigh dó le blianta.
Ach sháraigh sé gach lom, gach leatrom, lena gháire mór cineálta

A d'éirigh ar íor a shúl is a spréigh anuas go solasta
thar leargacha a leicne, á n-aoibhniú le gnaoi;

Agus nuair a d'fiafróchainn dó caidé mar a bhí rudaí
deireadh sé, 'Buíochas le Dia, tá mé ag mún, ag cac is ag feadalaigh.'

5.

Má tháinig taom teasbhaigh air ariamh
ina leabaidh aonair nó in uaigneas na gcuibhreann

A dhrúisigh an croí ina chliabh
is a rinne reithe geimhridh den fhear ann

Char chuala mé faoi. Bhí sé faiteach le mná
is cha n-úsáideadh sé an focal 'grá'

Go brách ach oiread is a chaithfeadh sé a lámha
thart ar fhear eile i mbráithreachas;

Is má shlíoc sé a dhath níos sochmaí
ná droim madaidh agus é ag bánaí leis cois teallaigh;

Is má chuaigh sé gabhalscartha ar a dhath níos boige
ná ceathrúna loma caorach agus iad á lomadh aige

Bheadh iontas orm. An síol a scaip sé lá dá shaol
chan ar ithir mhéith mná a thit sé

Ach ar dhomasach dubh an tsléibhe a dhiúl
sú na hóige as a chnámha gan a dhúil a shásamh . . .

6.

'Tá mé anseo ag caitheamh an tsaoil
is an saol ár gcaitheamh is baol,'

A dúirt sé liom ar mo chuairt dheireanach;
stamhladh gaoithe ó Mhám an tSeantí

Ag tógáil luaithe ar fud na cisteanadh;
é rite as anáil, a chnámha ag scamhadh.

Lá béalcheathach amach san Earrach
é sínte i gcónáir agus muid á fhaire;

É sínte amach chomh díreach le feagh
i gculaith Dhomhnaigh is a ghnúis mar leanbh;

Dúirt bean dá ghaolta agus í á chaoineadh
'bhí a bheo chomh díreach lena mharbh.'

7.

Féach anois mé ag sléachtadh anseo roimh leathanach
atá chomh bán leis an línéadach a leagadh sé amach

Do theacht an tsagairt agus ar an altóir bhocht thuatach seo
ceiliúraim le glóir an bhriathair a bheatha gan gleo

Is cé nach mbeidh béal feara Éireann á mhóradh go deo
i gcré seo na cuimhne coinneoidh mé glaine a mhéine beo.

Níl Aon Ní

Níl aon ní, aon ní, a stór,
níos suaimhní ná clapsholas smólaigh
i gCaiseal na gCorr,

ná radharc níos aoibhne
ná buicéad stáin na spéire ag sileadh
solais ar Inis Bó Finne.

is dá dtiocfá liom, a ghrá,
bheadh briathra ag bláthú ar ghas mo ghutha
mar shiolastrach Ghleann an Átha,

is chluinfeá geantraí sí
i gclingireacht na gcloigíní gorma
i gcoillidh Fhána Bhuí.

Ach b'fhearr leatsa i bhfad
brúchtbhaile balscóideach i mBaile Átha Cliath
lena ghleo tráchta gan stad,

seachas ciúinchónaí sléibhe
mar a gciúnaíonn an ceo le teacht na hoíche
anuas ó Mhín na Craoibhe.

Seanchas

Fearacht mo leithéide eile
Scaipeadh mo dhream daoine,
Níl agam de sheanchas feasta
Ach smearchuimhní cinn m'athar.

B'as Deilbhean in iarthar na Mí
Ó thuaidh go Carraig Mhachaire Rois
Ina chléireach ag candálaí an bhaile
A chuaidh a athair sin tráth.

Taca an tséasúir chéanna, tharla
Ina printíseach álainn siopa
As ceantar Bhéal Áth' hAmhnais
Bríd Ní Gharbháin aniar.

Cén gean a thugadar dhá chéile
Ní de mo ghnaithesa a mheas –
Ach choidir coimhthíoch le coimhthíoch
Is streachail siad a mbealach aníos.

Ar scáth a gcuid allais siúd
Tá spás ag mac a mic
A bhfeartlaoi anois a chumadh,
Na riaráistí cinniúinte a íoc.

Ar cuma dhúinn an ginealach?
Ar an bhfuil nach beag ár mbeann,
Ós dhúinne is goire an carthanas
Ná gaol briosc na gcnámh?

Maran i nganfhios a shiúltar
Cosán dearg na muintire,
Maran dhár mbuíochas a leantar
Pleain an tsinsir sa smior.

Tá idir toil is timpiste
Ar chúla gach a gcuirim i ngníomh,
Ach altaím inniu gur mar seo
Is nach mar siúd a tharla.

Marbhghin 1943: Glaoch ar Liombó

(do Nuala McCarthy)

Saolaíodh id bhás thú
is cóiríodh do ghéaga gorma
ar chróchar beo do mháthar
sreang an imleacáin slán eadraibh
amhail líne ghutháin as ord.
Dúirt an sagart go rabhais ródhéanach
don uisce baiste rónaofa
a d'éirigh i Loch Bó Finne
is a ghlanadh fíréin Bheanntraí.
Gearradh uaithi thú
is filleadh thú gan ní
i bpáipéar *Réalt an Deiscirt*
cinnlínte faoin gCogadh Domhanda le do bhéal.
Deineadh comhrainn duit de bhosca oráistí
is mar *requeim* d'éist do mháthair
le casúireacht amuigh sa phasáiste
is an bhanaltra á rá léi
go raghfá gan stró go Liombó.
Amach as Ospidéal na Trócaire
d'iompair an garraíodóir faoina ascaill thú
i dtafann gadhar de shochraid
go gort neantógach
ar a dtugtar fós an Coiníneach.

Is ann a cuireadh thú
gan phaidir, gan chloch, gan chrois
i bpoll éadoimhin i dteannta
míle marbhghin gan ainm
gan de chuairteoirí chugat ach na madraí ocracha.

Inniu, daichead bliain níos faide anall,
léas i *Réalt an Deiscirt*
nach gcreideann diagairí a thuilleadh
gur ann do Liombó.

Ach geallaimse duit, a dheartháirín
nach bhfaca éinne dath do shúl,
nach gcreidfead choíche iontu arís:
tá Liombó ann chomh cinnte is atá Loch Bó Finne
agus is ann ó shin a mhaireann do mháthair,
a smaointe amhail neantóga á dó
gach nuachtán ina leabhar urnaí,
ag éisteacht le leanaí neamhnite
i dtafann tráthnóna na madraí.

Aifreann na Marbh

1. Introitus

Músclaíonn an mhaidin ár míshuaimhneas síoraí.
Breathnaím trí phána gloine
Clogthithe na hÁdhamhchlainne
Ár gcuid slinn, ár gCré, ár gcúirteanna
Ar snámh san fhionnuaire.
Nochtann as an rosamh chugam
An ghlanchathair mhaighdeanúil
Ag fearadh a haiséirí:
Músclaíonn an mhaidin ár míshuaimhneas síoraí.

Broinneann an ceatal binnuaigneach i mo chroí
Ar fheiscint dom a háilleachta,
Géagshíneadh a gealsráideanna
Le hais na habhann, na coillte,
Líne na gcnoc pinnsilteach
Á háitiú ina céad riocht –
Mo chailín cathrach fornocht
Ina codladh ag áth na gcliath:
Músclaíonn an mhaidin ár míshuaimhneas síoraí.

Tagann an aisling rinnuaibhreach anoir,
Scaipeann rós is airgead
Trí smúit a calafoirt
Ina lá léaspairte, súnás
Ag éigniú a maighdeanais
Nó go bhfágtar gach creat

Gach simléar, gach seolchrann
Ina chnámh dhubh, ina ghrianghraf
Ag léiriú inmhíniú mo laoi:
Músclaíonn an mhaidin ár míshuaimhneas síoraí.

4. Dies Irae

Busanna uaine, brionglóidí ar luail
Ag breith a samhaltas ón bpluda méasasóch
Go hInbhear Life ag éagaoin thar an ród
Is an dá bhord luchtaithe. Gluaiseann
An t-am, maireann an tsamhail, gluaiseann
An t-iomlán againn, na haghaidheanna ciúine,
An croiméal agus an toitín, an púdar cnis,
Béaldath an chorail ar bhéal gan smid
Is ingne néata as a dtámhnéal ag ofráil
Leathréal an phasáiste don oifigeach,
Agus gluaisimid, glúin le glúin, sinne,
An t-aonarán agus an t-aonarán agus an t-aonarán
I mbroinn na huaire cuachta le chéile
Faoi shreabhanna stáin agus gloine gléasta
Trí reitric nóin na cathrach, séidtear
An adharc ag freagairt don adharc inár dtimpeall,
An uaim ag freagairt don uaill i mo chuimhne –

Lá gréine na blaisféime
Shéideamar Hiroshima.

Gluaiseann siad glúin le glúin ar aghaidh
An t-ógfhear agus an ghealbhé
In uamanna coil, síol Éabha,
An chlann chumhra, cúpla an chéad gháire,
Go léirítear an dá aghaidh ghléineacha
In aisling an bhus seal gréine
Idir dhá chith ar ghloine bhraonfhliuch
Clóbhuailte, cruinn, ciontach, ach a Chríost chéasta
Dearcann siad fós as croí a gcumhrachta
Go súil-loinnreach, súil-álainn –

Cé go bhfuil an dán i gcló
Is bláthanna a kimónó
Ina gcuspaí go beo scríofa
Ar óguachtar óghbhríde,
Gluaisimid, glúin le glúin, féinsiabtha,
An ghlúin seo againn gan faoiseamh
Trí bhloscbhualadh na loiní, cuislí
An bhaibéil a ghineamar, géarghiaranna,
Golfairt na gcoscán, freang, tormáileanna,
Géimneach an mhiotail ag olagón, clog,
Teangmháil an tarra le ruibéar na roth
Ag fearadh an tochmhairc gan toradh broinne
Sa smúit seo, teimhealaois an duine,
An tsúil gan súil, an leiceann geal le gloine,
An ghlúin seo againn in ísealghiar ag imeacht
Béal ár gcinniúna romhainn amach
Fad sráide ag fearadh an tochmhairc.

Nochtamar i lár sráide
A mhaighdean na Seapáine
Go comair docht ar do chneas
An tochmharc agus an toircheas.

Tuireamh na roth. Clog. Fógraíonn
An stad is an t-imeacht, clingeann i mo chuimhne
Ag fógairt an Luain seo lá an fhíocha
Nuair atá cling na gloine briste le clos –
Ná tuirling go stada an bus.
Ná tuirling ar an tsráid iarnóna
A Chríost mhilis uaignigh na híoróna.
Álainn a dúirt mé, fánach mo ghuth
Ar dhroichead Uí Chonaill trí thuireamh na roth
Agus clingeann an clog. Meangadh tarcaisne
A sheolann an ghrian chugainn tríd an bpána.
Snámhann na haithinní deannaigh ar ala na huaire,
Rince fada na n-adamh ar tonnluascadh
Arís agus arís eile agus beirt eile fós,
Rince na n-adamh is a n-eibhlíní cumhra
Agus dusta na giniúna ar a cheolchúrsa
I gcéilí an Luain seo ar an sean-nós
Nó go dtagann anoir chugainn i ndeireadh na dála
An mhaidin á doirteadh ar imeall na sráide
Is go mbriseann an meangadh gréine ar an bpána
A nochtann an ghealbhé ina cinniúint caillte,
A haghaidh álainn ón scáil aníos
Agus cnámh an chloiginn tríd an gcuantanós
Agus sonann an croí istigh ionam, faí chéasta,

Lá gréine na blaisféime.

Faighim sracfhéachaint ar an Life amuigh
Seal gréine idir dhá chith
Ag frithchaitheamh an Lúnasa, dáil na n-éan,
Oireacht na bhfocal is na bhfaoileán, seal
Finscéil, an lá feacht naon in éineacht
Le lapadaíl loinnreach na glanGhaeilge
A mhúnlaigh Lugh i mbroinn d'Eithne.
Tá criú beirte ar shodramán birlinge
Ar liathradh fúinn ar scéamh a heitre
Ag breith uainn sláinte Mhic Aonghusa
Soir, soir le sruth. D'ullmhaíomar
Greann gáirsiúil an fhinscéil, ghineamar
Ár n-aingeal coimhdeachta i mbroinn na heithne,
Is gurb ionann E agus Mc cearnaithe –
Is é ár ngrá Dé é, ár ndiúigín beannaithe
Ár Lugh Lámhfhada, an fionnpháiste,
Agus lá fhéile an tSamhildánaigh

Shéideamar Hiroshima.

Cé trácht, moillíonn an bus ag preabarnach
Chois leacht Uí Chonaill, é ina chlóca dealfa
De chré-umha is a cheathrar aingeal
Ag fulaingt na gcomharthaí suirí a thochail
Piléir an Renaissance ina gcíocha collaí.
Tiontaíonn fear gorm chugam faoi hata gréine
Ag fiafraí díom cé hé? – An Liberator.
Scríobhann an tuairisc ina leabhrán nótaí,
Is a Chríost uaignigh na híoróna.
Scaoileamar chugat a stór
An lá sin an fuascailteoir

An lann sheasc a scaoil ar chrois
Ballnasc ár gcuid muintearais.

Ar aghaidh, ar aghaidh athuair. Sinne
An mhuintir a thúg cúl le cine,
Trí Bhéarla briste shiopaí na sráide,
Sloinnte briotacha, iarsmaí, scáileanna
Na seacht dteangacha buailte ar chlár,
Snámhraic shibhialtachta. Deoch, tobac,
Arán agus amharclanna, liodán an duine
Trína seoltar i gcónra ghloine.

Sinne, na mairbh fuair bás
In Áth Cliath is in antráth

De bheagshuim, de shuan aigne
Ar phríomhshráid phríomhchathrach
Ag bogadach béal ár gcinniúna romhainn
Ar an tsochraid laethúil thar an Meatropóil
Gan aird againn ar an rúndiamhair
In ainm na máthairchathrach scríofa
Sa neonsolas lá an fhíocha
Ag faisnéis dúinn ár gcluichí caointe.

Maith dúinn más féidir sin
Nár chuireamar ón Duibhlinn
Le grá do do bhráid mhín
Féirín níos fearr, a shiúirín.

Suíonn an bhean ina staic, tá creat
A seangsparáin fáiscithe chun a huchta

Le méara atá feoite ag an tsóid níocháin,
Méara máthar múnlaithe ag an ngannchuid;
Feicim glibín dá liathghruaig ar fhis
Thar roic na clainne ina cláréadan,
Dreach tíriúil, ite ag na fiacha,
Ag smaoineamh ar a iníon i gcoigríocha.
Bíogann splanc thuisceana. Beochré, b'fhéidir?
Ach níl ann ach deoirín dearg ó fhuinneog an tseodóra
Thar an tsráid chugainn; gointear a taibhreamh
Ag caorthine na flannchloiche
Agus gan fhios di féin titeann a súil
Ar chuibhreann simplí a céadphósta. *Siú.*

Tá brón orainn faoinar éirigh duit
Is deas a scríobhfainn véarsaí duit
Ach seod gaoil a dháileadh ort
A róisín nach ródhéanach

Nuair atá an peaca agus an bás ar chlár le chéile,
Scáileanna ar ghloine, seal gréine,
Agus scuabtar an t-iomlán chun siúil. Glórtha
Ghasraí na nuachta ag géarfhógairt
Miontragóidí na hiarnóna
Lá an Luain i gceartiarthar Eorpa
Mar a gcastar sinn, an ghlasaicme,
I luí seoil seasc agus suan aigne
Ag breith trí rúraíocht na beatha
Ár gceamairí néata ina gcásaí leathair
Nó go labhraíonn teanga ón ársaíocht,
Guldar siollabach an druillire leictrigh
Ag tochailt na teibíochta is ag tabhairt le fios
Gairbhéal an ghrinnill ar a mairimid –

Ina bhlosc toll, éirim éigse
Oighrí ar Eriugéna,
Ár nuadhán faoin ród do bhris
Ag sárú do mhaighdeanais.

Meánfach mhúinte ón ngealbhé.
Lonraíonn a scáil go breacghrianmhar
Briste ag braonséis gloine-éigse,
Smaoiním ar Afraidité agus Primavera.
Beireann sí léi ina béal mealltach
Coral agus péarla na mara ina mairimid
Go patdiaga, patbháite.
Suíonn an mháthair ina staic smaointeach.
Bíogann leathshúil an fhir ghoirm
Mar bheadh an ball beosholais a scríobhamar
Ar thuama Faró ag tochailt na síoraíochta.
Is liomsa a charabhat is a hata gréine,
Ach ní liomsa saibhreas na haoibheallaislinge
Ní bhíonn a chuid di riamh ag an taistealaí
Ar an ionramh riachtanais idir an dá Luan.
Cloisimid tine an tsíoda gheanmnaí
Ar cluainsioscadh, agus cuireann sí glúin thar ghlúin . . .

Gaza per undas

Saibhreas san uisce. Ár gcomhréir scaoilte.
Bloscbhuaileann an loine mhiotalach.
Liongálann an t-oifigeach agus é glac-chrochta
Ón mbarra cróimiaim, caochann a shúil.
Fanann an mháthair ina staic feasa.
Ach is liomsa an gáire i mbolg an cheannaí,

Plucaire a dhéanann muca a onnmhairiú
Thar ghlúine geala bréidchaislithe
Na géibirne mara ag umhlú faoina mhaoin –
Is gurb shin í an chráinín, mh'anam, nár chaill an clíth –
Músclaíonn an mhaighdean ár míshuaimhneas síoraí.

Deacair teacht ó ghalar grá
Deacair dul san iomarbhá
Deacair don bhradán feasa
A léim in aghaidh caoleasa.

Cé scaoilfeas mé ó bhirling seo an bháis?
Nó cad é an cladach báite ar a bhfuil ár dtriall?
Ní mar seo a samhlaíodh dom an pasáiste
I dtráth na hóige ar thóir an fhocail chruinn
Is gurbh fhearr liom aon líne le Safó ná laoithe Fhinn.
Ní raibh mé ag súil le pluda an fhinscéil
Ná leis an loine mharfach i ngnás an tsaoil
Ag tollbhloscadh, teanga na tola
Sa seanmheadar agus sa tseanchiall,
Agus géillim don tsruthmhian. Faighim sracfhéachaint
Trí smúit ghréine in éigean an phasáiste
Ar shiopa Éasoin is ar ghléineacht a phána
Mar a bhfuil áilleacht na leabhar slim ag léiriú

Céadéirim mo chéad Éabha
Unde mundus judicetur.

Tá roic na clainne ina cláréadan.
Lúbann an plucaire ceannaí a ghéaga
Thar chuar a bheiste, ag gormú a chuimhní cinn.

Leanann an tAfraiceach de bheith ag stánadh
Amhail is dá séidfí taise faoina chroí
Don bhánchneas. Lasann an t-ógfhear toitín
Ag cupánú a dhá bhois don bhladhm.
Tá an mhaidin ina haghaidh,
Ar ghile na luaithe a shileann comhsholas a cúil
Tá aithinní órga ina rosca suain –

Feicim an focal – file
A d'adhain an bheothine
Le macnas meisciúil ar strae
In inbhear den chiúinaigéan.

Fornocht a fheicim iad, cnámha na háille,
Na feadcholúin, fáschloch na Corainte
Ag éirí as an rosamh ar an láimh chlé.
An aí íon. Níor shábháil sí sinn.
Ach fanann againn an creatlach geintlí
Ag beannú ár gcaidrimh le bailte i gcéin
I nGötterdämmerung Sinn Féin.
Fiosraíonn an tAfraiceach díom ainmneacha
Na n-íol bréige ar an G.P.O. –
Cé dó a bhfuil an teampall tíolactha?
Don dia, a chara, anaithnid, aineoil –

Murab é an smál a ling
Ina fhiach dubh ar mo ghualainn
Táinchríoch inar chlis m'óige
Lántuiscint na tragóide.

Deireadh cúrsa. Tuirlingimid.
Tá gaimh an Lúnasa sa lá amuigh
Seal gréine idir dhá chith.
Tá beanna oifigí, íola bréige,
Manaí coigiltis, fiacaltaosanna,
Speireanna creidimh agus scrínréaltaí
I bhfeidil ghliogair sa tsráidéigse.
Scríobhann an t-oifigeach tuairisc an phasáiste,
Cniogann stiletto, cnagann sála,
Taibhsí ag tuirlingt ar an aimsir láithreach
Mar a bhfuil an tsamhail ag feitheamh linn ón anallód
Ag bunchloch an túir, na gladioli
Ina gclaimhte solais ag leonadh mo chuimhne,
Is a dhia anaithnid cad ab áil leat mar leorghníomh?
Ach deir mo choiscéim liom gur ródhéanach
Go bhfuil an tráthnóna ann agus an Táin déanta,
Agus insíonn sioscadh na sciortaí síoda
I meisce thuisceana lá saoire
Gur shéideamar Hiroshima. Tugaim
M'aghaidh ar an ród seo romham, *persona*
Trína séideann tamall táinghlórtha
Na bhfilí atá as cló na gcéadfaí
Ag faisnéis dom nár éag an ceol seo. Clingeann
An ollchathair i mo thimpeall. Croitheann
An chloch bhunaidh. Cloisim
I mbúireach an tráchta san iarnóin

Europa de gháir gharbh
Ar dáir don diatharbh.

Críonann an spéir. Tosaímid ag rith.
Agus tuirlingeann an cith.

Oíche Nollag

Dá mbeadh mileoidean agamsa
Ní bheadh Críost gan cheol anocht
Is é ag teacht ó áras bán a fhlaitheasa
Chuig an mainséar bocht,
Do sheinnfinn ceol dó chuirfeadh gliondar ar a chroí
Ceol nár chualathas riamh ag píobaire sí
Ceol chuirfeadh na réaltaí ag rince i spéartha na hoích'.

Ag an Aifreann amárach beidh an cór ann,
An tSiúr Muire na nAingeal ag an *harmonium*
Brídín go géarghlórach
Liam s'againne is snas ar a bhróga
Is gan focal den Laidin ar a eolas
Ach *chorus angelorum.*

Ach dá mbeadh mileoidean agamsa
Is neart ina bholg séidte
Mo dhá ordóg faoi shnaidhm sna strapaí
Mo mhéara spréite
Mh'anam ach go gcuirfinn fáilte roimh Chríost.

Ach cén mhaitheas dom bheith ag rámhailleach,
Tá mo sheanbhosca stróicthe ag clainn m'iníne
Na comhlaí bainte de ag Liam
An saibhreas a bhí istigh ann caite scaipthe scáinte leis an ngaoith.

Í féin, níl tuiscint an cheoil aici
Ghlac sí páirt na bpáistí

Liam s'againne agus Brídín,
Is an fear a fuair sí
Athair na bpáistí –
Uch, an duine bocht fial.

Táid go léir ina gcodladh faoi na frathacha
An tine ar leathshúil dhearg ag stánadh orm
Ón tinteán
Amhail is dá mbeadh sí ag fiafraí díom
Cén fáth nach bhfuilim ag fáiltiú
Roimh Íosagán.

Tá ciúnas ar an saol mór máguaird
Cé is moite de ghiob-gheab na fearthainne ar an díon
Méara binbeacha na fearthainne ar an díon
Ag seinm tiúin

Méara friochanta na fearthainne
Méara fada fuinniúla na fearthainne

Méara bríomhara binbeacha bíogúla ag scinneadh go haclaí
Ó chomhla go comhla
Ó chorda go corda
Ag fuascailt an ionnmhais cheoil –
Ceol láidir ina lán mara
Foinsí caola réshilteacha ceoil
Sprinlíní ceoil ag spréacharnach
Ceol chomh ciúin le cuisle an chroí chiúin
Ceol meidhreach ríghealgháireach
Snaidhmeanna cliste fite tríd an gceol
Ceol á scairdeadh mar fhíon dearg, á scaipeadh mar airgead geal

Ceol ina cheathanna de ghiníocha óir
A bhronnfainn air
An leanbh ina mhainséar bocht –

Sea mhaise, dá mbeadh mileoidean agamsa
Ní bheadh Críost gan cheol anocht.

Christy Ring

Do thriail sé an ní dodhéanta
formhór gach Domhnach ar an bpáirc,
is uaireanta rith leis.

Ar leathghlúin dó
teanntaithe i gcúinne
nuair las a shúil –
réamhchríostaí, leictreonach –
is gur dhiúraic an liathróid uaidh
thar trasnán,
chrith an t-aer le hiontas.

Nuair thug gan coinne
aon ráig ghlan fiain
trí bhulc na bhfear
is gur phléasc an sliotar
faoi smidiríní solais
sa líontán
do liúigh an laoch
san uile dhuine.

Aon neomat buile amháin
in earr a ré
is é Cúchulainn
bhí 'na ionad
ar an bpáirc:
d'at a chabhail
i radharc na sluaite,
do bholgaigh súil

is do rinc ar mire,
bhí cnagadh is cleatar,
liútar-éatar,
fir á dtreascairt,
fuil ag sileadh –
is nuair rop trí cúil isteach
bhí seandéithe Éireann uile
ag stiúrú a chamáin.

Dúirt bean os cionn a choirp
tráth a bháis anabaidh:
'ba mhór an peaca é
an fear san a adhlacadh.'

Ní féidir liomsa fós
Christy Ring a adhlacadh . . .
Samhlaím é uaireanta
is é ar buanchoimeád,
sínte ar leac na honóra
i mBrú na Bóinne
is Aonghas Mac an Daghda á choimhdeacht
go dtí an leathuair bheag gach Geimhreadh
go soilsíonn ga gréine go hómósach
ar a chúntanós.

Ach ní fhéadfadh aoinne againne
a mhair faoi bhriocht ag Christy Ring
é leagadh uainn go buan faoi ghlas
i measc míorúiltí na seanmhiotas –
mar, ó na míorúiltí
chonaiceamar dáiríre

is a chúntanós faoi loinnir
formhór gach Domhnach
Geimhreadh is Samhradh
ar an bpáirc.

Iomramh

Cá bhfuil déantús na fírinne a fháinnítear sa ghaoth
treoraithe ó chian na n-uiscí uchtúla
isteach i bhfirmimint na huaire inar rugadh sinn
is ár n-eiseamláirí cothaitheacha múnlaithe
agus cá mbeathaíonn an socair chugainn san athrú:

Cén t-éalú a scoithimid i lofacht bhailithe an tsíl
óna bpéacann gach beart cruinn ina n-éadaímid
fís chéanna duine, saoil is sárshaoil,
ar crann eile, céanna, mustaird é:

Ábhar aonghné úraeráid bhriste ídithe na mblian,
nuachló a ráiníonn loingeas na sinsear faoi athbhréid,
glan, céanna, ó scáinte silte,
inmhairnéalaithe trí radarchreideamh ceo meala is seaca,
faoi chéannacht stiúir is phalmaireacht,
dár n-ualú isteach in aon imeacht doimhneachta?

Clog

Chuireas an clog sa chuisneoir anocht
(Deir daoine go bhfuilim ait) Buaireann cloig mé
Bodhrann siad mé
Tá treibh áirithe (n'fheadar cá has iad)
Nach bhfuil smachtaithe fós ag Am
Is ionann inné
Is an bhliain seo caite
Dar leo
(Deir daoine go bhfuilid ait)
Mar shampla, gheofá bille bainne t'athar chríonna ann
Ach ní thógfá puinn ceann dó
Gan dabht.
Chuireas an clog sa chuisneoir anocht
D'fhonn rud éigin (nach eol dom go pras)
A chruthú:
Dúiseoidh an biatas, an cháis is na cairéid reoite
Ar a deich chun a hocht
Léimidís ar an mbus
Is róchuma liom
Chuireas an clog sa chuisneoir anocht.

Teilifís

(faoi m'iníon Saffron)

Ar a cúig a chlog ar maidin
Theastaigh an teilifís uaithi.
An féidir argóint le beainín
Dhá bhliain go leith?
Síos linn le chéile
Níor bhacas fiú le gléasadh
Is bhí an seomra préachta.
Gan solas fós sa spéir
Stánamar le hiontas ar scáileán bán.
Anois! Sásta?
Ach chonaic sise sneachta
Is sioráf tríd an sneachta
Is ulchabhán Artach
Ag faoileáil
Os a chionn.

Fáilte Romhat Isteach

Tá bréantas
mar ghéire bainne
ar foluain san aer,

mar éadaí
plódaithe fágtha
san aon áit ó chianaibh;

cumhracht
mar phutógaí lofa.
Cas do cheann uaithi?

Dún
na súile? Do shrón
bogthógtha? Á, a dhuine,

bolaigh
an bhualtrach
a chrochann ar cháise,

ar aibíocht
eipiciúrach
Ghorgonzóla:

beidh
sin ceart gan
aon amhras don chóisir.

Siúil leat
trén rírá carnaithe
ag Bean Uí Shraoill.

Dreapann
a smuilcíní
go buan.

Fodhomhan

Is cian ó chanamar
I gcéadóir do Chaintic
A ghréin, ach ní tusa an Uilechumhacht.
Fear ainglí Assisi
Ná farraige, ná Inca,
Níor inis duit na dúichí ná géilleann dod ghlóir.

An fharraige níor inis duit,
Is ba leor leat mar dhílse uaithi
Drithle 'na gormshúil ag freagairt dod phóg.
Meangadh lér mealladh tú,
Drithle lér dalladh tú,
Ar na dúichí ná géilleann dod ghlóir.

Rúndúichí an chlapsholais,
Fearainn fhuara an ghlas-sholais,
Síoraí a dtost.
Ciúin iad na bealaí – na feánna fiara síos,
Ciúin iad an chuideachta ag fiarthaisteal síos
Chun a sos.

Agus an t-iasc gan dath
Gona shúil gan dath,
Is balbh a thuras
Trén gcoill gan cogar,
Tré chranna na long nach snámhann.

Scrios an sáile den leathanach
Croinicí gach eachtra,
Scaoil sé gach ceist.
Scriosadh iarsmaí gach feoilmhian
Le sáilshruth tré easnacha.
Is an féidir nach é sin
An Cuntas Glan?

Foinsí

Béaslaí, Piaras, 'An Fiach Dubh', *Bealtaine 1916 agus Dánta Eile*, Cló na Saoirse 1920

Bergin, Osborn, 'Wanderlust', *Maidean i mBéarra agus Dánta Eile*, Comhlucht Oideachais na hÉireann 1914

Breathnach, Colm, 'Dán do Scáthach', *Scáthach*, Coiscéim 1994

Breathnach, Colm, 'Gráinne agus Diarmaid', *Scáthach*, Coiscéim 1994

Breathnach, Colm, 'Macha', *Cantaic an Bhalbháin*, Coiscéim 1991

Breathnach, Pól, 'An Uachais', *Do Lorg: Dánta agus Aortha*, Cló Iar-Chonnachta 1997

Brennan, Deirdre, 'Seoda Cuimhne' *Thar Cholbha na Mara,* Coiscéim 1993

Dáibhís, Bríd, 'Duitse gach Dúil', *Tráithnín Seirce*, Coiscéim 1999

Davitt, Michael, 'An Ghrian i Rath Maonais', *Gleann ar Ghleann*, Sáirséal agus Ó Marcaigh 1982

Davitt, Michael, 'Báisteach', *Scuais*, Cló Iar-Chonnachta 1998

Davitt, Michael, 'I gCuimhne ar Sheán de hÓra † 1989', *An Tost a Scagadh*, Coiscéim 1993

Davitt, Michael, 'Lúnasa', *Bligeard Sráide*, Coiscéim 1983

de Fréine, Celia, 'Stórtha Arda', *Idir Cabáistí is Ríonacha* (le foilsiú ag Cló Iar-Chonnachta 2001)

de Paor, Louis, 'An Seomra Codlata', *Seo, Siúd agus Uile*, Coiscéim 1996

de Paor, Louis, 'Glaoch Gutháin', *30 Dán*, Coiscéim 1992

de Paor, Louis, 'Thar Am', *Corcach agus Dánta Eile*, Coiscéim 1999

de Paor, Louis, 'Uabhar an Iompair', *Corcach agus Dánta Eile*, Coiscéim 1999

Ellis, Conleth, 'Naoi dTimpeall', *Nead Lán Sneachta*, Coiscéim 1982

Ellis, Conleth, 'Thàinig mo Rìgh air Tìr am Muideart', *Nead Lán Sneachta*, Coiscéim 1982

Gógan, Liam S., 'Liobharn Stáit', *Dánta Eile 1939-41*, Oifig an tSoláthair 1946

Gógan, Liam S., 'Na Coisithe', *Dánta agus Duanóga*, Muintir C.S. Ó Fallamhain, Teo. 1929
Hartnett, Michael, 'An Dobharchú Gonta', *A Necklace of Wrens*, Gallery Books 1987
Hartnett, Michael, 'Fís Dheireanach Eoghain Rua Uí Shúilleabháin', *A Necklace of Wrens*, Gallery Books 1987
Hodder, Liam, 'Ár nÁit', *Domhnall gan a bheith óg*, Coiscéim 1996
Hodder, Liam, 'Whacker', *Domhnall gan a bheith óg*, Coiscéim 1986
Hutton, Seán, 'Máireoigín an Oilc', *Seachrán Ruairí agus Dánta Eile*, Coiscéim 1986
Jenkinson, Biddy, 'Amhrán Mhis ag Grianstad an Gheimhridh', *Dán na hUidhre*, Coiscéim 1991
Jenkinson, Biddy, 'Aubade', *Baisteadh Gintlí*, Coiscéim 1986
Jenkinson, Biddy, 'Éiceolaí, *Baisteadh Gintlí*, Coiscéim 1986
Jenkinson, Biddy, 'Uisce Beatha', *Uiscí Beatha*, Coiscéim 1988
Mac Donnacha, Jackie, 'Roy Rogers agus na hOutlaws', *An Chéad Chló*, Cló Iar-Chonnachta 1997
Mac Eoin, Gearailt, 'An tEarrach mar Bhanphrionsa', *Labhraí Loingseach*, Coiscéim 1988
Mac Fhearghusa, Pádraig, 'Dála Actaeon, *Mearcair*, Coiscéim 1996
Mac Liammóir, Micheál, 'Na Cait', *Bláth agus Taibhse*, Sáirséal agus Dill 1964
Mac Lochlainn, Gearóid, 'Brionglóid Dheireanach Chrazyhorse', *An Dubh-Thuaisceart: Cnuasach Litríochta*, An Clochán 1995
Mac Piarais, Pádraig, 'Fornocht do Chonac Thú', *Suantraidhe agus Goltraidhe*, The Irish Review 1914
Mac Síomóin, Tomás, 'Eitilt', *Scian*, Sáirséal agus Ó Marcaigh 1989
Mac Síomóin, Tomás, 'Níl in Aon Fhear ach a Fhocal', *Scian*, Sáirséal agus Ó Marcaigh 1989
Mac Síomóin, Tomás, 'Oisín: Apologia', *Scian*, Sáirséal agus Ó Marcaigh 1989
Maude, Caitlín, 'An Mháthair', *Caitlín Maude: Dánta*, Coiscéim 1984
Mhac an tSaoi, Máire, 'Ceathrúintí Mháire Ní Ógáin', *Margadh na Saoire*, Sáirséal agus Dill 1956
Mhac an tSaoi, Máire, 'Jack', *Margadh na Saoire*, Sáirséal agus Dill 1956

Ní Dhomhnaill, Nuala, 'Ag Tiomáint Siar', *Feis,* An Sagart 1991
Ní Dhomhnaill, Nuala, 'An Bhatráil', *Feis,* An Sagart 1991
Ní Dhomhnaill, Nuala, 'Geasa', *Féar Suaithinseach,* An Sagart 1984
Ní Dhomhnaill, Nuala, 'I mBaile an tSléibhe', *An Dealg Droighin,* Cló Mercier, 1981
Ní Dhomhnaill, Nuala, 'Leaba Shíoda', *An Dealg Droighin,* Cló Mercier, 1981
Ní Fhoghlú, Áine, 'Slán Chughat Siar', *Idir na Fleánna,* Oifig Díolta Foilseacháin Rialtais 1930
Ní Ghlinn, Áine, 'An Chéim Bhriste', *An Chéim Bhriste,* Coiscéim 1984
Ní Thuama, Máire, 'Réadúlacht', *Rogha an Fhile,* The Goldsmith Press g.d.
Nic Gearailt, Máire Áine, 'Sicisintiséis', *Mo Chúis Bheith Beo,* Coiscéim 1991
Ó Beacháin, Breandán, 'Guí an Rannaire', *Poems and a Play in Irish,* Gallery Books 1981
Ó Coisdealbha, Seán, 'Raiftearaí agus an File', *Buille faoi Thuairim Gabha,* Cló Iar-Chonnachta 1987
Ó Conghaile, Caoimhín, 'Préludes', *Dánta,* An Clóchomhar 1964
Ó Croiligh, Pádraig, 'Tá Ealaín ins an Mhóin', *Ceantair Shamhalta,* An Clóchomhar 1971
Ó Cuaig, Micheál, 'Inbhear', *Clocha Reatha,* Cló Iar-Chonnachta 1986
Ó Cuaig, Micheál, 'Uchtóga', *Uchtóga,* Cló Chonamara 1985
Ó Curraoin, Seán, *Beairtle,* Cló Iar-Chonnachta 1985
Ó Curraoin, Seán, 'Toghadh na bhFataí', *Soilse ar na Dumhchannaí,* Taibhse 1985
Ó Direáin, Máirtín, 'Blianta an Chogaidh', *Dánta 1939-1979,* An Clóchomhar 1980
Ó Direáin, Máirtín, 'Cranna Foirtil', *Dánta 1939-1979,* An Clóchomhar 1980
Ó Direáin, Máirtín, 'Gleic mo Dhaoine', *Dánta 1939-1979,* An Clóchomhar 1980
Ó Direáin, Máirtín, 'Ó Mórna', *Dánta 1939-1979,* An Clóchomhar 1980
Ó Doibhlin, Diarmaid, 'Bata Draighin', *Drumaí Móra,* An Clóchomhar 1997

Ó Donnchadha, Joe Shéamais Sheáin, 'An Gráinneach Mór', *Dánta Fhilí Bhaile na mBroghach,* Cló Chois Fharraige 1983
Ó Duinnín, Pádraig, 'Caoineadh do Mhícheál Breathnach', *Spiorad na Saoirse agus Dánta Eile,* Officina Typographica 1982 (1908)
Ó Fínneadha, Learaí, 'An Gruagach Ribeach' (neamhfhoilsithe)
Ó Gráinne, Diarmaid, 'An Ghrian is an Ghealach', *Spealadh an Drúchta,* Coiscéim 1995
Ó hÉigeartaigh, Pádraig, 'Ochón, a Dhonncha', *Cuisle na hÉigse,* Eag. Éamon Cuirtéis, Mártan Lester, Tta. 1920
Ó Leocháin, Seán, 'Lámha', *Aithrí Thoirní,* An Clóchomhar 1986
Ó Lúing, Seán, 'Uaigneas Comórtha', *Dúnmharú Chat Alexandreia,* Coiscéim 1997
Ó Maolfabhail, Art, 'Buaileann an Dúchas Bleid ar an Mheabhair', *Aistí Dána,* Preas Dhún Dealgan 1964
Ó Miléadha, Pádraig, *Trí Glúine Gael,* Oifig an tSoláthair 1953
Ó Muireadhaigh, Réamonn, 'Siollaí na hÁilleachta', *Athphreabadh na hÓige,* An Clóchomhar 1964
Ó Muirthile, Liam, 'An Ceoltóir Jazz', *Tine Chnámh,* Sáirséal agus Ó Marcaigh 1984
Ó Muirthile, Liam, 'An Cúrsa Buan', *Tine Chnámh,* Sáirséal agus Ó Marcaigh 1984
Ó Muirthile, Liam, 'Caoineadh na bPúcaí', *Dialann Bóthair,* The Gallery Press 1992
Ó Muirthile, Liam, 'Carraig Aifrinn', *Tine Chnámh,* Sáirséal agus Ó Marcaigh 1984
Ó Muirthile, Liam, 'Ceolta Óir', *Dialann Bóthair,* The Gallery Press 1992
Ó Neachtain, Joe Steve, 'Faoiseamh', *Éigse an Aeir,* Coiscéim 1998
Ó Néill, Séamus, 'Mórtas Dálach', *Dánta,* Glúin na Buaidhe 1944
Ó Ríordáin, Seán, 'Adhlacadh mo Mháthar', *Eireaball Spideoige,* Sáirséal agus Dill 1952
Ó Ríordáin, Seán, 'Fill Arís', *Brosna,* Sáirséal agus Dill 1964
Ó Ríordáin, Seán, 'An Stoirm', *Eireaball Spideoige,* Sáirséal agus Dill 1952
Ó Ríordáin, Seán, 'Oileán agus Oileán Eile', *Eireaball Spideoige,* Sáirséal agus Dill 1952

Ó Ríordáin, Seán, 'Siollabadh', *Eireaball Spideoige*, Sáirséal agus Dill 1952
Ó Ruairc, Mícheál, 'Píobaire na mBan', *Fuil Shamhraidh*, Coiscéim 1987
Ó Searcaigh, Cathal, 'Anseo ag Stáisiún Chaiseal na gCorr', *Homecoming/An Bealach 'na Bhaile*, Cló Iar-Chonnachta 1993
Ó Searcaigh, Cathal, 'Cor Úr', *Homecoming/An Bealach 'na Bhaile*, Cló Iar-Chonnachta 1993
Ó Searcaigh, Cathal, 'Cré na Cuimhne', *Na Buachaillí Bána*, Cló Iar-Chonnachta 1996
Ó Searcaigh, Cathal, 'Níl Aon Ní', *Homecoming/An Bealach 'na Bhaile*, Cló Iar-Chonnachta 1993
Ó Siadhail, Micheál, 'Seanchas', *Cumann*, An Clóchomhar 1982
Ó Tuairisc, Eoghan, 'Aifreann na Marbh', *Lux Aeterna*, Allen-Figgis 1964
Ó Tuairisc, Eoghan, 'Oíche Nollag', *Lux Aeterna*, Allen-Figgis 1964
Ó Tuama, Seán, 'Christy Ring', *An Bás i dTír na nÓg*, Coiscéim 1987
Prút, Liam, 'Iomramh', *Asail*, An Clóchomhar 1982
Rosenstock, Gabriel, 'Clog', *Om*, An Clóchomhar 1983
Rosenstock, Gabriel, 'Teilifís', *Om*, An Clóchomhar 1983
Strong, Eithne, 'Fáilte Romhat Isteach', *Cirt Oibre*, Coiscéim 1980
Tóibín, Tomás, 'Fodhomhan', *Súil le Cuan*, Cló Morainn 1969

Tagra don Réamhrá

Ní thagraítear do chnuasaigh a bhfuil dánta astu sa Duanaire

Davitt, Michael, Eag., Louis de Paor, *Freacnairc Mhearcair: The Oomph of Quicksilver* (Corcaigh 2000)

de hÍde, Dubhghlas, *Ubhla den Chraoibh* (Baile Átha Cliath 1901)

Gógan, Liam S., *Duanaire a Sé* (Baile Átha Cliath 1966)

Gógan, Liam S., *Nua-Dhánta* (Baile Átha Cliath 1919)

Hutchinson, Pearse, agallamh in *Innti 11*

Mac Síomóin, Tomás, agallamh in *Innti 5*

MacGill-Eain, Somhairle, agallamh in *Innti 10*

Ní Dhomhnaill, Nuala, 'Ceardlann Filíochta', *Léachtaí Cholm Cille XVII* (Maigh Nuad 1986)

Ó Cadhain, Máirtín, *Páipéir Bhána agus Páipéir Bhreaca* (Baile Átha Cliath 1969)

Ó Coigligh, Ciarán, *Raiftearaí: Amhráin agus Dánta* (Baile Átha Cliath 1987)

Ó Conchúir, M. F., *Cuisne Fómhair* (Baile Átha Cliath 1988)

Ó Dúill, Gréagóir, *Blaoscoileán* (Baile Átha Cliath 1988)

Ó Dúill, Gréagóir, *Fearann Pinn* (Baile Átha Cliath 2000)

Ó hÉigeartaigh, Seán *Cama Shiúlta* (Baile Átha Cliath 1964)

Ó Miléadha, Pádraig, *An Fiannaidhe Fáin* (Baile Átha Cliath 1934)

Ó Tuairisc, Eoghan, Eag., Máirín Nic Eoin, *Religio Poetae agus Aistí Eile* (Baile Átha Cliath 1987)

Ó Tuairisc, Eoghan, *Rogha an Fhile* (Baile Átha Cliath g.d.)

Ó Tuama, Seán, *Faoileáin na Beatha* (Baile Átha Cliath 1962)

O'Brien, Frank, *Filíocht Ghaeilge na Linne Seo* (Baile Átha Cliath 1968)

O'Brien, Frank, *Duanaire Nuafhilíochta*, (Baile Átha Cliath 1969)

Póirtéir, Cathal, *Éigse an Aeir* (Baile Átha Cliath 1988)

Titley, Alan, *Chun Doirne: Rogha Aistí* (Béal Feirste 1996) encumbering blankets I gave a violent kick and a cat bounded from the bed to the window sill, where it was silhouetted for a second before disappearing. To prevent its return I rose and all but closed the casements through which the moonlight was flooding. I lay down and tried to sleep until a bat came in and flew around and around the room. To prevent the animal escaping, and with visisions of a skinned bat as the first mammalian trophy of the trip, I sprang from bed to close the windows. The bat had other plans, however, and slipped out of the second casement while I was closing the first. Thereafter I tossed and turned and slept but fitfully until dawn.

An early breakfast was served for us and by seven-thirty I was off to the station to enquire for the seven bales of tentage and blankets. The Indian stationmaster said the train was delayed and would not arrive before 10:00 A.M., but he had seen my consignment on a bill of lading, which, at my request, he showed me. It seemed worth waiting for. Meanwhile I paid a visit to the bank which I reached long before opening time. Fortunately I noticed the door was ajar, so slipped inside and pleaded the urgency of *ulendo* to an accommodating cashier.

He handed me the equivalent of $160, chiefly in the very small coin which would be required to pay Natives for such specimens as they might bring in. Despite my having brought a haversack for its reception, so many coins made a heavy load. In an era when all currency is just a token, I should like to see the cumbersome English penny changed for something as small as an American cent. Doubtless this would have been done by now were it not for the millions of slot machines that would have to be altered.

Twice back to the station but still no train. When finally a telephone call to Limbe revealed that the consignment was *not* on that train, we decided to wait no longer. Thirty minutes later, Billy at the wheel and the boys ensconced among the loads, we were bowling out of Blantyre less than a week after our arrival there. A harassing week of frustrations, I reflected, as I sat back to enjoy an hour or two of relaxation. We were all elated at the prospect of leaving the dust of the crowded township behind, while before us was the alluring vision of a pleasant camp beside the Likabula River on the slopes of mighty Mlanje.

III

We Camp in the Likabula Valley

WHEN a mountainous mass like Mlange covers sixteen hundred square miles it is as well to decide on a point from which to make the ascent. We selected the Likabula Valley for many cogent reasons. From it wound a trail to the six-thousand-foot Lichenya Plateau, and paths up the precipitous sides of the mountain were few and far between. In fact, when Mary got her first glimpse of Mlanje from the train she remarked that it looked as if the plateau would be easier to reach by climbing a rope rather than by walking. Before making the ascent we planned to camp at the foot for a week or so while arranging for bearers to carry our loads. This would also provide our boys with an opportunity to get used to our ways, and we to theirs, before being exposed to the more rigorous conditions on a virtually uninhabited plateau.

Besides I needed to engage and train two more men as skinners. It would be better they acquire skill by practicing on common lowland rats rather than risk ruining some of the montane rarities I had come so far to find. Then too, I had heard there was a forestry officer stationed at a timber depot in the Likabula, which to one conversant with conditions in Tanganyika conjured up visions of a valley of virgin forest harboring the forms of reptile life I most wanted to see. To complete the alluring prospect, Dr. H. E. Anthony of the American Museum of Natural History, who had been there with the Vernay Expedition, had written me that "the reptile collecting was particularly good at the timber depot in the valley of the Likabula River." That had clinched it.

Toward this objective we rolled at a steady twenty miles per hour, the speed we were enjoined to take for the first thousand miles of the young Dodge's life. We were constantly passing small parties of Natives trooping in single file along either side of the road. Many, often much overdressed, were on cycles. They usually carried aviation goggles on their foreheads or wore dark glasses; some had both. At intervals along the road groups gathered to await the already crowded busses that seemed to pass every quarter of an hour. But what Billy dreaded most were the trucks driven by Africans few of whose grandfathers had seen a European. They rushed past adding to the dust that already smothered the sun-scorched vegetation flanking the highway. Nor did the adjacent fields look any more attractive, for this was the dry season and the bare ground bore only broken stems of maize and millet. Periodically we passed through the slight shade afforded by government-sponsored stands of eucalyptus.

The prospect improved as we approached the mountain and drove along its southeast flank to Mlanje Boma, the government station at its very base. The district commissioner, Mr. R. D. W. Martin, was holding court when we arrived, but adjourned the case so as to accompany us to see Kharbali, a Parsee who had kindly offered to lend me a couple of tents to supplement the one we had brought with us, for Martin's own—which he had said we might borrow—was being used by his assistant who would not be back for a week. The two tents that Kharbali had spread out for us to see were army-discarded marquees devoid of upper awnings and lacking pegs. One was too full of holes to be worth considering; though disappointed with the other, I had it hoisted onto the lorry and away we drove. Between us and the forestry depot lay seven miles of pretty rough road. Pitching unknown tents with unaccustomed personnel was likely to be a lengthy business, and I was anxious to get things fixed before darkness descended upon us.

On arrival at Likabula we were met by John Mwathunga, the pleasant-spoken forestry foreman, who presented a note from his chief. Mr. F. H. France expressed regret at being away when we arrived, but John would show us the site selected as the most suitable for our tents. It was a hundred yards beyond the depot on a grass-grown slope. My heart sank. Where was the lovely forest I had envisaged? For as far as the eye could scan, the surrounding mountainsides were clothed in dry orchard forest of the *Brachystegia-Uapaca* type. Brown, shoulder-high grass stood between the widely scattered trees whose dead leaves littered the ground. While this kind of country, which abounds in South and East Africa, can look enchantingly green with the onset of the rains, its accompanying fauna is too cosmopolitan and commonplace to be of much interest to the naturalist.

Whence came the fine timber we had seen stacked in sheds at the depot? I asked, and was told that it had been brought down a plank at a time all the way from Chambe Plateau. From somewhere or other John produced a score of youngsters to clear the ground and hold the guy ropes. With some fumbling and bungling we erected Rangeley's tent. Hamisi, though a trained houseboy, showed surprisingly little initiative and required help in setting up the camp beds, chairs and tables. The latter went under the spacious veranda awning, two beds were installed in the tent so that Mary and Billy could rest in the shade, for at this altitude—2,100 feet—the sun stared at us relentlessly.

Meanwhile Amini was slowly making a fire on which to boil water for tea. When at last it was ready we were more than thankful, having eaten nothing for eight hours. Even so I could spare but a few minutes while John's gang, their energies already flagging, fashioned crude pegs and cleared the large area required for a marquee that had last been used at a flower show. With all hands on the job we found it hard to erect, and having done so discovered no sides had been supplied. To sleep in the open I was disinclined, for on the path near by I had seen traces of leopard, while lion were said to periodically hunt along the slopes above us. The African night was due to descend with its usual abruptness in little over an hour and John, who had already agreed to house our boys, thought he might arrange very temporary accommodation for me also. Mary, however, declared that she for one did not relish the thought of spending their first night in strange surroundings alone on the hill-side. There was the bathroom annex at the back of their tent; could not my bed be squeezed in there somehow? Out came the boxes and in went my bed, for there was no other solution.

Next morning a Native arrived with a dead and somewhat damaged Bushy-tailed Mongoose (*Rhynchogale m. melleri*). In prewar days I customarily gave sixpence for such things; in view of changed conditions I offered this man a shilling. With scarcely a word he flung away in high dudgeon. At the time I did not greatly care, supposing I should get others, besides which it required preserving immediately and at the moment I could not stop to supervise the skinning.

Billy, who had been engaged in refilling the gasoline tank and examining the truck for loose nuts, called out all was ready. First we drove to Kharbali's to return the useless marquee top, then continued on to the Boma. When Martin learned of the fiasco he was very upset and conferred with the police officer who had supervised a team of Native police experienced in the erection of marquees. The upshot was that Billy and I were told to return to Likabula and the others would overtake us with a complete marquee.

Mary, hearing the lorry coming up the hill, emerged from the tent and was surprised to see us being followed by a police officer driving a box-body Ford loaded with eight African askari. Springing out of the vehicle, the men set about raising the marquee with a minimum of advice or aid. Then they climbed back into their car and Inspector Gamage drove off leaving us much indebted to him for his kindness.

I lost no time in moving in, though the business occupied most of the afternoon. The guns had to be unpacked and assembled. There were solutions of alcohol and Formalin to be made up; test tubes, tins and bottles for pickling specimens placed ready to hand in the chop-boxes set on their sides and fastened together to serve as cupboards for all manner of things. One boy was put to flaking half a dozen bars of yellow soap which I mixed with an equal weight of powdered arsenic, tossed in a handful of napthalene flakes, and added a quart of water. The old tin containing this mixture was set on a fire of sticks to boil, its guardian told to keep stirring it gently while holding his head well away from the poisonous fumes. When the last flake of soap had been dissolved the resulting solution was decanted into several compression-capped cans and set in the sun to dry out. The stock of arsenical soap so simply made lasted us many months. By means of an old stumpy shaving brush it was to be applied to the flesh side of the skin of every bird and mammal—from sunbird to zebra—that we might collect.

When we came to unpacking the pull-overs, I summoned all the boys that each might select the shade of jersey he liked best—dull crimson, dark blue, buff or green. (Each boy also was given two blankets, which, with the warm woolen jersey, were to become his property if he remained to the end of the ulendo.) The last shades seemed least popular and went to two friends of John Mwathunga who had come looking for work. They were schoolfellows, said Wayson, the alert and attractive spokesman, as he introduced his inarticulate and moon-faced companion, Anderson. Not for a moment would I have considered taking on Anderson but for the fact that, as friends, the two together might survive the somewhat tedious task of skinning.

Meanwhile Amini had found two prospective aids. One, called Pearson, a burly human bullock, was to chop and fetch the fuel. The water boy was a slightly built lad inappropriately named Bison. It is the greatest pity that Nyasaland Natives show such a fondness for European names. Specifically I refer to our collection of Anderson, Bison, Pearson, Wayson, John, Patrick, and Thomas. Renaming themselves after some outstanding event is fully in accord with African custom, and was consequently welcomed by the earlier missionaries. It served a useful purpose to bestow a biblical name on a baptized convert as it singled him out from his heathen brethren. Today, however, any African with aspirations to be numbered among the educated elite adopts a European name as it gratifies his ego not to be considered a village tribesman. Moslems, like Amini and Hamisi, adhere to their original names until initiation when each age group is renamed in bulk—Ramazan, Salimu, or after the prophet himself.

Children from a village across the river soon started bringing in things, as usual the very commonest first. They began with the ubiquitous banana bats (*Pipistrellus n. nanus*) that spend their days down the tubular tunnel provided by the tightly rolled central leaf of a banana plant—a scrap of natural history information known to every small African villager between the Nile and the Zambezi. The olive-brown insect-eaters whose skinned-out bodies are scarcely larger than a man's thumbnail, are rather tiny objects on which to train skinners. I bought half a dozen while announcing that no more of that species were wanted. When a few others arrived we liberated them and watched the little things flutter, then fly away like large moths for their wingspread averages only about nine inches.

Next came the fat mice, so-named because of the layer of fat underlying the skin. My guess is that these rodents store the fat in preparation for estivation during the long dry season, but I may be wrong. Anyway, the fat on our particular mice was so abundant that Anderson and Wayson made a sorry mess of the skins, leaving greasy and bedraggled fur. This despite my having urged them to spread corn meal lavishly over the animals and on their fingers. With russet backs and snow-white bellies the dozen mice looked so smart and plump upon arrival that their subsequent appearance was quite depressing. Especially so as this kind of fat mouse was of a species (*Steatomys pratensis*) I had never collected before, and, as later Miss Barbara Lawrence, our curator of mammals, pointed out, represented an undescribed race. Besides being painfully slow, Wayson and his friend seemed to be no better by evening than when they began. I longed for some intelligent, trainable Uganda Natives.

During the intervals between sitting down to show the skinners how the work should be done, I was occupied with purchasing and pickling reptiles. In this buying business, as well as when instructing the skinners, Thomas translated for me. He knew quite a lot of Swahili and was eager to learn more, while I was very dumb at Nyanja of which some words are the same in Swahili while others are devastatingly different in their meanings. Except for a stroll up the Chambe trail while the skinners were having their noonday meal, I remained in camp. The brief walk was not encouraging;

the few butterflies to be seen were the widespread species one would expect to find in such dry savanna; the same applied to the lizards I shot.

It may be recalled that Hamisi had proposed that Thomas should be his assistant, for Thomas aspired to be a personal servant. During my stay with Rangeley, Thomas had washed and ironed sundry garments; no laundry could have turned them out better. When we were unpacking the crates he showed himself by far the most alert and intelligent of the four. Patrick, on the other hand, was the least up-and-coming, so I presented Patrick to Hamisi to train as a tent boy, and told Thomas he should interpret for me in camp, be gunbearer in the bush, and act as general supervisor and headman when on the march.

All morning Thomas was constantly being called upon to transmit instructions to Anderson and Wayson, and when it became obvious that mice were arriving faster than the boys could cope with them, I told Thomas he had better lend a hand. I sat down to demonstrate how a fat mouse should be skinned and Thomas grinned a little sheepishly, adding that he could do it all right. He took over and at his first attempt turned out a better stuffed skin than either of the others had managed all day. When I asked how he had mastered the art so quickly, he smilingly said that he had done skinning for Captain Guy Shortridge when he was with the Vernay Expedition; previously he had told me he was Shortridge's personal servant.

Next day I set the three boys to work early, but Thomas' later efforts at skinning were not up to the quality of his first sample. Before breakfast a man arrived with quite a large Spitting Cobra (*Naja n. nigricollis*) he had killed in, or near, his hut. She was very plump, for besides abundant deposits of fat she held two undigested toads and the bones of a third, also twenty-one inch-long eggs of her own. The Square-marked Toads (*Bufo r. regularis*) had been swallowed so recently that I pickled them along with a dozen others brought in by the children.

Round about 10:00 A.M., France, the forestry officer, and his young wife came down the Chambe trail which passed through our camp. Mary called to Amini to make some tea and the Frances stayed chatting for an hour before continuing on to their thatched cottage at the depot. They were full of plans for the new home they were going to build on the hillside above our camp. We had noticed the site, for already a clearing had been made and trees felled along the route of a projected driveway. France had been stationed at Likabula only a few months, after receiving postwar training in forestry in Southern Rhodesia.

Their visit made a sizable hole in the morning. It took all afternoon to catch up with the labeling and pinning out of bat and mice skins, a task I attend to myself, for Africans lack a straight eye and a skin that is askew when drying remains an eyesore forever. Shortly after 4:00 P.M. I went up the mountain and shot one lizard, saw less than half a dozen birds and not a single mammal. I returned at sunset to find Mary and Billy entertaining Mr. R. D. W. Martin who had kindly driven up from Mlanje with the dilapidated departmental tent that his assistant district commissioner had brought back from *ulendo.*

It was just in time; for after dinner Hamisi came to say that now France's boys had returned there was no room at the depot for him and his companions. He supposed they had better sleep on the lorry. I felt very sorry for them as the night was cold with a piercing wind blowing down the valley, but there was no alternative. The troubles resulting from the laxity of the railway in delivering our own tents seemed endless. With the missing tentage were our four hurricane lanterns, so I took a flashlight and guided the boys while they carried the commissioner's tent, awning and ground sheet down to the truck. On the floor of the vehicle they spread the ground sheet and upon it the dozen new blankets lent by the Mlanje police on the day of our arrival. Over the stake sides went the awning and tent, enclosing the lorry so completely that despite the high wind the boys were snug after all. Next day we pitched the commissioner's tent into which I moved my belongings, freeing the marquee for the boys.

Mary was not finding Hamisi too satisfactory, but he and Amini were good friends so we hoped the arrangement would turn out all right. Amini had such an attractive smile and was so pleasantly polite we liked him. When told by Mary to buy a fowl, eggs and vegetables, instead of going himself he sent the woodcutter, possibly because Pearson was familiar with local prices. Anyway, missing Pearson, I asked Thomas what had become of him. Thomas, whose English is delightfully quaint at times, replied: "He has gone fishing eggs." If that was his main objective Pearson's angling did not meet with much success, for all he got was about two pounds of peanuts, for which he had paid sixpence (ten cents, U.S.), fifty-three bananas (ten cents) and a cock (forty cents).

That night Amini hung the plucked fowl in Mary's tent where its feet intermittently tangled with her hair or Billy's, but the following morning he roasted the bird so well that Mary declared she had never tasted a more tender one on safari. Dessert consisted of mashed bananas flavored with lemon juice and sprinkled with sugar. Roasted peanuts and coffee completed the meal. Hamisi's name for that beverage is "coff," and we found his daily question: "Will you take coff?" so entertaining that no one attempted to put him right. After we had finished, Amini, wearing white shorts and looking so nice in a fez matching the dull-crimson jersey we had given him, came in to receive instructions regarding the next meal.

Beside the trail which Hamisi's bare feet wore between our tent and the kitchen, rose a termitarium, commonly but less accurately called an anthill. This one, over six feet in height, was surmounted by a small tree whose base was hidden by dead grass. One morning Hamisi, with due caution, conducted me to within twenty feet of the place that he might point out the head of a very large lizard just distinguishable among the grass roots. I fired and the reptile vanished instantly. Rushing up to the heap I found, as I had feared, the lizard had dropped down one of the chimney-like shafts left by the termites for ventilation and irrigation. I set Pearson and Bison to dig it out, a task that took several hours for Pearson appears to lack stamina and Bison's enthusiasm quickly waned so that time and again I would find the pair sitting down. When urged to renewed effort they complained of the hardness of the heap, true enough for "white ants" mix saliva with the soil so that it sets like cement.

Thomas joined us and, pitching in energetically, presently reported sighting the lizard's tail encircled by great whorls of spines. The appendage protruded from a side gallery so I took over and circumspectly chipped away until, with a cloth wrapped around my hand, I could grasp the spiky neck securely as the creature, which until then had remained almost motionless, writhed violently. As I drew it forth there were exclamations from the little group gathered around. For this was a Great Girdled-Lizard (*Gerrhosaurus major grandis*), a species as yet unrecorded from Nyasaland.

It was pale buff to dark khaki brown above, with the hind part of the back, flanks and tail heavily streaked with black. In breadth as in length, the relatively massive head measured rather more than an inch and a half. Observing it was uninjured, I promptly dropped the reptile into a cotton bag so that digging operations might be resumed. Shortly afterward we found a second lizard, shot through the head, lying buried beneath the accumulated dirt that had fallen down the shaft as we dug. This specimen proved to be a male more than a foot and a half long, while the first reptile found was a female holding three white eggs larger than those of an American robin.

The rain that had fallen since our arrival was too light to stir up reptilian activity, but Mary did disturb a sizable snake basking on a pile of grass beside the path. It was gone in a twinkling, and though she frequently heard lizards rustling away she saw very few. At intervals during the day we heard a frog or two calling from a marshy place that Billy discovered near by. She and Mary were without their waders at the time, so failed to catch either of the two frogs they saw.

Determined not to be outwitted, Mary went off in search of frogs before breakfast the following morning. During the day she made two further trips, once with Billy and once with the three skinners. Thomas quite distinguished himself as a frogger, pouncing with unerring accuracy on the elusive jumpers. Each collector carried a wet cotton bag into which to pop his or her captures—destined to be chloroformed on reaching camp. Between them they bagged over a hundred, including representatives of two species not previously recorded from Nyasaland. They secured a good series of Cricket Frogs (*Phrynobatrachus m. mababiensis*) which lacks web between its toes and is little larger than a bluebottle fly. The tiny males were clicking away quite unaware of their claim to distinction as almost the smallest frogs in the biggest continent.

I spent the morning collecting birds and lizards along the banks of the Likabula, a lovely river flowing swiftly and smoothly among great boulders on level stretches, cascading and foaming through the gorges on whose sides survive clumps of feathery bamboo and a few fine trees. So much time was occupied clambering over huge rocks or struggling through the tangled, brambly undergrowth that I only did moderately well.

Baboons (*Papio cynocephalus*) were barking down by the river at dawn, usually a sign that they are trying to intimidate a leopard that is pestering them. Though Thomas and I were on the lookout for them we only glimpsed two big fellows who hurriedly cantered into the thick cover along the river bank before I had time to shoot. France told me that baboons were much prized as food and consequently had a recognized price of half a crown each. Later I learned that in Nyasaland almost everything is eaten so that even mongoose have a potential meat value.

At the time I was relating to France how a Native huntsman had brought me a couple of blue monkeys (*Cercopithecus mitis nyasae*) a few days before. I had offered the man two shillings saying we would remove the skins and skulls and return the meat to him. He flung away in a huff. France agreed that the offer was a fair one as my boys were to do the skinning and the hunter could retain the meat. France added that this man had come on to the depot with the monkeys where he was asking ten shillings for each corpse. I had supposed the man, knowing I was a stranger, was merely "trying it on." Anyway I had no intention of paying such inflationary prices as it would merely make matters more difficult for the next impecunious naturalist that came along. The exorbitant demands of Nyasaland Natives reminded me of shortsighted labor leaders at home who are cheerfully engaged in strangling the business fowls in the hope of getting their golden eggs. However, it is only fair to remember that rising prices affect the African along with the rest of us; his shirts and shorts are costing double what they did a few years ago. The economic causes are more than he can understand so that doubtless he fancies he is being deliberately cheated.

IV

Migration up Mlanje—
Thomas Sees "Sneks"

ONE evening, shortly after our arrival in Likabula Valley, the three of us were sitting around our solitary lamp when we heard footsteps outside. Into the arc of light stepped a tall spare man whom we had never seen before. He introduced himself as Arthur R. Westrop, a friend of Dr. C. W. Arnold of Blantyre. Explaining that he had heard from Arnold we were planning to camp on Mlanje, he had driven over from his plantation at Cholo to offer us the use of his cottage on the six-thousand-foot Lichenya Plateau. Even in the dim light our faces must have shown our amazement at so generous an offer to complete strangers. On the plateau, continued Mr. Westrop, we would be none too comfortable under canvas at this time of year. In August the weather might turn bitterly cold with driving rain sweeping across the grassy uplands for days on end. When Mr. Westrop went on to say that his cottage, name "Araloon," was conveniently situated in relation to the patches of forest we wished to examine, I gratefully accepted his kind offer. If we could but tell him what day we planned to climb the mountain, said our visitor, he would send his gardener over from Cholo to act as guide.

In one way it was high time we were leaving, for army ants (*Dorylus nigricans molestus*) had already appeared and were swarming in the pit where we daily buried the by-products of skinning. Some advance parties of this tropical scourge engaged in scouting about my tent were temporarily repulsed by a scattering of hot ashes. Furthermore each gusty wind that came hurtling down the valley was raising and depositing on our possessions the finely powdered soil resulting from the constant trampling of bare feet about camp.

In preparation for our departure Thomas and I were respectively engaged in preparing and packing the specimens obtained at Likabula. I was wrapping the Formalin-pickled snakes beneath the shelter of the awning projecting in front of my tent. Once, as I stepped outside to speak to Thomas, a fast-traveling snake came slithering along the sun-drenched path straight for the tent. In the entrance I detained it by light pressure of my sneaker-shod feet. The snake promptly struck, biting my stocking-clad leg again and again as I stooped to seize the reptile. Thomas, as yet unaccustomed to distinguish harmless from venomous snakes, exclaimed in alarmed astonishment that scarcely abated when I remarked: "It must have heard we are leaving tomorrow and was coming to say good-by." My captive was an adult male House-Snake (*Boaedon l. lineatus*), a species of which we had bought a female the day before. Snakes, in common with most of the larger reptiles obtained during our ten-day stay in the Likabula Valley, were heavily parasitized by thread-worms. These too we carefully preserved.

The Likabula "Native Authority," as the local chief was euphoniously called, had been informed by the district commissioner of Mlanje that the government wished to further my investigations by rendering reasonable assistance. More specifically, he was asked to find the thirty bearers that would be required to get our loads up to the plateau. It was also suggested that these carriers should sleep at the forestry depot overnight so as to make an early start the following morning and enable them to return to their homes the same day. At the appointed time, however, only six men appeared but they brought a message from the chief saying that the rest would come in the morning. Having encountered similar prevarications on the part of "Native Authorities" in Tanganyika, I was anything but optimistic. Nevertheless, next morning we all breakfasted at 6:00 A.M. and within an hour twenty-seven loads—the irreducible minimum as we were leaving behind tents, tables, chairs and beds—were weighed and lined up in readiness. Food being unobtainable on the plateau, six of the loads consisted of ground corn meal, just enough to supply our staff for a fortnight. Presently the man I had sent to the depot to summon the bearers, returned, but with him only fifteen men, some of whom looked none too robust.

The *tengatenga,* as carriers are called in Nyanja, lined up behind the loads with some scuffling as the burliest sought to stand by the lightest-looking bundle. This was wasted effort, for as I went down the line listing their names and addresses I personally allotted an appropriate load to each man—not without sundry arguments and some flat refusals. Allegations of excessive weight were effectually disposed of by visual reference to the handy spring balance I always carry for the purpose. None of the loads was over forty pounds, most were around thirty, for on montane safaris it is easier on the carriers and better for all concerned that the destination be reached quickly rather than that one economize by dispensing with a few bearers.

While I was occupied with this tedious business my boys had been engaged in striking and packing the marquee and tents. Seeing us apparently at a disadvantage, the moment was considered opportune to raise the question of wages. I replied that each man would get the government-approved rate. Much to my surprise, therefore, the belligerent spokesman declared they would all go home rather than accept it. I harangued them volubly in Swahili, then called on Thomas to translate. There was more argument. However, while adamant about black-market prices I agreed to feed everyone when we reached our destination, though this would mean dissipating an entire load of our precious meal. During the discussion the sun had been climbing ever higher and was already hot when the fifteen carriers, chaperoned by Amini and Anderson, departed with the most important loads, leaving me free to attend to other urgent matters.

The equipment and stores that were not being taken with us were packed on the lorry with a tent awning securely lashed over them. For, during our fortnight's absence up the mountain, they and the Dodge were to be left beneath the shade of four mango trees in the center of the forestry compound. Lastly we heaved up the borrowed tentage, each item carefully tagged for "Kharbali," the "D. C., Blantyre," the "D. C., Mlanje" and "Police, Mlanje," in readiness for those who were to call for them the following week.

Then Billy started the Dodge and rolled down toward the forestry compound. However, at the foot of the slope a runnel of water, easily crossed on the day of our arrival, had meanwhile soaked the subsoil so effectually that our rear wheels sank in. Vainly we tried the usual remedies, jacking up the axle and inserting straw, branches, planks and bricks beneath the wheels which merely whirred impotently after each fresh attempt. To frustrate pilferers, only the minimum amount of gasoline necessary to carry us to the depot had been left in the tank. When this was exhausted by our futile efforts the awning had to be unroped, the gasoline drum opened, and sufficient fluid siphoned into the tank to feed the engine. Eventually, after extensive excavating, and with a score of small boys supplementing our own efforts, the Dodge heaved itself out and charged ahead followed by the cheers of the exhausted pushers, left behind. This unscheduled interlude had occupied over an hour, and I was beginning to be concerned as to how everyone was going to accomplish the four-thousand-foot climb still on the day's program. No sooner was the Dodge satisfactorily parked than Mary and Billy set off, starting by springing from boulder to boulder across the Likabula, then following a path that winds up the valley on the east bank. With them went young Wayson, the skinner.

I turned back to our desolate camp site to give final instructions to Hamisi, who had been left to guard the remaining loads. These we shifted to the shade of the tree where my tent had stood, away from the scorching sunshine. Meanwhile a messenger who had been dispatched to the village in search of the missing *tengatenga,* returned with the news that the chief's "brother" had died, so the "Native Authority" was attending the beer drink being held in honor of the departed and might not return home for several days. Such evasive action in the face of difficulties was quite in keeping with my former experiences of the working of "indirect rule" in Tanganyika, where few Africans appear capable of shouldering responsibility for many years to come.

As Mr. and Mrs. France were away on safari, I discussed the situation with John Mwathunga, the forestry foreman, telling him the messenger had brought word that more carriers would be along later. "I will not lie to you, sir," said John. "They will not make the journey today, it is too late." He suggested that as it was Saturday the forestry men would be coming in at noon to be paid off and possibly half a dozen or so might be glad to augment their pay by carrying our loads up after their midday meal. Setting aside the six most vital loads in charge of Hamisi and Thomas, I had the remainder removed to the depot storeroom to be sent up the following week when the opportunity offered. Our wood and water boys, Bison and Pearson, were now paid off, and accompanied by Patrick to carry my gun, haversack and water bottle, I started after the others.

The sun smote full on our backs as we climbed the steep ascent through open woodland that only occasionally afforded a little shade. Scattered about the sun-baked path were many dry leaves that crunched crisply as we strode upward. Occasionally their numbers were augmented when the huge leaf of a *msuko* tree (*Uapaca kirkiana*), noisily detaching itself, came clattering down on the path or rustled to rest among the sparse yellow grass that failed to conceal the hard red soil on either side. Perspiration poured from us as we hurried on, for I was anxious to reach "Araloon" ahead of the bearers, so they might be given a meal promptly and paid off in time to reach their homes before darkness fell.

After three-quarters of an hour the path wound up a boulder-strewn slope where rocks invited us to rest. Down I sat, mopping my brow for the hundredth time. Ahead of us the path twisted between two great boulders which completely blocked the view. When we resumed our upward journey and emerged on the other side it was to find that Mary and Billy had been resting scarcely fifty yards from us! Both had been up since 5:00 A.M. lending a hand here and there before leaving Likabula, and midmorning is no time to start such a climb. Mary especially was finding the going hard as she had not been too fit when we left the States, yet she plodded doggedly on. At times the path became a staircase, spiraling upward among boulders between which there was only just room to pass. Twice the trail crossed great sheets of shelving rock rendered slippery by a flowing film of water, presenting tense and tricky walking for tired muscles. Occasionally we paused to enjoy the marvelous views of ravines and valleys immediately below leading down to the undulating, sunshine-flooded plain which, studded with minor mountains, stretched away in the distance until lost in a smoky blue haze.

During one of these breath-recovering pauses young Wayson's keener vision detected figures moving in single file far, far below. After brief discussion we all agreed that it must be Hamisi's party starting the climb that had already taken us more than three hours. The temperature fell with each additional thousand feet ascended, but the change in altitude was abrupt enough to make us breathless.

Shortly afterward, while resting, we were surprised to see two of our carriers come running and leaping down the trail. They looked like a couple of cavemen as they burst suddenly into view and endeavored to explain that they had been sent to help the "*wadona*" (a Nyanja word, adapted from the Portuguese one for "ladies") up the mountain, and would I please hurry on or they would never get home tonight? Very business-like, the stockiest and hairiest-chested asked if each might take one of Mary's wrists and pull her up the steep ascent. Mary unquestionably preferred to proceed under her own steam. When this information was relayed to them they broke into peals of laughter which quite transformed their rather ugly countenances.

Translating was ably performed by Jonathan, Mr. Westrop's gardener, who, shortly before, had overtaken us with a note from his master saying that Jonathan would guide us to "Araloon." Upon his head, their roots bundled in sacking, Jonathan bore an orchard of young fruit trees which he was taking up to plant out in the garden. When stationed with his regiment in Tanganyika during the Second World War, Jonathan had learned Swahili, which enabled us to converse freely without an interpreter. So cheerful was Jonathan's disposition, so courteous his manners, I assumed he was a Tanganyika Native until he assured me, with a laugh, he was a Nyasalander.

Leaving Mary and Billy with Wayson, Jonathan and I set off with the two cavemen to overtake the main body of bearers who by then should have been nearing their destination. Within a mile, however, to my vexed surprise, we came on the entire party sprawling over some sheet rocks where they had been basking for several hours. Already there was a chill in the air and intermittently the sun was being obscured by fleecy white clouds. As the setting sun was spreading a rosy flush over the cliffs that towered above our Likabula camp, we had often looked up to see clouds collect and pour over the precipitous brink of the plateau like the "tablecloth" slipping off Table Mountain above Cape Town.

Telling the men to take up their loads, Jonathan and I pushed on alone. Shortly after emerging from a wet and gloomy copse, we topped a rise and saw stretched before us the undulating Lichenya Plateau. Fully three miles away on a distant hillside Jonathan pointed out a one-storied cottage. Fortunately, perhaps, I could not see the many steep-sided ravines that lay between us and the little wooden house. Though the Lichenya itself covers only ten miles, the aggregate of the six-thousand-foot plateaus from which rises Mlanje's 9,843-foot peak is over a hundred square miles, Jonathan and I, forging ahead of the porters, laid sticks or clumps of uprooted everlastings across divergent side paths so that those following us should not go astray. For, with the exception of a few forestry guards and three caretakers, the great plateau is uninhabited.

What I should have done without Jonathan I scarcely know, for on reaching "Araloon" we found no caretaker, nor were the keys concealed where Jonathan expected to find them. Suggesting they might have been left with the caretaker of the next cottage, nearly a mile away, Jonathan set out to see. For half an hour I paced around the wide veranda, or paused to peer through the windows where I could observe everything safely stowed away for the cold season. Carefully I tested each door and window, for unless we could get in, the keys to lockers and cupboards that Jonathan had brought with him were of little use. I began to doubt whether we should have time to get settled before darkness fell. The sun had disappeared over the edge of the mountain and a stillness like that accompanying an eclipse settled on the lonesome landscape. It was bleak and chilly and I wondered when Mary and Billy would manage to make it.

First to arrive were Amini and a few porters who dumped their loads on the spacious veranda and departed to kindle a fire in one of the outbuildings. Then Jonathan returned with the keys, and of his own volition set to work to coax a blaze from damp sticks in the great open fireplace. In the absence of Hamisi, I told Amini and Patrick to make up the Memsahibs' beds and get water heated for baths. Meanwhile I supervised the shifting of superfluous furniture to the veranda and was still engaged in straightening up the remainder when in walked Mary and Billy. They had been rather more than six hours doing the journey which I agreed was one of the stiffest we had ever undertaken, including our safaris up Elgon, Ruwenzori, or in the Usambaras.

Mary and Billy both praised the conduct of Wayson, who had accompanied them. At one juncture when Mary had removed her topee he held out his hand, saying: "I must perhaps help you. Yes?" So she let him carry it. We discussed these things while drinking prodigious quantities of tea as we sat around the smoky fire. Outside it was not only pitch-dark but a damp mist enveloped everything and I was beginning to worry as to how Hamisi and his party with the corn meal would find the right path. To get clear of the tall windbreak hedge around "Araloon" we went out on the mountainside to shout, blow whistles, and wave a lantern in the hope that it might give the benighted bearers direction across the moorland. On three subsequent occasions I took the lantern and went down a quarter-mile to the main path to guide individuals—for they had all separated—up the slope. As soon as the first bag of meal was received I turned it over to the men so they might get on with the cooking. Last to arrive were Hamisi and Thomas with a bearer whose strength had given out. Thomas was carrying the load, and when one reflects on the rooted objections to menial labor entertained by semieducated Africans, it said a good deal for Thomas. As soon as the carriers had eaten they were paid off and all but a very few set out at once on the return journey to Likabula.

That night I piled on five blankets but they were inadequate to the occasion, and it was with a distinctly chilly thrill that I awoke in our new surroundings. Our first chattering conversation concerned the cold. We breakfasted on the veranda where each lungful of air was like a delicious draught of icy spring water, flavored by the sweet scent of the honeysuckle that clambered over the trellis-work of the veranda. Directly in front of us rose Mlanje's craggy peak (9,843 feet) showing here and there, through the faintest blue haze, strange streaks of glistening white where water was cascading over rock faces. There was something awesome about its rugged grandeur, for only the year before two Englishmen had died of exposure on its slopes. Mlanje's chief danger lies in the rapidity with which mists arise and envelop her peaks and plateaus, blotting out all landmarks and reducing visibility almost as effectually as London's famous fogs.

Mlanje is a nonvolcanic massif composed of syenite, a rock allied to granite, and contains deposits of bauxite—the valuable ore from which aluminum is derived—estimated at sixty million tons. As a naturalist I was thankful to be there before someone found the capital necessary to exploit these vast deposits.

Collecting got off to an auspicious start the following Monday, for soon after setting out I spied a bushbuck (*Tragelaphus scriptus ornatus*) grazing along the edge of a copse in one of the bottoms. It was steeply downhill so I dropped on one knee for the first rifle shot I had fired in ten years. The animal fell stone-dead with a bullet through the heart. When we reached it there was some desultory talk among the gunbearers about cutting its throat in accordance with Mohammedan law. As none of them were Moslems, I remarked that they were not qualified to do the job nor need they bother their heads. Unless it were done, they answered, neither Amini nor Hamisi would eat the meat. I replied that on previous safaris in Tanganyika I never permitted throat-cutting until the animal was dead and, knowing this, the Moslems in my employ had been satisfied if the body was warm, invoking some Koranic relaxation of regulations under wartime exigencies which, they claimed, were equally applicable to my strenuous safaris.

Now, I suggested, instead of talking, if they took up the handsome russet animal with its white dappling of spots and hurried home the corpse might still be warm enough to satisfy Hamisi. The buck, being the size of a large goat, was a considerable burden for the two gunbearers. As we walked along I told Thomas to explain to his uncle that the skin must not be damaged by a transverse cut, a longitudinal one must be made first. Though we were back at the house by 7:30 A.M., that is within half an hour of setting out, Hamisi coldly rejected my proposition and I was informed that neither he nor Amini nor Thomas would partake of the meat. Mary and Billy were pleased, however, for it lightened catering problems and conserved our none too numerous cans of corned beef.

After taking the animal's measurements and supervising the skinner's initial cuts, I left Wayson to carry on, and, accompanied by Thomas and Anderson, took the .22 gun and went after birds. Five birds and a lizard fell to the first six shots, then followed two misses so I turned back for it was past eleven and we were far from "Araloon."

Though very recently much of the plateau had been swept by fire, patches of the hillside we were on had escaped as there was little to burn on its eroded slopes, just a tuft of coarse grass here and there and a scattering of strange shrubs called *Protea*. Thomas, professing to know the most direct route home, was leading when suddenly with a cry of *"Nyoka"* he sprang aside and ran a few steps. The snake had shot across in front of him and down a hole at the base of a scorched *Protea,* one of a group of three or four. Near by was a rock commanding a good view of the hole so I suggested we sit and watch for the snake to emerge. When it failed to do so after we had waited five minutes, I rose and quietly approached the hole, saying to Thomas we might as well try digging it out and possibly get two snakes instead of one. As I was speaking there was a rustle among the dry *Protea* leaves on the far side and a smaller snake darted down the hole. Inserting a long twig I poked about without result except that it revealed the hole passed directly beneath a stout root.

While I crouched at the entrance Thomas began digging with a machete on the opposite side, uncovering three fat earthworms and a couple of centipedes which I preserved. Next he caught sight of a snake's tail being withdrawn. We changed around and a minute later I caught what proved to be a small female. Thomas artfully began digging again *below* the entrance to the hole and presently uncovered a bit of the back of a large male which promptly started up in reverse. As its head came opposite the small opening made by

Thomas, the reptile paused for a fraction of a second before making the dash for freedom that I interrupted.

Early the following day Thomas and I set out to visit some distant rocks that allegedly harbored hyrax, commonly called conies or rock rabbits. Not a sign of one, or much else for that matter, did we see and I missed the few things at which I fired. At one point on the tramp home I told Thomas to lead the way, adding: "As I seem unable to shoot, find me a snake and I will catch that." He laughingly protested, but half an hour later halted abruptly, saying softly: "Two snek," adding with a giggle: "One gone." Slipping past him I caught the remaining one, then suggested he dig out the other. As the hole was between two boulders he thought this just a useless waste of time. I replied that it was worth trying anyway. Thomas began, but started back every few minutes to let me catch a snake. By the time we reached the end of the burrow, eighteen inches from the entrance and a foot beneath the surface, I had got four.

All were of the same kind as those we had found under the *Protea*, but while two were olive, a third one vividly striped and the fourth, the only male, was blackish both above and below. No wonder Günther had named this race *variabilis* when the first specimens, probably taken on this very mountain by Alexander Whyte, reached the British Museum. Its lowland representative (*Psammophylax t. tritaeniatus*) is called *streep schaapsteker* (Striped Sheepsticker) by ignorant South African farmers who fancy it kills ewes. Though these snakes do have grooved venom fangs set far back on their jaws, they are singularly inoffensive, feeding chiefly on lizards and frogs. After chloroforming my captives I found the stomach of one held rodent fur, perhaps that of the mouse whose burrow they had usurped; in the other was a lizard that I suspected was an undescribed species of *Mabuya.*

Thomas was undoubtedly amused by the novelty of seeing me "ketch snek," but his heart was not really in the business. Probably urged on by his glum uncle as well as his own appetite, he harped continually on the subject of meat. I agreed to make another try if Hamisi would accompany us. Hamisi, however, specialized in delegating others to do his work, and said that Amini, having read the Koran, was properly qualified to cut throats. So Amini, wearing his heavy army greatcoat and carrying a carving knife, trailed us over hill and dale. Fortunately he had a nice disposition and was not tempted by my failure to practice his art on an infidel. At times he might well have felt like doing so, for most Africans, whose interest in wildlife revolves around the pot, are apt to be irritated by my turning aside after such small game as lizards.

But nothing larger did I get, and on the way home noticed Amini was limping. Inquiring the cause I learned that he had cut his foot a few days before but said nothing about it. When we reached "Araloon" I asked Mary to treat it. After examining the injury she said she could not imagine a European walking barefoot for miles over this stubbly grass with such a wound, for the partially healed cut ran halfway around the base of the little toe. Mary is adept at such work and when it was all neatly bandaged Amini, with customary courteousness, folded his hands and thanked her, while a grateful smile spread over his kindly old face.

The lava-like gravel that cut Amini's foot and was playing havoc with the gunbearer's sandshoes, is derived through oxidation from the bauxite clay subjected to weathering in consequence of its grassy covering being removed. The removal is achieved by annual burning under the auspices of the Forestry Department at the most favorable time—during the dry season when the wind is from the desired direction and the firebreaks surrounding the valuable woodlands have been cleared. The destructiveness of even this supervised burning is generally conceded, but as so often happens in this life we are only accorded a choice of evils. When the Nyasaland Protectorate was proclaimed in 1891, its first administrator, Sir Harry Johnston, put it on record that we were only just in time to save from extinction the remaining stands of the peculiar cypress that formerly covered Mlanje. Previously the mountain had been swept by uncontrolled conflagrations purposely started by Africans.

While we were breakfasting on the veranda a plane came over flying very low. Its wings bore the letters N.A.F., which we surmised stood for Nyasaland Air Force. We waved to the occupants as they departed. They were soon back and waving to us, then circled around and around exceedingly low. Each time they returned we rushed out thinking they might be contemplating a forced landing on the plateau that possibly looks nice and level from the air, but is actually covered with clumps of everlastings and tough tussocks of grass well elevated through the erosion that follows annual burning. The interrupters of our solitude finally flew off and later we learned that the passenger in the plane was the owner of "Araloon" scouting for a possible landing place that would enable him to fly Mrs. Westrop direct to the plateau.

Walking over the moorland is a tiring business for one is incessantly jolted about by the tussocks rising from the gravelly surface. Lying among them I had noticed the bleached, or sometimes scorched, shells of small snails (*Gulella johnstoni*), but the only living ones I came across accidentally while digging for snakes. I had suggested to Mary that the living snails might be "wintering" among the roots of the ubiquitous and fire-resisting everlasting plants. So she and Billy went to work examining everlastings and had a whole tinful of living *Gulella* to show me when I got back.

Widely scattered about the plateau and half-hidden by trees, against which they nestle for protection from the violent winds, are half a dozen cottages. All, except "Araloon" and the forester's cottage, had been unoccupied for years, so France told us. Mary and Billy had come upon one of them and, while snooping round the garden, found half a dozen small oranges clinging to a tree while others lay scattered on the ground beneath. To save the living from falling, my predatory companions picked them and brought them home to ripen. Four days later the fruit were just as hard when a stranger arrived on the plateau and introduced himself as Mr. Greneger's personal "boy."

He told us he had been sent up to bake bread and prepare the cottage for the arrival of his master and an English visitor who was expected to reach Blantyre that day. On hearing this the dormant consciences of M. & B. began to stir, stretched and sat up. I assisted the process by suggesting that Greneger, missing the fruit, might wrongfully accuse the boy of theft. With growing contrition the real culprits offered to make a package of the still unripened plunder if I would write an apologetic note to accompany it.

For my part, having reached an undreamed of pinnacle of moral rectitude vis-à-vis Mary, I condescendingly agreed to write provided they promise to abandon petty pilfering for the rest of the *ulendo* so as not to corrupt our Africans by their Western ways! Shortly afterward I handed the note and parcel to one of our boys with instructions to leave them at Mr. Greneger's cottage. Mr. Greneger's plans apparently underwent a change, however, for instead of coming up he sent a messenger to recall his "boy" who, departing down the mountain, took with him the note and oranges. But that was not the last of the oranges for they were subsequently returned to us, together with a welcome gift of fresh vegetables, from the generous Mr. Greneger whom we had never met.

We had not anticipated seeing anyone, other than Africans, during our stay on Mlanje, but as we were finishing supper I noticed a flashlight flickering about in the back garden and presently heard someone calling out to know how he could get in. This unexpected visitor said he was one of a party of young people who had left Blantyre at noon and driven sixty miles to the foot of the mountain. There they had transferred their bedding and provisions to the heads of three bearers and started to climb by the Mlanje path, having been told it would take only four hours. Already they had taken five, and were seriously contemplating spending the night in the open, for a girl that was with them was near collapse. While debating this proposition they saw the light from our windows twinkling in the distance and so, leaving his companions to rest, our visitor had come on to investigate.

We invited them in and the young fellow went off to fetch his friends while Mary and Billy hastily cut a dozen slabs of bread and butter, topping each with a slice of corned beef. Fifteen minutes later the young Englishman returned with a South African, a New Zealander, and the Scots girl. They were chilled through but quickly thawed around our log fire as they drank cup after cup of tea. We offered to put them up to the best of our ability, but learning that Mandala Cottage, for which they had the keys, was only a mile and a half away, they decided to push on. They had not the slightest idea in which direction the cottage lay, so when they were rested and refreshed we sent two of our boys with a lantern to guide them to it.

Next morning, being Sunday, we breakfasted late, and wandering outside afterward saw yesterday's visitors toiling over the pass on their way home. Evidently the youthful adventurers were taking no chances for it was only just half-past nine. We watched them disappear over the skyline and once again we had the plateau to ourselves.

V

To Chambe for Hyrax— Succored by Jailbirds

On LICHENYA Plateau many, if not most, of the patches of woodland—they scarcely merit the name of forest —seem to have been planted by the Forestry Department. But in the deeper ravines are some old stands of Mlanje Cypress (*Widdringtonia whytei*) which Nyasalanders commonly call "cedar." Individual trees, their branches festooned with moss and Old Man's Beard (*Usnea*), attain a great height, yet beneath them the undergrowth is so dense that one is generally reduced to going on all fours and thankful when there is an opportunity to stand upright. These older woods provide a fortress for the hyrax whose raucous cries can be heard almost every fine night.

One patch of moss-laden evergreen forest was of quite a different type; though there was a scattering of hundred-footers among them, most of the trees were small and one could get about. This lovely woodland was traversed by a path recently cleared by the forestry men whom we rarely saw. Before I had followed the path a hundred yards there was a sudden rush through the foliage away to my right and a monkey came sailing through space to land in a tree to the left of the path. A second animal would have followed had I not dropped it dead. It was a local race (*Cercopithecus mitis nyasae*) of blue monkey, unrepresented in the museum collection and consequently figuring on the list of things I hoped to get. We hid the body in a sapling to pick up on our way home and continued right through the forest, but, apart from some nice snails, the only item of interest we came across were the slots of a Blue Duiker (*Cephalophus caeruleus nyasae*). Following them up I came on a sprung snare that had been recently set for the little blue-gray antelope.

On the way home I captured some small frogs (*Arthroleptis stenodactylus whytii*) originally described from this vicinity. They were apparently hibernating, for I found them two and a half feet from the ground among damp powdered wood in a hollow tree growing in a shady ravine through which a trickle of water was flowing. The inch-long frogs matched their surroundings rather closely, being a delicate dead-leaf brown variegated with markings of darker brown, while a pinkish tinge suffused fingers and toes. These toes were not only webless, but terminated in scarcely noticeable disks for the species, though terrestrial, occasionally climbs sloping trees.

Not all the local frogs were torpid, however, for at intervals we would hear them piping in the little copse behind "Araloon." Through this copse a streamlet flowed among mossy boulders between moss-grown banks and clumps of bamboo. Again and again I tried to track down the elusive songsters, with Thomas emphatically asserting that a bird was responsible for the "tink-tink" call that rather resembled the squeaky noise made by a loose-jointed table. When I told Mary of our failure she pulled on her wading boots and followed the muddy little path down to the stream. Stepping softly through a pool hemmed in by high banks, she squatted down in front of a small tunnel through which water was trickling. After remaining perfectly still for some time Mary heard the "tink-tink" clearly coming from the dimness within. Peering in the direction from which the sound came she could at first distinguish nothing. Then as the call was repeated she detected a small yellow-brown frog, looking much like one of the surrounding pebbles, sitting in the water. Swiftly she pounced, enclosing the little amphibian in her hand and transferring it to a damp cotton bag. Again she sat quietly waiting until another "tink-tink" gave her direction and a second, then a third, frog was added to the bag. All three had been sitting in the shallow water of the shadowy tunnel. The species (*Rana fasciata fülleborni*), first discovered on Ngosi Volcano in Southern Tanganyika, somewhat resembles a rather slender North American wood frog (*Rana sylvatica*) with tapering toes of exceptional length. The general color was yellow with streaks of pale brown running the full length of the back. Stimulated by Mary's success, Thomas and I returned to the stream where, in the course of an hour, we secured a fine series of Whyte's Frogs by digging them out of holes in the banks.

This stream-traversed forest relict had caused me to entertain high hopes it might furnish us with some of the rodents that are peculiar to Mlanje and its neighboring mountains. But though the conveniently situated little wood harbored numerous rats, the results of our snapback trapping proved disheartening. Three out of every five rats caught were so eaten by their fellow rodents as to be quite useless for preservation. On the other hand, shortly after our arrival at "Araloon" some of the rats moved into the house, either appreciating the warmth or attracted by the smell of food. By the end of a week they were so much at home that they woke me repeatedly with their noisy scamperings. The first night I put down half a dozen traps I caught three rodents of two species. Somewhat to my surprise, instead of being the common roof rat, one was a handsome Mlanje Four-striped Rat (*Rhabdomys pumilio nyasae*) described from the mountain, the others a forest form known as the Mlanje Short-haired Rat (*Praomys jacksoni delectorum*) of which we had already secured a pair in our wood. The advantage of trapping in the house was obvious for, being a light sleeper, I invariably awoke when a trap was sprung and, rising at once, secured a good specimen by putting it in the safe till daybreak.

The rather quaint caretaker, who turned up all right the day after our arrival, having gone down the mountain to buy his week's supply of food, was an Nguru. Like most of his tribe he was an adept at trapping and pleased to augment his weekly pay by catching rodents. His main preoccupation was to keep us supplied with fuel. Returning one day just as Patrick was clearing away after luncheon, the caretaker put down his bundle of faggots and, mounting the veranda, carefully deposited two plump mice on the table.

Subsequently he contributed several interesting additions to our collection.

Never in my life have I seen so many traps as we encountered on this "uninhabited" plateau. Of very simple construction they were to be seen in rodent runways wherever the thick tussocky grass was unburnt. Doubtless many traps are destroyed during the periodical conflagrations, for apparently they are examined only at long intervals as I came across quite a number, each holding the long-deceased remains of some hapless rodent. The caretaker declared they were set by forest guards to add mice to their meals and interest to their routine rounds of inspection.

We rarely saw any of the forestry employees apart from three who arrived one day with the bags of meal sent up by John Mwathunga. As they were returning immediately to the Likabula depot, Mary handed them all the letters we had written during the previous week. Stamped and ready for mailing, they were put for protection in a large envelope addressed to France who had kindly promised to forward letters when any forestry mail was being sent to Mlanje. Six days later another forestry employee arrived from the depot bringing back our letters, four of which were for air mail and one a very important note to the district commissioner at Mlanje. The missives were now soiled, having been removed from the covering envelope addressed to France. In reply to our puzzled interrogations all the bearer could say was that he had been handed the letters by John Mwathunga who told him to bring them to us. In due course five more letters we had dispatched in the meantime were returned by John Mwathunga, who clearly meant to keep us incommunicado or was sorely in need of a psychiatrist. Yet it is well-educated Natives like John that well-intentioned but ill-informed liberals at home wish to entrust with self-government. Oh, Africa!

On the evening of August 15 the weather, which until then had been marvelous—at least in the mornings—suddenly changed. A gale arose and swept across the plateau, blowing with great gusts throughout the night. Shortly after 6:00 A.M. I set out with the boys to look for a klipspringer, a small species of rock-loving antelope said to occur on a distant peak. Beneath my hunting shirt I wore only a singlet, expecting the sun to break through as it usually did—

instead the biting wind continued. The gunbearers and I became chilled through until actually shaking with cold, so we turned back and reached the house at a quarter to nine. Despite hot drinks and warm clothes my teeth continued to chatter and several hours elapsed before I felt even tepid.

About noon it started to pour and continued to do so for twenty hours though the last few were just steady rain. When it ended we were wrapped in a white mist that restricted visibility to fifty yards, except for an occasional shift hither and thither. All outside activities were suspended for two and a half days and I seized the opportunity to write up natural history notes, labels, diary and letters. As the initial deluge had soaked our entire supply of fuel piled on the veranda, Mary and Billy spent much time in trying to coax wet logs to burn. Each afternoon they vigorously pursued the self-imposed task of making pancakes without eggs, using canned milk and cooking them in a frying pan over the fickle wood fire. The results varied from day to day owing to the empirical methods employed, though on the whole they were surprisingly good. However, the effort was accompanied by so much chitchat that writing became difficult until their creative energy ebbed and they reverted to reading and writing.

The morning after the storm had subsided the sun came out and shone hotly. Confidently supposing that reptiles would be basking in bulk after the wet and cold of the past few days, I started out. Yet in the course of a two-hour tramp around the outskirts of a promising patch of forest not a reptile was seen. All I got was a few birds and a snail or two; meager recompense for the energy expended. On the way home Thomas and I saw smoke billowing skyward in the distance, a great conflagration of blazing bracken the sound of whose cracking was intermittently audible when the breeze freshened. At "Araloon" I found a messenger had arrived with a lettuce, carrots, peas, turnips, and a note from France saying he had just crossed over from Chambe Plateau to superintend some burning. We sent a note back asking him to lunch with us and postponed the meal until he arrived.

The burning, explained France, was necessary to protect the plantations of young cypress and was a continuation of past practice. However, he too deplored the all too evident erosion that resulted and hoped to implement some plans that might render annual burning of the entire plateau unnecessary. France went on to say that he had thought of me the previous day when he saw one of the hyrax peculiar to Mlanje Mountain, and recalled my saying I was anxious to secure one. This coney was basking on a rock in a clearing in the heart of Chambe Forest where his men were engaged in felling cypress a mile or so beyond the forestry depot there. He estimated the round trip to the place would be about twenty-two miles. I decided to start at dawn.

Having no alarm clock I awoke early but did not dress until 4:40 A.M. Mary rose a bit later to prepare sandwiches, which she did by making a stiff paste of cocoa, sugar and canned milk—for we had run out of jam. She announced that she and Billy had decided they too would visit Chambe, but would follow along later and take their own time. Though a fortnight of daily tramps on surrounding hills had put them in good walking trim, I tried to dissuade them; knowing full well that when Mary sets out to do something she is likely to go through with it. The atmosphere up on the plateau was so bracing that one is apt to feel immortal and ignore fatigue more than is wise. I departed with assurances ringing in my ears that they would certainly turn back if it proved too far.

France had suggested I call at the forestry cottage across the valley from "Araloon," and we would go together, but he would have to leave without me if I did not show up soon after daybreak. It was 6:30 A.M. when I reached the cottage and the caretaker told Thomas that his master had already gone. It looked like a good day for a long tramp for the sky was overcast; so much so at times that rain seemed imminent. We hurried on in the faint hope of overtaking France. Up hill and down dale we went, winding in and out among crags, or cautiously clambering across steeply shelving rock faces where a false step would inevitably result in one's tobogganing into the ravine far below, for there was absolutely nothing to arrest descent.

I was ascending the worst of these places, at times on all fours, when an exclamation from my two gunbearers, whose bare feet enabled them to negotiate the hazard with relative ease, caused me to look back. Down the slippery dirt track on the opposite side of the valley, the energetic France was running at such a speed that he could not stop. Sure-footed and confident, however, the impetus of his descent carried him some way up the mountainside on which we were. There had been a misunderstanding, he explained, for he had not been far away when we called and the caretaker was wrong in assuming he had already left for Chambe. After inspecting the work there he hoped to reach Likabula for lunch, so I suggested he push on as he always liked to run downhill—an excellent receipt for rapid transit when you are possessed of the necessary wind.

Eventually, topping a pass, my gunbearers and I saw the Chambe forestry depot far below; away to the right of it dozens of rough planks were spread out to season while awaiting transport to Likabula on human heads. To reach the forest where woodsmen were at work we should have to descend at least a thousand feet and then climb the opposite slope. With serious misgivings as to whether it would be worth while, we started down the steep path on the final lap of a journey that would be all in vain unless the sun emerged to tempt the hyraxes from their retreats. Fortunately before we reached the plateau below, the sun broke through the canopy of cloud so effectually that we were quite glad to enter the forest. Up through it wound a broad path strewn with chips from felled trees, for here was the finest timber we had seen since our arrival in the country.

The woodsmen, mostly working in pairs in isolated clearings, were few in number, perhaps a dozen all told but quite noisy, the symphony of sawing and chopping being occasionally punctuated by shouting between the groups. That an *mbela* should expose itself under such conditions was rather surprising, for in my experience hyraxes are among the most timid of animals. The one France had seen was in a boulder-filled ravine at the base of a bush-grown cliff right in the heart of the forest and only recently made accessible. There we found a solitary woodsman with an adz chipping away at a balk of timber. Yes, sometimes he saw a hyrax, he told Thomas, but not today; they might appear anywhere.

Selecting a quiet spot that commanded a good view of the rock face, but some distance from the woodsman, I waited immobile, my back against a tree. About twenty minutes later Thomas called softly that the woodsman had seen a hyrax. Hastily yet cautiously I retraced my steps to where the man was still hacking at his plank. He paused and pointed into the gully where, less than a hundred feet away, a hyrax was complacently crouching on a moss-grown boulder in full view. It was rather too near for my liking for I did not wish to riddle the skin with shot. I backed off a few paces, then fired. As the sound of the explosion reverberated among the rocks the coney (*Heterohyrax syriacus manningi*), killed outright, toppled off the boulder into a crevice from which Thomas had some difficulty in recovering it. After that noise it appeared unlikely that another hyrax would show itself. However, I returned to my former stance and after a long wait caught a fleeting glimpse of what appeared to be a larger species. Just then the sun was obscured by clouds, followed by a sudden drop in temperature. We waited about hoping for more favorable conditions, but as they did not materialize we reluctantly turned homeward.

As we emerged from the forest Thomas gave an amused chuckle and pointed down the slope. To my consternation Mary and Billy were coming up from the forestry camp! Long since, I had concluded they must have turned back; now we had to face the eleven-mile return journey with the ever present possibility we might be enveloped in dense white mist of the type that was already blowing up every ravine. We met and I found the pair immensely pleased with their achievement. However, when I advocated starting back immediately Mary pointed out that they had been four hours on the way, and Billy said it would be more sensible to rest a while before tackling the climb from Chambe.

They had hesitated when they looked down on Chambe and sat on a rock debating whether to make the descent. What finally decided them was the thought that tea would certainly be obtainable at the forestry cottage, but on reaching it the caretaker declared there was nothing in the place except a few beds, chairs and tables. He let us into the house so we might sit and eat our sandwiches, and after a quarter of an hour's relaxation we started back. Upon the heights the mist swirled about us but at no time was a menace. The scenery was majestic and the wild flowers lovely. For the first six or seven miles we kept together, then at M.'s & B.'s insistence I forged ahead. They followed at a more leisurely pace, Billy pausing to pick an example of every different type of flower they saw.

By the time they reached "Araloon" a blazing fire of logs was burning on the hearth, tea was made, the table set, and hot water for baths available. The many steep ascents and descents on stone-strewn slopes had caused the knees, shin bones and ankles of all of us to ache. It would have been worse, declared M. & B. had they not been fortified against fatigue by salt tablets. They recalled that one informant had described the journey as "a very pleasant walk," while another had warned that it was "too far to go and return in one day."

Refreshed by the meal Billy went out on the veranda to sort and count the fifty kinds of wild flowers she had gathered on the way back from Chambe. It certainly gave some idea of the wonderful variety of plants to be encountered during a four-hour tramp on Mlanje. I went along to see how Wayson was progressing with skinning the hyrax. From the tips of its hairs, up which they had climbed, Mary patiently transferred to a test tube some scores of live lice that were preparing to abandon ship. Next morning I stuffed the animal, attended to some other chores of a similar nature, then went out with the boys to get some more of the local lizards. To secure eleven took us two hours.

When I got back to "Araloon" I found the others—who had announced at breakfast they were going to take things easy after yesterday—had gone for a long walk. Mary returned alone saying it had been too glorious a morning to stay in, besides which they both felt so fit they would rather walk to Chambe and back the following Monday than return to Blantyre as planned. She had left Billy having one last try for trout down at the river. Her favorite pool was in a lovely rocky reach with cypress forest rising steeply from the farther bank. On the near side were quantities of ferns, but only an infrequent gnarled tree overhanging the clear sparkling water where it flowed across a stretch of sandy bottom.

I had come upon the spot by accident when, following upstream, I had heard a sudden splash that was probably made by an otter which had been basking on the bank. If an otter, then presumably fish? So, continuing on, presently I came to a deep pool in which a sizable European trout was marking time. It was on July 5, 1928, that the first of these fish were introduced into the river. There they not ony multiplied rapidly, but were so rarely fished during the war years that they suffered from overstocking and were consequently of small size. At least this was the case with those caught by Billy, who had brought her rod all the way from Scotland for the purpose.

One does not usually expect to be all wrapped up while sitting on a veranda in mid-August. Yet, though wearing a thick woolen vest, shirt, waistcoat, cardigan, tweed jacket and raincoat while writing, I remained cold. Mlanje, apparently, is no place for reptiles and consequently no place for me. During our stay I had got only three species, the gray-bellied grass-snake and two kinds of skinks, one of which proved to be a new race of *Mabuya bocagii*. In vain I had sought for chameleons, for cold-resistant kinds occur at even higher altitudes on Kilimanjaro, Kenya and Ruwenzori. However, at Chambe, the English-speaking forestry foreman, who has been stationed on these plateaus for twenty-seven years, assured me he had never seen a chameleon on the mountain and that I had got everything in the way of reptiles that occurred there. In this he was mistaken, for on my return to the States, when I came to study the collection made by the Vernay Expedition—which visited the Lichenya Plateau in the more congenial weather of June—I found they had secured a new species of pygmy-chameleon, resembling a dead leaf, and a still smaller skink (*Scelotes arnoldi*) previously known from a solitary example taken on Mount Selinda, hundreds of miles away in Southern Rhodesia. Had I known this at the time, I should not have been so content at the prospect of leaving Lichenya on August 23.

If the chief or "Native Authority" dispatched the unburdened bearers from Likabula at daybreak, they could easily reach "Araloon" by 10:00 A.M. By 8:30 we had the loads arranged in a row on the veranda; then Mary and Billy, attended by Wayson, left for the four-thousand-foot descent. Fifteen minutes later the Nguru caretaker locked all "Araloon's" doors and departed for Mlanje with the keys, and a dozen borrowed blankets to be returned to the police.

I cannot say I waited patiently from 9:00 A.M. till 3:00 P.M.; on the contrary my indignation rose with each passing hour. It was not directed against the indolent or incompetent chief, but against the liberal-minded theorists who profess to believe that East African Natives are capable of discarding their age-old inertia and rule each other efficiently within the forseeable future. In conformity with the idea, administrative officers in Africa are called upon to devote much time to the pleasing fiction; the more earnest ones even wear themselves out in an effort to force the pace. Meanwhile the African, whose superb equanimity has enabled him to survive worse trials, develops an immunity to incessant prodding as he slowly realizes that his shortcomings result in nothing more serious than a fresh exhortation. It is his fellows, both black and white, who have to endure the unnecessary discomforts and inconveniences that inevitably result.

On the unsheltered veranda it was already becoming unpleasantly cold when, at three o'clock, a messenger arrived from Mary saying she had written a note to the assistant district commissioner to tell him I was marooned on Mlanje, and suggesting that prisoners from the jail be sent to my assistance as the "Native Authority" had failed to supply any bearers. Mrs. France, concluded Mary, had generously offered to drive all the way to Mlanje with the letter. Possibly the forestry depot might be able to furnish a few men when France arrived.

As Mary and Billy were without blankets, I promised the messenger and Patrick full porterage pay if each would take a kit bag of bedding down to Likabula. Scarcely had they disappeared on the horizon than bearers appeared in straggling groups of twos and threes, some from the depot, others from the district office, and finally, with their guards, a party from the jail. After apportioning most of the loads, and leaving Hamisi to follow with the remainder as soon as bearers for them reached "Araloon," I set off with Thomas and Anderson for Likabula.

It was nearly 4:00 P.M., and I remarked to Thomas we must get down by six o'clock if we were to see to cross the Likabula in daylight, for there would be no moon. Thomas replied it could not possibly be done in less than three hours. "We can but try," I answered, for not only was I feeling very fit but had the accumulated energy resulting from seven hours of idleness and frustration. We strode along on the level, ran down the slopes wherever possible, and exactly at five-fifty were crossing the widely spaced boulders that span the Likabula. Five minutes later we reached the depot. Here Anderson, who had displayed no aptitude as a skinner, nor showed any interest in his work, was discharged, having completed his month on probation.

The Frances invited us to supper after which we sat and waited, walked down to the river and shouted vainly into the darkness, then waited some more until at nearly nine o'clock Hamisi arrived with two weary men carrying the remaining loads. They had been delayed by darkness in which they had been negotiating the rocky downhill route for the past two and three-quarter hours. All this avoidable hardship and discomfort due to the negligence of the "Native Authority." Quickly we placed the two loads on the lorry and paid off the bearers. As I was doing this John Mwathunga, who had been given a new belt and other things when we left for the plateau, stepped forward and asked for a *prizi*. Foolishly, perhaps, I gave him a tip while France, at my elbow, remarked that John's quite shameless importuning of visitors was to him a frequent source of embarrassment.

Then the Frances piled into their car and for seven miles piloted our lorry by devious byways out onto the main road where they drew to one side and waved us on to Blantyre, their friendly action saving us many extra miles. It was Billy's first experience of driving a lorry in the dark but she managed splendidly, while I scanned the road for wandering snakes. During the entire run of sixty miles, however, the only animals we saw were two rats, one cat and one dog; a fair indication of the wildlife situation in the more populous sections of Nyasaland. Six hours overdue, we speculated as to whether Mr. Rangeley would have given up expecting us and retired for the night. However, though we did not reach the house until 11:20 P.M., he was very kindly awaiting us.

VI

Chiradzulu and Zomba— A Venturesome Leopard

OUR next objectives were three mountains of minor importance to a naturalist for they had been almost stripped of the luxuriant forest that clothed their steep sides only a century or two ago. Chiradzulu Mountain's chief claim to fame was the fourteen different kinds of snails described from its forest in the early days. On learning of my proposed visit, Mr. C. D. P. T. Haskard, the resident commissioner, invited us all to be his guests, for his house, situated at 3,900 feet, was close to the lower edge of the forest. Unfortunately the forest was but a pitiful remnant of its former self, few of its trees exceeded thirty feet in height and even these patches of secondary growth were separated by bracken which had sprung up in the wake of fierce fires that had swept up from below. The lower slopes were covered with *Brachystegia* woodlands, or great slabs of bare rock where the overlying soil had been washed away. This deforestation has resulted in the drying up of many of the streams during much of the year.

To prevent further damage, the remaining forest had been proclaimed a reserve in which Natives cannot go without a permit. This may sound harsh to anyone unacquainted with the African's urge to assassinate trees, but nothing less would prevent them ring-barking or otherwise destroying the timber. Perhaps with a passing thought of providing future fuel, but as likely to be forgotten as a squirrel's buried acorns. For the few days we were to be at Chiradzulu Mr. Haskard was willing to relax the regulation to permit small boys to search for snails and snakes. With this object in view, and so I might explain precisely what I wanted and would pay, the commissioner arranged for some of the chiefs to call and see me on the morning after our arrival.

While I waited for the headmen, Mary and Billy, being foot-free, departed "for a walk" immediately after breakfast. An hour or so later, having talked with the chiefs, I set off with Thomas and Wayson. The only path up through the forest crossed and recrossed a turbulent little stream as it came tumbling down the mountainside. Repeatedly we paused to search for frogs, but all we found were two common savanna species that had no business to be in a forest!

In damp spots beneath the brook's overhanging banks we hunted snails and secured a few. Away from the water the ground was surprisingly dry and powdery so our search was unrewarding, though we stripped the bark from rotting tree trunks, turned them to dig beneath as well as against the great rocks that rose on either side of the path as we climbed upward. Then, right in front of me, on a patch of path devoid of leaves, was the impression of a small heel. I pointed at it without a word. "The Mamsahib's," exclaimed Thomas with one of his characteristic chuckles that was more like a giggle. This solitary spoor was the first intimation we had that the others had stolen a march on us, for it had never occurred to me they had climbed so far. Presently we met them coming down, very pleased with themselves for having reached the beacon on the summit at 5,500 feet.

The achievement had been spiced by one wholesome fright, for, after clambering through a jumble of rocks and rounding a bend in the frequently overgrown path, Mary caught sight of a leopard partly concealed in the grass but with its tail trailing across the track. Quickly following the initial surprise, she realized the beast was dead, information her sensitive nose should have supplied before. Momentarily she had forgotten that Rangeley had once told us of this leopard, which he had examined soon after it was killed. He came to the conclusion it had been bitten through the neck during a difference with an older animal, possibly a morose or jealous male. Half an hour later I reached the corpse and found it so dried we were able to chop off the head with a bush knife and, after boiling the head, salvage the skull for the museum's mammal department.

When, back at the house, we were discussing our find, I inquired of our host if he was much bothered by leopards at Chiradzulu. Haskard replied they were not so plentiful as formerly, but it was on their account that the corner of the veranda outside our bedroom door had been screened with chicken wire. One of his predecessors, he continued, hearing a commotion on the veranda, stepped out of the bedroom to find a hapless leopard had forced its head through a hole in the wire. To make it indubitably clear to the leopard that its company was not wanted, the district commissioner promptly gave the animal a kick, and in doing so probably established a precedent. The leopard took the hint and withdrew its head, which indeed it had been trying to do, though unsuccessfully, before the arrival of the helpful commissioner.

Mary, who acted as unofficial scout in such matters, reported seeing some elusive frogs in the stream well below where it emerged from the forest. We decided to join forces and work up the stream, Mary and Billy wearing waders. The frogs, though little larger than big bluebottles, were almost full-grown and well able to take care of themselves. They were abundant beneath boulders and stones lying in the shallows. As each large stone was lifted from its resting place in a pool, the tiny frogs leaped about in all directions, a confusing tactic that incited everyone to exclaim, "Catch it, catch it," without more precise specification, while action was paralyzed by indecision as to which of a dozen bouncing froglets to pursue. It was Thomas again who was quickest at resolving the dilemma, and consequently scored the biggest bag.

Most of the captives displayed a dorsal hourglass pattern in varying shades; a few were utterly different. Instead of the hourglass design, for example, one had a broad reddish-chestnut band from head to rump, another a pair of fawn-colored stripes along either side of its back. Yet all were of one species (*Arthroleptis boulengeri*), new to Nyasaland, and, like their relatives encountered in the marsh at Likabula River, lacking webbed skin between their toes.

Mary also distinguished herself by discovering that shells of dead snails were relatively plentiful in the dusty soil in the lee of the huge rocks scattered along the sides of the ravine through which the stream flowed. She got about thirty of the tiny shells, apparently saved from disintegration by the very dryness of the terrain that had brought death to the mollusks that bore them. I came to the conclusion that most of the peculiar snails once living on Chiradzulu disappeared with the forest, finding life unendurable in the ensuing era of desiccation. Diligent search during a rainy season will alone prove, or disprove, the accuracy of this suggestion. Though living snails were few and far between, we managed to secure shells of seven of the species for which we went to Chiradzulu and gathered all but two of the remaining ones elsewhere.

During our stay the lorry had remained parked away to one side of the front lawn. Very soon the realization dawned on me that I rarely approached or passed the vehicle without a Pied Wagtail (*Motacilla aguimp vidua*) flying off the bonnet. On the fifth day I counted the white droppings that disfigured the gleaming green paint and found they numbered fifty. I remarked on this and Haskard replied that he thought it was well known that wagtails like to perch on the hoods of cars so they may see their own reflections.

Pointing to a much "whitewashed" section of the veranda rail, Haskard added that it was a favorite perch of the wagtail, one of a pair that haunted his house and garden. From this stance the bird flew against the third pane, never any other, of the lounge window, tapped the glass with its beak, and then returned to the rail. One day the performance was repeated twenty times in succession. Thinking that the wagtail possibly wished to come into the room, Haskard rose from his desk and opened the casement, whereupon the bird promptly flew away. This led Haskard to decide that from where it sat the wagtail could see its own reflection only in the third pane and, possibly mistaking it for a rival, flew to give it a peck.

We arranged to leave on September 1, a marvelous morning.

When I went out to the lorry at 5:30 A.M. there was dew on the grass and the plain below enveloped in a bluish haze such as one sees in Massachusetts meadows along the Charles on a June morning. After an early breakfast we regretfully said good-by to Mr. Haskard.

Following our arrival at Chiradzulu Hamisi had shown me three summonses for nonsupport of a wife, which had been served him by the local Native court. It was only then that I learned he and Amini had once lived at Chiradzulu and left wives there. Hamisi had asked for a day off to attend the hearing, and later came to me for a substantial advance in pay to enable him to meet the obligations that had been assessed.

As we were about to board the lorry we saw Amini's wife, a tiny baby in her arms, sitting on the grassy bank beside the drive and looking the picture of desolation. Amini courteously introduced his family to Mary, who knelt in front of the baby and clapped her hands to make it laugh as she inquired sweetly in Swahili:

"Is this my baby?"

"*Ndio* (Yes)," replied Amini, much too polite to correct the Memsahib's grammar. Mary is apt to confuse *yako* (your) with *yangu* (my), possessive pronouns in Swahili having long been a trouble to her. Just then the baby laughed, and not the infant only but its parents who simply shook with laughter so they could scarcely stop. Only then did it dawn on Mary she had said "*yangu*" instead of "*yako.*"

We headed for Zomba, capital of Nyasaland, and in its vicinity saw areas strewn with boulders that bore mute testimony to the terrific forces which had been unleashed by the storm of December 13, 1946. It rained for forty hours during which time more than twenty-eight inches fell, "more than" because the gauges filled so rapidly they overflowed before they could be emptied. At a time when the downpour restricted visibility to less than twenty yards, patients and staff in the European hospital heard approaching them a steadily increasing roar whose volume was as terrifying as that of an exploding land mine. Then it gradually died away as the landslide missed the building by a bare hundred yards.

Two villages and twenty-one of their inhabitants were swept away and drowned by the torrent of water that, accompanying one landslide, surged downhill carrying everything before it. Another landslide, falling into the Mlungusi dam high up the mountain, sent huge waves careering down the ravine to breach the power station's pipe-borne water supply. This resulted in the township's being plunged into darkness and deprived of electricity and drinking water for several days. As the waters raced on, bearing boulders and big trees with them, all but three of the twenty-four bridges and culverts in the township were destroyed. The Africans, of course, knew just what had happened. Napolo, the giant snake that dwells in an underground lake at the heart of Zomba Mountain, "had been sleeping on his back with his ears up."[1] In turning over to make himself more comfortable he had burst open the mountainside.

Zomba township is linked with the six-thousand-foot plateau on Zomba Mountain by a well-planned, though tortuous, escarpment road, terraced from the mountainside with infinite labor. At many points this road had been swept away by the deluge, but the damage had been repaired on the first five miles. The last mile or two was still unsafe for heavy vehicles, said Mr. E. F. Sweatman, the district commissioner, when I called on him. However, if Billy drove the truck up as far as possible, our essential equipment could be transferred to a station wagon that would take it the rest of the way to the plateau in two or three trips. He would arrange for the station wagon to proceed to the rendezvous if I could say when we would be ready for it.

The question then arose as to what was to be done with the lorry during the fortnight we proposed spending on the mountain. After much telephoning here and there, it was eventually agreed that the truck might be left in the police lines where it would be under cover and guard. During all this palaver Mary and Billy had been patiently sitting in the lorry. Thomas had pleaded for permission to pay a quick visit to his father, allegedly near by, and this Mary had granted. When I returned to them Thomas had already been gone half an hour, so Hamisi was sent in search of him with instructions to return quickly. Another full hour passed, and as we

[1] For these details I am indebted to the account by A. C. Talbot Edwards, in the *Nyasaland Journal*, Vol. 1, No. 2 (1948), pp. 53-63.

had to keep our appointment with the station wagon we drove off without the irresponsible pair.

Along much of the narrow route there were, on one side or the other, steep slopes or sheer precipices. Billy successfully negotiated the many hairpin bends and brought the heavily laden lorry safely to the rendezvous where the road had been enlarged enough to turn a vehicle. After the station wagon had departed with two loads of our impedimenta, we drove down the mountain and out to the police lines on the plain. Scarcely was the still half-loaded Dodge satisfactorily parked before the station wagon arrived to take us right up to the plateau. Its nerveless African jehu was so accustomed to the escarpment road that he whirled us up in short order, the car well under control.

My original intention had been to safari across the plateau and camp beside some remnant of primeval forest. However, the commissioner had said it would take several days to find enough bearers to transport our loads, and next to impossible to arrange for them on the return journey. Besides which the plateau was largely waterless except in the vicinity of the Mlungusi River. He added that the best patches of forest would be found within reasonably easy reach of "Convalescent Cottage" which the Government generously offered to place at our disposal.

When the driver drew up at the cottage we found, to our dismay, it was right beside the road. It consisted of two pantries, two bedrooms, a bathroom, and a large living room whose bay window looked out onto a fir wood scarcely a hundred yards away. In the bay window we were soon sitting, thankfully drinking hot tea, having had nothing since leaving Chiradzulu seven hours before. Then, refreshed, we set about unpacking and distributing our belongings around the premises, an undertaking that was not entirely finished when darkness fell.

Shortly before sunset Thomas and Hamisi had turned up, the former replete with excuses, the latter somewhat soured at having had to walk up the mountain. However, they had come by what is known as "the potato path," direct and steep but only a fraction of the road route. From the kitchen came Patrick with smoldering logs that he soon blew into a cheerful blaze on the open hearth. Squatting in front of the fire and blowing intermittently proved so congenial a task Patrick was prepared to remain indefinitely, had we been willing. Not only the sitting room but both bedrooms were provided with fireplaces, for at six thousand feet the nights can be really cold.

Next morning we awoke to find our world enveloped in a mist that restricted visibility to fifty yards. The trees were dripping moisture as if it were raining. The fog lifted while we were at breakfast so I was able to set off in search of primary forest, accompanied by Thomas and Wayson. The sun smote hotly on our backs as we toiled up a steep hillside and consequently we were unprepared for the sudden change that occurred. About the summit wisps of mist began to gather, soon followed by black clouds that at noon turned to rain and, accompanied by a considerable drop in temperature, continued to pour steadily for seven consecutive hours.

During this downpour half a dozen laughing forestry boys arrived on their way home from work. The pockets of their shorts were stuffed with rats of which I bought ten. Skinning the rats kept Thomas and Wayson occupied until long after dark, and it was eight o'clock before I had the last of the specimens pinned out on a plywood shelf of the drying safe.

Once again returning daylight had to penetrate a heavy overcast, the mist still hanging like a pall or periodically swirling about, impelled by some current of air. The trees dripped steadily and it continued bleakly cold all day. Wet weather up north nearer the equator, generally provided good frogging, but on Nyasaland's plateaus the poor amphibians are apparently too chilled to move.

After breakfast Hamisi came in to say that the wood and water boys who had been engaged in Zomba to work for their daily rations and a weekly wage, wanted a shilling to buy some firewood for us. Never before in Africa had I heard of such a thing, except among town dwellers. Assuming it was a "try on," I requested Hamisi to tell them that I paid *them* to cut and fetch dead timber of which I had seen quantities rotting away in a near-by valley. Hamisi departed.

Then Wayson came in. He was a likable lad and, though desperately slow, just beginning to turn out decent skins. But field work he despised or disliked, and showed it by hanging back or holding himself aloof whenever possible. On Mlanje he had told me his mother lived at Zomba. Now he had come with a request that he be allowed to go home for a holiday that afternoon. Assuming he meant Zomba, I replied he could go next day and return on Sunday evening. He answered that was not time enough. I said I was sorry but he could not be spared for longer as it would put too much work on Thomas. Two hours later Wayson came to show me a pimple on the back of his hand, saying there were more like it on his chest and back and he was not feeling very well.

At noon he returned with Thomas, whom he politely referred to as "Mr. Thomas," for Wayson has passed through four grades in the Church of Scotland school. Thomas, in his capacity of headman, announced that Wayson requested leave to attend the funeral of his sister who had died. I replied she must surely be buried by now as Wayson had told me as much when we were at Chiradzulu at least five days ago. Thomas had difficulty in smothering a smile as he turned to confer with his client. Wayson then reverted to his original request that he wished to visit his mother and that a Saturday-Sunday leave was insufficient. I replied that it seemed ample as Zomba was less than two hours away. Thomas, translating, said that Wayson's mother did not live at Zomba. I countered by saying that on Mlanje Wayson had told me she did. On hearing this Wayson broke in to say that was only his "little mother" (aunt); his real mother lived thirty-eight miles away. So one misunderstanding was cleared up.

It then transpired he wanted two weeks' leave, offering to rejoin us in Zomba when we came down the mountain. I said this was out of the question, reminding him he had been engaged only five weeks ago to work for me, not to take holidays when he was most needed. He and Thomas retired, but lunch was no sooner cleared away than back they came. This time Wayson, polite as ever, spoke for himself in English: "Sir, I have a complaint to make, I ask for leave to go to my home and you refuse, so I want to go." I said I was sorry he wished to leave but I did not desire to keep anyone who did not want to stay. He must hand in the two blankets, jersey, and shoes, that would have been his had he remained until the end of the *ulendo.* He was evidently prepared for this and had them ready, of his own accord adding a cake of soap which had been issued to him that morning. I was indeed sorry to see him go.

So far as skinners were concerned I was now back where we started over a month ago and must begin to train some more. Fortunately, when passing through Zomba, I had asked the district commissioner if he could find me someone to take Anderson's place. Mr. Sweatman replied that there were one or two men in the vicinity of Zomba who had served with the Vernay Expedition. If they could be found he would tell them of my requirements. Only one turned up, an ex-butterfly-collector named Dondon. Him I engaged to be trained as a skinner.

Hardly had Wayson gone when Hamisi came in to say there were some men outside who wished to see me. On going out I found a very dilapidated gent who said he was a forest guard; with him was my equally ragged wood-gatherer. Pointing at him, the guard said solemnly: "This man has been found taking wood." I replied that I had told him to do so, and that he was one of two men engaged to provide us with wood and water, for which purpose they had been assigned by the district commissioner. It transpired that the man, instead of going to the place where I had seen so many scorched logs lying about, had been pilfering from a near-by Forestry Department dump. No one must help himself even to dead branches, said the guard; on the plateau all wood must be paid for at the rate of one shilling per load. I said I would write at once to the district commissioner and ascertain if my man might not gather wood that was lying about and obviously left to rot.

The woodcutter left with my note about 1:15 P.M. and was back in three hours with the reply! Mr. Sweatman wrote that *all* wood on the plateau was the property of the Forestry Department who had planted most of it and derived a revenue from its sale. To prevent Natives from carrying it off a hard and fast rule had to be maintained. This was a perfectly reasonable and logical attitude, though my tidy and economical soul would have preferred to use the wood rotting almost at my door rather than buy band-sawed logs. Whether the virtue of leaving logs to be consumed by grass fires is obvious to the darkened intellects of fuel-needy Africans is not so certain;

their record of ruthless destruction of timber resources scarcely entitles them to a say in the matter. One thing at least is unmistakably clear. The economic laws inseparable from our encroaching civilization are inexorably enmeshing Nyasaland in their octopus-like embrace. There is in fact practically no virgin forest left on Zomba, and the extensive plantations of conifers that cover many acres harbor very little wildlife. The closeness of their canopy excludes sunlight and in conjunction with their ever falling needles, which blanket the ground, effectively prevent the growth of lesser plants.

The rather villainous-looking woodcutter, with no wood to cut, proved a cheery and willing fellow, Shindanu ("needle") by name. He was much amused when I enquired if he had been so-named as a boy because he was unusually sharp. For some minor misdemeanor he was serving a jail term—with me! As fetching sawed wood occupied less than an hour of his time, I called Shindanu to accompany Mary, Thomas and me as we set off for Mlungusi dam.

From the dam we worked upstream turning many logs and digging for snails in promising spots, but without success. In debarking a dead tree Thomas discovered a group of chilled ichneumon flies that he picked off one by one until eight had been transferred to the killing bottle that I held up for him. Of reptiles and amphibians there were none except a variable skink lying torpid beneath a log, a toad, a dusky-throated frog and a call which sounded like that of a frog.

A few days later I returned to this stream when the sun was shining. The bracken was ablaze on the mountainside and as the crackling flames swept down toward the stream I was amused to note that the noise incited all the toads (*Bufo r. regularis*) concealed along the bank to utter their sonorous calls. It revived memories of an occasion at the museum when fifty huge Marine Toads (*Bufo m. marinus*), recently arrived from tropical America raised their own grating accompaniment when stimulated by the sawing of a carpenter doing some repairs in the entrance hall.

The following afternoon Mary and Shindanu preceded me to the windy mountainside above the governor's cottage. By the time I overtook them Mary had a piece of slough—apparently shed by a large cobra—besides a live snake (*Duberria lutrix shiranum*) to show me. The torpid reptile, neatly coiled, was asleep on a rock when Mary caught sight of it. She pointed it out to Shindanu who, not understanding a word she said, promptly struck at it before she could stop him. Mary had to hold him off with one hand while she planted her stick on the snake, which was wriggling away. The reptile made no attempt to bite as she picked it up and popped it into a bag, for, like the North American Dekay's Snake (*Storeria d. dekayi*), the species is a harmless slug-eater. A fact unknown to Mary at the time. I was especially glad to get this example of a form of which the first specimen probably came from this very mountain, for the name *shiranum* refers to the Shire Highlands.

But, though we spent the entire afternoon turning stones and digging in likely spots, not another snake did we see and only a few snails, or rather their shells, including those of a dozen dead *Gulella johnstoni* in six inches of soil below one huge rock. In a crevice between other rocks, their whiteness concealed by a mat of moss and drifted leaves, I found thirteen of the tiny hard-shelled eggs of the Angle-throated Gecko (*Lygodactylus a. angularis*). This was the first tangible evidence of the occurrence on Zomba of this little arboreal lizard, though careful search of the few stunted trees growing in the vicinity failed to reveal any of the reptiles.

However, the major interest of the find was the evidence it furnished that these geckos, of which rarely more than a pair are to be found on one tree, leave their trees when gravid and converge on some place to deposit their round, pill-like eggs. As only two are contributed to the hoard by each gecko, seven lizards had laid in that one spot—which appeared neither better nor worse than other sites near by. One egg was empty, having had a neat little hole drilled in it by something that I suspect was the rasping, filelike tongue of a carnivorous snail bent on extracting the contents. Whether snails so behave I do not know for certain, but at Blantyre I found a pair of eggs of the Cape Gecko drilled in the same way, and retain a hazy recollection of having seen mustard-colored snails' eggs similarly perforated on the Ruwenzori Mountains.

The gecko that laid the eggs was less handsome than her mate, for I observed a pair facing each other on a horizontal pole. Suddenly the male raised himself as high as his little forelegs would permit, while simultaneously inflating his bright orange throat so as to display to the best advantage the several more or less complete, blue-black chevrons that it bore. These recognition marks, displayed in courtship, are reversed in the closely related Yellow-headed Gecko (*Lygodactylus p. picturatus*) so common on Zanzibar and the adjacent coast. Thus in their chevrons these humble geckos respectively resemble the exalted noncommissioned officers of the United States (/\) and British (\/) armies. But the rosy-brown male gecko did not depend entirely on his gular chevrons; along each side was a series of velvety-black, triangular patches and between his eyes a light-edged, dark crossbar.

I caught another pair of Angle-throated Geckos on an isolated tree whose hollow base harbored an enormous colony of fierce cocktail ants. One wondered how the little lizards managed to live with such neighbors for, as I was catching the geckos, thousands of the ants emerged to defend their domain and were soon swarming over every branch and twig so that I was thankful to retire with my captures.

One morning Mary and Billy were thrilled by the arrival of the biggest chameleon they had ever seen. From the short horn on its snout to the tip of its tail it measured over eighteen inches. Though ninety years had elapsed since the first Giant Horned Chameleon (*Chamaeleo melleri*) was discovered by Dr. J. C. Meller, a medical missionary stationed at Zomba, the species is apparently uncommon, to judge by the interest in it displayed by the band of children accompanying its captor. Mary proceeded to photograph the reptile and then allowed the youngsters to look at it through the ground glass of the view finder. So eager were they to see into the camera that some put their tummies *against the lens* as they peered down into the hood. In their excitement they crowded about Mary who found their aroma somewhat overpowering.

Natives have often told me that when one of these giant chameleons is gravid, she seeks out the highest tree she can find. There for several successive nights she allegedly emits a long-drawn "oo-hoo" cry before casting herself headlong to the ground where she bursts asunder and, by this act of self-abnegation, liberates her progeny. To record such cheerful nonsense as folklore is permissible, but can only be regarded as distinctly deplorable when a resident European, whose name I mercifully withhold, publishes it as authentic natural history. True, he had at first thought the story was "a yarn," until he "proved the truth of the statement" by finding a dead chameleon in the forest where he had heard the call on two preceding nights. How finding a dead chameleon validates any of the statements in the Native story is not clear.

Hans Coudenhove[2] repeats the Native version and, with characteristic humor, adds:

> I had my doubts concerning the report; so once, when I was standing under a tree just outside my stockade, and a large chameleon, with a horn suggestive both of the rhino and of the narval, fell down flop at my feet from the very top, my expectancy was keen, the more so as a native standing near exclaimed excitedly: "Now she will give birth to a lot of young, and then she will die." But unicorn, quite undisturbed by its fifty-foot drop, got up, walked to the tree in *Parade-Marsch*, started to climb it, and disappeared.

Though the principal food of these prehistoric-looking reptiles consists of grasshoppers and other insects, small weaver birds such as the cordon bleu (*Uraeginthus bengalus nyassae*) and animated plums (*Lagnosticta senegala rendalli*) are sometimes eaten by the giant chameleon. Photographs of the birds being swallowed have been taken at Zomba by Mr. J. R. Lennon. He sent me other snaps of a giant chameleon burying her seventy eggs, and subsequent pictures showing the young emerging from the buried eggs to climb twigs. Only a bump or swelling on the snout of such young chameleons indicates the place from which the annulate horn of the adult will later develop.

Two other men brought us thirteen giant snails (*Achatina panthera lamarckiana*) and when I bought the lot one man returned with a further nineteen, all alive. As we had only managed to find more or less bleached shells I was curious to know how and where he had found living snails. "Beneath rocks around Kasonga village," said the vendor. Mary promptly declared she would like to visit

[2] Hans Coudenhove, *My African Neighbors* (Little, Brown & Company, 1925), p. 242.

Kasonga and find some for herself. So after photographing one of the snails "on the move," she and Billy went off in the direction the man had indicated. They returned hours later, tired out, having failed to find their objective as the village was apparently at least ten miles away across the plateau.

Another day was spent in seeking for "Chingwe's Hole." In the States I had read that hyrax lived on the rocks in the vicinity of a geological fault known as Chingwe's Hole. As I wanted examples of the Zomba hyrax we made inquiries of the Natives but none of those we questioned knew where it was, though all agreed it was a long way. This seemed strange, for one of the things that had caused an involuntary groan the day we arrived on the plateau was a sophisticated signpost at the top of the escarpment pointing the way to Chingwe's Hole.

We had actually given up the search and were homeward bound in the late afternoon when shouts from Mary caused me to leave the gunbearers and turn back to see what was the matter. Billy had discovered a path leading out along a narrow spur and they were going to investigate. On either side the spur fell away precipitously for three thousand feet, while near its end was Chingwe's Hole—an unfenced, unfathomed pit with a diameter of about twenty feet. Into this hole Malumbe, a Yao chief, reputedly thrust his enemies, and certainly tossed the corpses of his people killed in battle so as to circumvent *mfiti,* the wizard who feeds on human flesh. It occurred to me that over the years repeaters of this tale may have derived *mfiti* from *mfisi,* the Yao name for the skulking, corpse-consuming hyena. Into the yawning cavity we dropped a few pebbles, but never heard them strike the bottom which may well be more than a thousand feet down. Twenty yards away was the western lip of the plateau with forest of sorts clinging to its three thousand feet of precipitous cliff, an awe-inspiring sight that made one's toes tingle. Lodged among the trees far below we could see masses of rock that had broken away from the edge of the plateau and plunged into the depths. It must be among these rocks that the rubber-soled hyrax have sought refuge from molestation, and are likely to retain it indefinitely so far as man is concerned.

VII

Wyson—Elephant Shrews on Vipya

WITH four days driving ahead of her Billy was eager to make as early a start as possible. Everyone co-operated to such good purpose that, notwithstanding a double journey up and down the mountain by the station wagon, the transfer was effected without a hitch, and we left Zomba township shortly after 8:00 A.M.

Thomas asked if his sister might travel with us as far as her village. Permission having been given, he promised she would be waiting by the roadside to be picked up. When we stopped we found not one, but two women, a baby, and a couple of sizable bundles. We left them about noon on the farther bank of the Shire River which we crossed on the Liwonde Ferry. Abundant papyrus, scattered palms, and the vivid green of the vegetation bordering the great river imparted a tropical touch to the scenery, yet fifty feet from the water's edge clumps of bananas were wilting, dry and dusty.

An hour later we stopped beside a shallow river where pigs and people wallowed or washed. I accompanied Patrick fifty yards upstream to supervise the filling of the kettle, after which we sat down to lunch beneath a group of patriarchal trees. Then in sticky heat we drove northward through a desiccated countryside.

It was just five o'clock when Billy drew up in front of the Angoni Highlands Hotel at Dedza, in a setting beautified by the flame-red foliage of the small trees on the surrounding hillsides. When first seen we mistook these leaves for blossoms, but closer inspection revealed that the same tree bore both bright green and red leaves, apparently dry-season tinting corresponding to the fall coloring in northerly climes. Tea was served in an open-air lounge commanding a fine view of a *kopje* close by. A few nights ago, said the manager, he had shot a hyena, and just before that a leopard which had broken into his fowl house and killed all the turkeys. Leopards, however, were becoming increasingly scarce in the vicinity.

Early next morning I was engaged in siphoning gasoline into the Dodge's tank from one of the drums we carried, when a near-by casement opened slightly and Mary called: "Arthur, do you want a gecko?" As she held out the squirming lizard Mary explained that she was in her bath when she saw the reptile emerge from a crack in the wall. She had captured it by throwing a towel over it. Though only a Common House Gecko (*Hemidactylus mabouia*), it was the first we had encountered in Nyasaland so I was glad to have it.

That night we camped outside Kasungu village, and the following day continued northward past several poverty-stricken hamlets situated in eroded areas of orchard forest and sparse grass, much of which had been burned over. Then we gradually ascended to uplands of red soil where the cooler air was refreshingly invigorating. As the morning wore on, the roads improved very much so that for considerable stretches we were able to bowl along in comfort at thirty miles an hour. Toward noon we began losing altitude again and on reaching the outskirts of Mzimba found it hot and dusty with a strong wind blowing.

Billy stopped, and I had got down to inquire the way to the resthouse, when a car drove past and drew up a little farther down the road. From it stepped Mr. C. W. Benson, the district commissioner, in full regalia, having just come from presiding over a council of African chiefs in the absence of the provincial commissioner, who was indisposed. Benson, a keen ornithologist with whom I had been corresponding for some months prior to leaving the States, directed us to the resthouse and promised to call round as soon as we were settled.

I had asked Benson to try to find me a couple of good skinners, failing that, two alert youngsters who were trainable. Benson said he had only got two old men for me, but suggested I might persuade his own bird collector, Jali Makawa, to accompany us. Jali, who spoke Swahili fluently, refused quite definitely, saying he wanted a month's holiday as he had but recently returned from a trip to Nchenachena on the lower slopes of the vast Nyika Plateau. As we too must pass through Nchenachena it was finally agreed that Benson would try and arrange for Jali to meet us there at the conclusion of his vacation.

Our immediate destination was the Vipya Plateau and, though we were anxious to make an early start the following morning, in typically African fashion everything conspired to frustrate us. First there were the two men, who had come in from their village, to be interviewed at the commissioner's office.

The younger, a tall, rather good-looking fellow with soft brown eyes and shining white teeth, wore an overcoat, shirt, and much-patched pair of dungarees. He gave his name as Wyson Banda, beyond which he would say little, reiterating that his grizzled companion was "*Numberi wuni* (Number one)" and empowered to make all arrangements for them both. This was accomplished through the court interpreter as translator and witness. The older, Zacheyo Mraezwen, was grandfatherly, grimly serious and utterly unsuitable for delicate skinning. All he wore was a cloth wrapped about his waist. I offered him the job of wood and water carrier and Wyson that of gunbearer, both to lend a hand with loading and unloading the lorry, a job to which the other boys were rather sullenly applying a go-slow technique. Extra help would lighten this onerous, if infrequent, task.

"Will you promise to be kind to us?" asked Zacheyo through the interpreter. "Are you going to be kind to me?" I rejoined, provoking a smile which made Wyson look more attractive. Then they inquired about food, already in short supply thereabouts, and they were relieved to learn that I had brought several sacks of *ufa* with me which they agreed to accept as rations until I returned them to

Mzimba in two months' time. At the last moment, after everything had been arranged, I learned that Wyson had been employed in the mines at Johannesburg, more recently in a garage; both experiences that might conceivably unfit him for my sort of work. By then it was too late to go back on the arrangement, so it was agreed that the two men should return to their village for their belongings and be waiting by the roadside for me to pick them up in two hours' time.

Months later, when Patrick returned a Nyanja-English vocabulary I had lent him, I found between its pages a postcard photograph of a debonair young man, complete with cane and bowler hat, standing on the sidewalk of some southern city. On the back was written "Wilson Banda" and a date. The apparently inadvertent leaving of the photograph in my book was doubtless my ragged Wyson's (variant of "Wilson's") delicate way of providing me with the opportunity of seeing something of his splendid past. I learned that he had contracted to work at the mines on four separate occasions, and was contemplating going for a fifth turn when I came along. It seemed to me that this was something of a testimonial to the way labor is treated at the mines. Indeed, to my surprise, Wyson's occasional allusions to life on the Rand consisted of nostalgic recollections of a wondrous world.

It was only a thirty-mile run from Wyson's village to the Vipya, up an ascent so gradual as to be scarcely noticeable. Benson had suggested that a site known as "MacDonald's Camp" would prove as good as any, being near some gully forest and not too far from water, a very scarce commodity on the plateau. To find this camping place was no easy matter, for the plateau appeared uninhabited except for a couple of cattle kraals in charge of veterinary employees. The rolling downs, covered with waist-high grass, have been subjected to annual burning that has destroyed the original forest, except for a few fire-resistant copses and some gully growth that is little more than scraggy woodland straggling along the marshy bottoms. The Vipya's eroded hills are strewn with stones that have been left behind when the heavy rains washed off the covering soil.

MacDonald's Camp consisted of a leaf-strewn clearing, just large enough to take our two tents, in a clump of fine trees. Enough sunshine filtered through the green canopy to dapple the mossy trunks with light and shade while affording welcome relief from the glare without. The boys' tents were pitched in the lee of the copse and that night all were thankful for the protection provided by the trees when a gale blew off the lake lying twenty miles or so to the east.

After an early breakfast I departed for the nearest gully forest in search of reptiles and amphibians, particularly caecilians. We dug in mud, beneath wet and dry logs, and between tree roots but without finding anything more exciting than earthworms. We did disturb three reedbuck in as many hours, and I shot a bird or two before returning to camp feeling pretty discouraged. There I found Mary, who had put on her waders and spent the morning hunting up the stream but without seeing so much as a tadpole.

In the afternoon some milk was brought us by stockmen from the cattle kraal, anxious to conduct me to where reedbuck (*Cervicapra a. arundineum*) might be found. I set off with them on what proved to be a long walk to a stony region where grass was sparse and consequently the game easier to see. The first buck sighted was halfway up the slope of a bare hillside from which he eyed our approach with interest. Bidding the boys remain behind, I stooped and stalked it, but overshot the animal when at last I knelt to fire. The buck promptly bolted to the skyline where for a moment it paused to look back before disappearing from sight.

Presently Thomas and I were descending a ravine when he spotted a buck and three does on the opposite slope, and one of these I killed outright with a bullet through the neck. At the prospect of so much meat the men were jubilant, but the sun was already down so they decided to carry the animal back to camp for skinning, a staggering load over such rough terrain, even for four of them. I inquired if lions were much of a nuisance but the stockmen said they only occasionally visited the plateau.

One such visit occurred a few weeks after we left when a veterinary officer pitched his tent at MacDonald's Camp. Toward sunset stockmen came to report a pedigree bull was being attacked by a lion and a terrific fight in progress. Barnes, the veterinary, hurried to the spot and saw the lion, which had been victorious in the fight, leaving the kill.

It was dark by the time the reedbuck was brought in, but the boys made no fuss about removing its skin by lamplight—later supplemented by the full moon—and chatted gaily at the prospect of a feast. Indeed most of the following day Amini was happily occupied in cutting the venison into strips which he dried over several slow fires. The resulting biltong was for the use of himself and his companions for many days to come. I nailed out the reedbuck skin on hard ground, a lengthy business, and dealt with the rodents we had trapped around camp; with one exception all were widespread grassland forms.

While I was engaged with these and similar chores, Mary came over to say that she had just seen an animal which I had disturbed on the day of our arrival and both of us had heard several times since. It was a large Spotted Elephant Shrew (*Rhynchocyon cirnei hendersoni*) that spent much of its time searching for insects to eat by scraping fallen leaves aside with its unusually long claws.

Taking the collecting gun I sat in ambush for twenty minutes without result. But scarcely had I resumed work before Mary was back again to say the shrew had returned. I expressed reluctance to waste more time so she told me to give her the gun, though she had never fired a .410 shotgun before, or since. I showed her how to sight it, advised her not to shoot if the quarry was nearer than thirty or forty feet, and away she went.

Nearly an hour passed so I was momentarily startled by the report of a gun, not in our copse but some distance away. Unaware that Mary had left, I ran out to the road and called, an answering cooee from a copse away on the far side of the road reassured me. I hurried on.

"Did you get it?" I asked as I made my way through the undergrowth to where Mary was standing, the still smoking gun in her hand.

"I'm afraid I missed," she answered disconsolately.

"Where was it?" I enquired.

"Just about here," replied Mary as she continued scanning the ground with an air of hopeless resignation.

"And still is," I exclaimed as I stooped forward and picked up the animal that was lying within a few inches of her feet; good evidence of the efficaciousness of its strange coloring.

For the elephant shrew, slightly larger than a gray squirrel but with an almost naked tail, was in general a grizzled olive hue with half a dozen reddish-brown streaks or lines along the back. These lines were more or less united by crossbars that resulted in a ladder-like effect with irregular buffy-white blotches in the interspaces between the rungs. The blackish, ratlike tail turned to white near the tip. This arrangement of pigmentation produced a remarkable dappled effect that rendered the shrew invisible among the network of lights and shadows on the forest floor where shafts of sunlight filtered through the foliage above.

Mary said she had crept in quietly among the trees, then waited very still. Every now and then a dry leaf came pattering down to join those already carpeting the ground. Again and again she mistook the noise they made for the footsteps of an approaching elephant shrew. When at last one did come, she neither heard nor saw it arrive but suddenly realized that one was right in front of her poking its elongated nose among the dead leaves. Raising the gun Mary pulled the trigger. Nothing happened, for in her haste she had forgotten to release the safety catch. Rectifying this omission she again aimed and fired. This time the barrel jumped so with the explosion that she failed to see what had happened to the shrew, but hurried to the spot where she had last seen it, and where it was lying with a bullet through the brain. I was more than pleased to have this specimen to preserve, for it was a survivor of the former forest fauna of which I was in search.

Elephant shrews are such timid creatures they are more often heard than seen and I did not get my first clear view of one until we reached the Matipa Forest in the Misuku Mountains. There one evening, I was standing, alone and unarmed, beside a tree when a scared shrew came precipitously straight toward me. What had frightened it I do not know, but it was within twelve feet before it caught sight of me, halted and froze. For a full minute the animal remained motionless, poised on its stiltlike legs, affording me an excellent opportunity of observing how wonderfully its blotchings blended with the lights and shades of its surroundings. Then, so slowly and stealthily that no movement was obvious, it turned about and moved away six inches until hidden by some intervening stems of undergrowth after which it bolted without further hesitation.

On another occasion Thomas was preceding me up a steep slope, slashing a way through the undergrowth with the machete he carried. I was some distance below him, engaged in searching beneath a log I had rolled over. The elephant shrew, doubtless disturbed by Thomas' invasion of its forest home, came racing down the hillside so fast that the noise of its flying feet on the carpet of dead leaves made a single continuous rushing sound like that produced by a startled snake. Though the animal passed quite close to me and in full view for twenty feet, all I saw was a brown streak, the handsome cream-colored markings being quite indistinguishable.

But already we had seen enough of local conditions to realize we would be wise to follow Benson's suggestion and curtail our visit to the Vipya in order to have more time in the north. The balance of that afternoon was spent in making preparations for an early start on the following Monday.

When Monday came I arose at 5:00 A.M. to call the boys and found Wyson missing from his tent. Suspicious, I asked Thomas if he thought the fellow had deserted. Thomas did not think so: anyway Wyson had left the blanket issued to him. What surprised me was the disinterested attitude of the other boys, for they neither discussed the disappearance nor grumbled at having to shoulder Wyson's share of striking tents and shifting loads. Two hours later the missing man turned up saying he had gone to a distant hut to buy salt; evidently for, and with the collusion of, his companions.

For thirteen miles we sped along in great spirits out to the main road, after that the going was both bumpier and dustier. Midway between Njakwa and Katumbi we found our way barred by a fierce bush fire that was sweeping across the road. Billy drew up and, fearing we might encounter fallen trees, suggested we camp for the night to allow the conflagration to subside. I walked ahead for a mile or so on the chance that some snakes might have been driven out of the grass by the fire which, with an impressive roar and a fusillade of crackling, was raging over the dead fronds of a palm-studded area beside a river. This sluggish stream resembled an opaque gray soup and, according to a group of Natives who had gathered to watch the blaze, was stiff with crocodiles. It was almost certainly infested with the snails that carry the cercaria parasite causing the disease of Bilharzia, of which there is a high incidence in Northern Nyasaland. Altogether an unattractive place to camp so we decided to drive on. On through a gray land of smoldering ash, here and there enlivened by a still burning tree or the flare-up of a bush.

Little more than an hour of daylight remained when at last we reached Wenella Labor Camp resthouse, a depressingly gloomy, wattle and daub affair, yet a welcome refuge after so tiring a run. At least we were spared the necessity of pitching tents. Five of our boys slept on the back veranda, merely a mud platform six inches higher than the ground but sheltered from possible dew by the projecting thatch above.

Zacheyo and Wyson, after some argument and a considerable display of truculence, consented to sleep on the lorry so as to afford some protection to our stores. Wyson had friends in the near-by lines where hundreds of indentured Africans were resting on their way to the mines. Their community singing and chatter, and afterward the loud voices of a garrulous group around the night watchman's fire, prevented sleep and kept me awake until 2:00 or 3:00 A.M.

From Katumbi northward to Fort Hill the little-used road passes through many miles of uninhabited bush. When we drew up outside the resthouse at Fort Hill the tiny store and a few Native houses that comprise the outpost lay baking in the glare of the noonday sun. At such an hour not a soul was to be seen in the whole dusty place and Thomas went in search of the caretaker. Learning it was only eight miles to the foot of the Misuku Mountains we decided to have lunch and push on with all speed. That meant about four miles per hour for the rough track was in a sorry state as a more direct route was about to be cleared of bush.

The new road was to facilitate the removal of ghee, a kind of boiled butter beloved of Indians and much used in cooking. It was being produced in a Native co-operative "gheery"—the word is my own improvisation for lack of a better. The scheme had been devised to enrich the cattle-keeping tribesmen of the area and was under the supervision of the Veterinary Department. Workmen were engaged in getting a house ready for the veterinary officer who was expected to arrive in a few weeks' time. To this house we were directed and as the carpenters were just leaving we moved in for the night.

For seven of the past ten days we had been shaken and joggled unmercifully on Nyasaland's ripple-surfaced roads, while the dust had been simply appalling. Fortunately we passed less than half a dozen cars or lorries per day, but were smothered in our own dust whenever we slowed down or stopped. It lay like a coating of brown flour over everything, even invading the boxes of stores which could not be protected against it. Driving hour after hour through a land so largely ruined by man's destructive methods of agriculture, we found relief from the monotony of the desiccated scrub and savanna only in occasional glimpses of red and green foliage, views of distant mountains, and the peerless sunrises and sunsets.

The Dodge's performance under these conditions delighted us all. With Billy at the wheel it had carried its heavy load up steep escarpments, creeping around interminable hairpin bends until we reached the summit. Then, after tackling another series of curves as we ran downhill, Billy would let the truck career down the straight until we came in sight of the inevitable drift or railless bridge made of saplings lashed in place by bark rope. Some bridges appeared capable of carrying little more than a pram—provided the baby was a light one; actually they proved surprisingly strong and sturdy. Billy felt, however, that 140 miles of such hazards per day was an adequate ration for a white lorry driver, though willing to concede a nerveless African might accomplish more. We all looked forward to a month's freedom from motoring, but regretted there was nowhere to park the Dodge but in the blistering sun; the best we could do was to place her beside the brick veterinary office where she would get some shade during the hottest hours of the afternoon.

When the veterinarian settled at Chinunkha he would be rather isolated for, apart from itinerant labor recruiters, the nearest European resided at Njakwa 130 miles to the south. The "Native Authority," a chief of some importance called Nyondo, came up to see me. He had been asked by government to find porters to take us up the mountain and promised that they would be on hand in the morning. I worked far into the night reducing the number of head loads by removing everything we would be unlikely to require.

About seven-thirty next morning an interpreter arrived with a dozen men and women, and apologies from Nyondo, who promised more would follow. Oh, for the well-ordered safaris of prewar years! I protested that I had never before employed women as carriers, and was assured by the interpreter that not only were the women eager to earn some money, but there was no alternative. Most of the men were away at the mines with the exception of those employed in the gheery or elsewhere. The first group were assigned their loads and left within half an hour. Mary and Billy departed shortly afterward in their wake. I wished them good-by, not knowing when I should be able to follow.

At quarter-hour intervals small parties of four or five women continued to arrive and were dispatched with loads as soon as I had listed their names and villages. In between times we moved the unwanted loads from house or lorry into the veterinary office for safekeeping. When forty women, fourteen of whom carried babies as well as their loads, had gone ahead and only seven loads remained, I started up the mountain with four of our boys.

With the midday sun full on our backs it was a trying climb, yet when I reached the Matipa-Wilindi Ridge I found the carriers chatting cheerfully as they sat in the shade. Mary and Billy were with them and expressed amazement at the women. Not only had M. & B. failed to overtake those that had set off before them, but some who had left Chinunkha later, though carrying a baby in addition to a load, had passed them on the way. Billy was particularly impressed by their carriage and thought them a very attractive lot and one girl really lovely. She was one of a group led by an old crone who could not understand why Billy's ears were not pierced. Words failed them. Had the ancient been able to tell Billy why her ears were pierced, Billy felt she could have explained why hers were not!

The entire company were waiting at the foot of a rise on which some official had once camped and they were anxious for me to do the same. However, Mary and Billy declared that they had found a far superior site, closer to the forest and to a lovely stream in which they had had a refreshing bath. So, after I had inspected the first spot, we moved on a quarter-mile to a slope from which most of the bracken had been burned off quite recently. There in the shade of a small wood we pitched our tents facing the fine forest from which we were separated by a mere fifty yards of bare ground.

When paying off the bearers I thanked them, through the interpreter, for coming, and presented each baby with a penny as a present, thus avoiding any charges of inequality of remuneration. The immediate chorus of thanks from the fourteen mothers was offset by the men who had assisted my boys by holding the tent ropes or driving pegs home, putting in a claim for overtime! In bygone days it was a recognized part of porterage to see the traveler installed in his tent before leaving him.

As some bracken was being cleared from the tent site, one of the bearers pointed to the pebble-like eggs of a nightjar (*Caprimulgus poliocephalus guttifer*) lying side by side on the bare soil, for a "scrape" is the only attempt at a nest made by this species. Nightjars, so-named because of their persistent "crurring" call at dusk, are closely akin to "whippoorwill" of the Eastern United States. Indeed it would probably take an ornithologist to tell them apart for the family livery consists of a mixture of brown, buff, ashy-gray and black markings with a few distinctive white spots or bars. The overall effect of this coloring renders the brooding bird so inconspicuous as to be almost invisible. Exactly the reverse of the gaudy plumage of the blue jay which a nightjar approaches in size. Because of their huge gape and an ancient superstition, these birds are often called "goatsuckers" by Europeans, which is even more misleading than the American name of "nighthawk." The Caprimulgidae are not "hawks" in the commonly accepted sense, though the moths and other nocturnal insects on which they prey might not appreciate the difference.

Five minutes later Hamisi arrived with a Rungwe Tree-Viper (*Atheris nitschei rungweensis*) dangling from a noose he had slipped about its neck. Apart from the evil-looking head, it was a lovely reptile of a rich velvety-green shade with a black zigzag marking extending from its neck to the short, tightly curled, prehensile tail with which these shrub-dwelling snakes hold on during a high wind. Hamisi said he had captured it in a little clearing where it had emerged from the bushes behind Amini as the cook was squatting in front of a fire he was making. I was delighted to get this specimen for not only was it the first of its species, but the first of its genus, to be taken in Nyasaland. Whether the enrichment of their herpetofauna by a venomous viper would be as pleasing to Nyasalanders in general, must be left for them to decide. Previously the only record of this race was that of a single snake taken on Mount Rungwe in southern Tanganyika Territory. Before leaving the Misukus we obtained three more of the vipers, one of which had recently swallowed two cricket frogs. It was an exclamation from my gunbearer that caused me to turn and catch this reptile, over which I had stepped without ever seeing it, so well did its coloring blend with the marshy ground on which it lay.

But on the evening of our arrival as the sun went down and we felt the chill of the mountain air at six thousand feet, I was greatly cheered by the encouraging omens. This forest appeared to be the most promising of any we had so far encountered in Nyasaland, the nearest approach to the equatorial rain forests of East Africa.

And so it proved to be when we entered it next morning. Tree ferns of amazing grace and beauty added to its tropical appearance, while the pervading stillness was periodically broken by the discordant, raucous cries of huge hornbills. Lonesome trogons (*Heterotrogon v. vittatus*), with rich metallic-green backs and pink breasts, sat motionless as they whistled softly yet penetratingly for mates. The occasional patter of fragments on the leaf-strewn path that traverses the forest caused me to look up, and there—so high as to be far beyond the range of a shotgun—were several blue monkeys feeding. Shortly afterward I saw a reddish squirrel make off among the dense growth of lianas.

It was probably from this very forest that the first of these squirrels (*Aethosciurus lucifer*) had been collected fifty years ago by the industrious Alexander Whyte. Consequently I was anxious to secure a series for comparison with others I had obtained in Rungwe Forest to the north. As squirrels are less secretive in the very early morning I entered the forest before daybreak the following day. At that hour visibility was much restricted by a canopy of mist that clung to the trees and precipitated like rain. It was a delightful if eerie experience moving along the forest path silently and stealthily as our eyes searched the tangle of lianas and parasitic plants overhead. We were seeking signs of life other than that furnished by the monkeys and hornbills safely feeding on the canopy of great trees towering two hundred feet or more above us.

Every now and then we would hear a squirrel's cry of "kuwhek, kuwhek," and by careful stalking of the oft-repeated sound catch a glimpse of the jerking tail that accompanies each "kuwhek." Without such movement, ridiculous as it may appear to anyone who has only seen the animal's rich rufous pelt, a *kasia,* as the Misuku call their handsome squirrel, is next to impossible to distinguish from its environment in the evergreen forest. This is due to the abundance of red-brown epiphytic ferns that smother the larger limbs of the forest trees.

I was successful in securing two squirrels, both females, before returning to camp for breakfast. There I was greeted with the information that as dawn broke, shortly after my departure, two large bush pigs arrived and stood in the open about fifty feet from my tent. They turned out to be the only ones seen by any of us during the entire *ulendo.*

The next time I slipped out of camp before daybreak I told Wyson the night before that he need not follow until he heard a shot. On hearing a squirrel "kuwheking" I moved in the direction of the sound which ceased abruptly. I sat down and waited, and after five minutes caught sight of the red tail of a squirrel that for a further five minutes continued to run freely about in the forest canopy without exposing itself. Eventually I fired and the animal fell dead. I picked up the body and made my way out to the path where Wyson presently found me. We went on together and I collected another squirrel and a blue monkey before returning to camp.

The third morning found me in the forest before sunup and I was rewarded by a couple of birds and a squirrel. As Wyson ran forward to retrieve the rodent I called out to know if it was a male or female.

"What?" queried Wyson, not comprehending.

"Is it a man or woman?" I elucidated, as he approached, pushing through the undergrowth.

"A woman," he rejoined.

"Too bad," said I, "for I have now shot five and all have been females and I must get a male." It may have been a coincidence but my attention had been attracted to four of the five by their "kuwhek-ing" cry, which would seem to suggest that the males are less vocal than their mates.

After breakfast I tried a different section of the forest. This time Wyson and I were accompanied by Thomas. Presently Thomas pointed out a squirrel high overhead and almost concealed in a veritable tangle of lianas. As I shot it Thomas and Wyson ran to recover the animal, but seeing Thomas was well in advance, Wyson halted halfway. When Thomas picked up the squirrel Wyson caught sight of it and exclaimed ecstatically:

"Oh, good! It's a boy."

Wyson knew no Swahili so we had to converse in English, though his vocabulary was distinctly limited. Once when the three of us were returning to camp through an unfamiliar bit of forest we came upon a big pit. As I paused to look at it Wyson volunteered the suggestion:

"Man made for big animal."

"Buffalo?" I asked.

"Yes," he replied.

"But there are no buffalo here," I countered. Hastily Wyson corrected himself.

"Oh, no! Not man made, Jesus made," he said, presumably meaning it was a natural formation.

Wyson's original assumption that it was an abandoned game pit was understandable, for, though the nearest African huts were a couple of miles away, I have rarely seen so many snares and traps as in Matipa Forest. It was traversed by the main path that crosses the Misuku Mountains from Chinunkha in the western foothills to Karonga on the lake shore away to the east—a good three days' walk for most people. Only very occasionally did we meet a solitary Native, or small party of them, along this path near which most of the snares were set. One evening not long after our arrival, Mary removed a ground-feeding forest dove (*Aplopelia l. larvata*) from one, for by morning there would have been little left of it but a pile of feathers. Probably the trappers gave up visiting their snares while we were camping in the vicinity.

The most elaborate snare was set on a specially constructed "bridge" composed of several trimmed poles resting, at a height of about eight feet from the ground, in the forks of four saplings. The "bridge" connected two outlying patches of forest that were separated by a gully. The ingenious arrangement rendered it unnecessary for monkeys to descend to the ground, a thing they are generally averse to doing.

I desired half a dozen blue monkeys, gray-blue would be a more accurate designation, as they allegedly represented a different race (*Cercopithecus mitis moloneyi*) from those we had met with on Mlanje Mountain. Toward sunset on our first day in the Misukus I had been returning to camp when two magnificent monkeys, that had been feeding in trees to the left of the path, took great leaps through space to reach the forest on our right. As each landed I shot it dead but they were so heavy that Wyson had to return to camp for help. I measured the larger and found it was fifty inches from nose to tip of tail, but the tail accounted for nearly twenty-eight of the total.

By then it was too late for the boys to do any skinning, so the following morning I remained in camp to supervise the work. We turned the monkeys into scientific study skins by filling them with excelsior, their tails with flexible reeds, their eyes and mouths with snowy-white cotton; after which I pinned them out on boards to dry. The bodies were carried off to eat by some of our Misuku visitors.

It was not long before I had half a dozen specimens of the Misuku monkeys, after which I was glad to declare a truce. Wyson had some difficulty in adjusting to the new attitude of sitting quietly to watch a party of monkeys feeding close by. Once we had been pushing through secondary forest so dense in patches that occasionally it drove us to proceed on all fours. Straightening up at one point we paused to watch the antics of a kindergarten party of young blue monkeys that were disporting themselves quite oblivious of our presence. There were at least a score of them, chaperoned by a couple of young matrons who were obviously negligent in the discharge of their responsibilities.

Another day I saw a baby monkey with its tail twisted around that of its mother as the infant clung to her undercarriage—the first hopeful hint that our African monkeys might yet learn to be as handy with their tails as their smart American cousins. I refer to the well-known fact that the caudal appendages of most tropical American monkeys are prehensile, while such African primates as have retained their tails employ them simply as balancers. There are, of course, more substantial grounds for distinguishing the tailed simians of the two continents. The thirty-six teeth of American monkeys are reduced to thirty-two in the African forms, the latter are known as catarrhine monkeys as a narrow septum separates their downward-pointing nostrils, while the forward-directed noses of the platyrrhine or New World monkeys are separated by a wide nasal septum.

VIII

Mary Captivates a Cobra—The Misuku People

APART from man, the only enemies the Misuku monkeys had were leopards, and they apparently were not numerous. As the weather was fine during our stay meals were served in the open within a stone's throw of the forest. At night an acetylene lamp illuminated the table but accentuated the blackness beyond. One evening Mary was cutting the bread when there was a rumbly sound close by.

"Was that a leopard?" inquired Billy.

"No, a distant drum," replied Mary.

"Yes, a leopard," said I, and even as I spoke we heard it again not a hundred yards away—the characteristic coughing cry of one of the big cats evidently intrigued by the unaccustomed light.

Another evening as I was getting ready for dinner, having recently returned from a hunt, Mary called to me from her tent where she was writing. A duiker had literally burst through the belt of bracken surrounding the forest and raced madly toward her, then turned off into the forest where we could both hear the pounding of its little hoofs as it fled. To behave so the animal must have been badly scared, but by what? Perhaps a companion had been caught in one of the many snares of which I have spoken. Blundered into a swarm of bees? Scarcely at so late an hour. A leopard seemed the most likely cause. I took the shotgun and sat in the forest in the growing dusk near where I knew a duiker had been that morning, but nothing came. The sequel occurred a few nights later. There was the same sort of rush through the undergrowth but this time it terminated abruptly in a pitiful bleating cry followed by others that grew weaker until they ceased entirely. Unquestionably, I should say, a leopard had made its kill.

Daily Mary and Billy went off on their own, seeking snails in crevices or beneath the dead bark of gnarled trees. They got quite a thrill on returning to one of their favorite spots to find a tree trunk ripped and scored by an animal's claws as high up as Mary's shoulders. They took me to see the marks. Mary wished she could have seen the beast sharpening its claws in the light of the moon, which was full and very bright just then. Afterward I showed them where a ratel had climbed one of the posts supporting a beehive, through whose solid wood top it had clawed a hole, squeezed through with difficulty—leaving many telltale hairs behind—and flung the comb far and wide. Our boys ate the few scraps that were left.

From another snail-hunting excursion armed with their short-handled hoe, Mary and Billy returned prematurely. I was attending to some specimens when Thomas drew my attention to their approach by announcing with a gasp and a giggle: "Memsahibs caught snek." I looked toward the forest and saw the two coming up the slope. Mary was holding the hoe from whose other end dangled a squirming snake. I went to meet them and immediately recognized Mary's captive as a forest cobra (*Naja melanoleuca*), a species common in Central Africa but of which only a single example had ever been recorded from Nyasaland. Nor did I see another during the rest of our *ulendo.*

Mary said she and Billy had been walking through shoulder-high grass along a narrow path that skirts the forest, when, stretched across the trail, she saw a black snake. Instinctively she started back, then, remembering that was not the thing to do, she ran forward and held it down with the hoe as it was slithering away. The reptile's free forward end reared up and spread a hood, but to this Mary paid no attention, being entirely preoccupied with effecting a capture. Seizing the cobra's tail with her left hand, Mary gently drew the reptile backward beneath the hoe blade intending to stop at the neck when she could pick the snake up without its turning on her. The blade, however, was four inches wide and so prevented Mary from seeing how near the head was. For the cobra, after several attempts to frighten her, had pushed its head among the grass stems. Eventually Mary asked Billy for her stick, and with this and the hoe Mary held the snake down fore and aft while Billy fastened a scrap of string around its middle and attached the other end of the string to the hoe handle near the blade. It was then a simple matter to raise the hoe and carry the captive back to camp.

As Billy was fastening the string she commented on a hood being the hallmark of a cobra, but concluded that this snake—which was only twenty-three inches long—was "too small to be a cobra." Why cobras of all creatures should be privileged to be born big, was not explained. I remarked to Mary that she had been amazingly fortunate, for had the snake been the very common "spitting" cobra (*Naja n. nigricollis*), for all its small size it would have been quite capable of temporarily blinding her with a spray of venom. She promised to exercise more care in future, but said the small hoe was an awkward implement to use anyway. I suggested that on future walks she take the spare snake stick, which consisted of a metal T whose threaded stem screwed into a bamboo handle of the type sold for landing nets.

It was usually at the forest edge, rather than within, that we encountered snakes and then but rarely. One morning Thomas and I were picking our way across a bit of swamp bordering the forest when our route was barred by a fallen moss-grown tree. As I clambered over it I remarked:

"Too big to turn over, I suppose?"

Thomas, who was at my heels, promptly smote the trunk with the machete he was carrying, but finding it solid, replied:

"Yes," and almost in the same breath, "Quick, snek." For his blow had disturbed a basking reptile concealed by the vegetation growing on the log. I turned in time to seize by the neck a small black snake that Thomas was restraining with the blade of his machete. It was of a race (*Crotaphopeltis hotamboeia tornieri*) previously unknown from Nyasaland, though I had captured many in the forests of the Rungwe, Uluguru and Usambara Mountains, farther north.

The largely accidental nature of such meetings in the Misukus was emphasized by our experience that morning. We continued on through the forest for three hours, periodically delayed by the necessity of cutting our way for fifty yards or so, and pausing to examine every likely log or location that might harbor reptiles, but without finding one.

Another day Thomas and I, accompanied by Dondon, pushed up through the forest to Matipa Ridge. Just below the summit we came on a cavernous overhanging rock beneath which some animal, apparently a porcupine whose quill we found, had been excavating its burrow afresh, though there was already three-quarters of a ton of earth lying at the entrance. Thomas lay down to thrust a very long stick down the burrow. I was standing near-by when immediately behind me I heard a noise as of a falling twig or large dry leaf. Simultaneously Dondon exclaimed: "Quick, snake." As I swung around Dondon directed my gaze to a single loop of green snake that had apparently tumbled from the forest canopy far above us to land about seven feet from the ground in a sapling. For all I could see it might be any one of several harmless species of green-snake (*Philothamnus*), or else a deadly green mamba (*Dendroaspis*). Fearing it might dart away if I stepped toward it, I seized the .410 that Dondon was proffering me and fired some dust shot without making proper allowance for the rise which this particular gun imparted to pellets at short range. The snake, quite unharmed, dropped from the sapling and darted through the undergrowth down the mountainside. Thomas and I dashed after it, but the reptile might have vanished into thin air for all we could see of it. I felt very mortified.

It is probably idle to speculate as to what kind it was for the seven green snakes we did get in and around Matipa Forest were referable to three different species. It was possibly the same as one which I disturbed in another part of the forest where a shaft of sunlight was encouraging dense undergrowth. This snake too darted away, where I was unable to follow because of intervening brambles that concealed it within ten feet. Sending Wyson round by the path, I told him to return slowly toward me. In a short time he detected the snake high in a bush where I could not seize it because of a protective network of bramble sprays. Consequently I killed it with dust shot from the .22 which did not damage it as a specimen. It proved to be a Southeastern Green-Snake (*Philothamnus hoplogaster*) superficially indistinguishable, except for its larger size, from the Smooth Green-Snake (*Opheodrys aestivus*) of the United States.

For interest, however, such common snakes could not compare with the thrill afforded by the discovery of some serpentiform lizards. It occurred at the fag end of a fruitless morning when Thomas and I emerged into an obviously illegal, carefully concealed, man-made clearing that had involved the felling of some fine trees. The sun was shining on one of the burnt logs lying at the forest edge. By our united efforts we managed to roll it over, exposing three glossy black, gravid, limbless lizards. A quick grab and I had all three squirming in one hand without the reptiles discarding their perfect tails. Though the largest was only ten inches long, Thomas, who held the bag for me to drop them in, was as scared of them as if they had been snakes.

Not only did these lizards represent a genus new to Nyasaland, but an undescribed race of *Melanoseps ater* that differed from typical *ater*—which is black below—in the uniform salmon-pink underside that is longitudinally striated only in the young. As I realized our limbless skinks were entirely new, we searched incessantly for more until thirty were available for study. Most came from in or around the forest, but I caught one beneath a slab of rock on an eroded slope encompassed by scrubby secondary woodland that was strongly reminiscent of the Blue Hills Reservation near Boston, Massachusetts. An environment more suited to rattlesnakes than to a burrowing sylvicoline skink.

Such eroded areas were uncommon in the vicinity of the forest since its destruction had been arrested. Undoubtedly there were some infringements of the regulations taking place but we saw little evidence of it. We stumbled on one instance when endeavoring to reach camp without returning by the circuitous route we had taken on the outward journey. Following an ill-defined path through shoulder-high bracken over the crest of a hill we were led to a forest-filled ravine whose sides were steep as a roof. Down, down we went until the path petered out in a clearing where a fine tree had been felled by a beekeeper who required a few sections of it from which to make hives. Each four-foot section had been sawed lengthwise and the two halves hollowed out with an adz. After a nick has been made in the end of one to admit the bees, the two halves are lashed together again and the simple hive suspended in a tree or, more rarely, placed in the forks of two upright poles like the ratel-ravaged nest I had found a few days before.

With the object of preserving the last remnants of forest from agricultural practices that had wantonly stripped most of the Misuku Mountains of topsoil, squatting in the vicinity had been prohibited so the nearest Natives lived about two miles from camp. Nevertheless, some came to visit us almost daily, either to chat idly with our boys or to bring things for sale.

Among the first arrivals were two young boys with a pair of jackal (*Thos a. adustus*) puppies in the olive-gray, rather wooly coats usual for the young of this animal. A cold wind was blowing and despite their thick underfur the jackals were shivering. I hurriedly emptied a deep box for their reception, placed an armful of soft grass in the bottom, covered the little beasts with sacking, and installed them in my tent.

The boys who brought the pups said they had been found only that morning. I doubt if this was true for the ear of the female had been gnawed, presumably by her brother, and both were ravenous, he bullying her shamefully. I gave them milk, bread and milk, then boiled rice in milk, and finally raw minced meat. Nothing came amiss and everything was eaten with avidity. The pair had to be fed every four hours until midnight, after which they kindly remained quiescent until roused by the predawn hoot of an owl, or the shrill squeaking of homing bats who had their quarters in the trees behind my tent. Then the jackals began calling "mbweha," sharp, clear, and continuously until I fed them.

From time to time we took the pups from their deep grass-lined box for an airing and exercise. They ran well and invariably in opposite directions, assuring their harassed guardian also of ample exercise. Except for their pungent odor they were attractive little beasts and I would have liked to rear them for a zoo. However, it scarcely seemed possible they could survive the rigors of the seven-day journey south, with its joltings, dust, and heat, to say nothing of the difficulty of providing them with good clean food under such conditions. We discussed the matter from every angle and decided it would really be kinder to give them a good meal and then chloroform them while asleep. Everything went smoothly and without their realizing anything was amiss they passed peacefully away, the brother with his head pillowed on his sister's flank.

Many of the Misuku people wore very little clothing despite the chill mornings. A few of the boys owned a shirt and shorts but most of them wore nothing at all. While I was talking with some older Natives, Mary noticed that a small boy who was accompanying them sat shivering in the wind. She fetched a barley-sugar candy, unwrapped it a little, indicated it was for eating and put it in his hand. The youngster examined it closely, then wrapped it up again. Mary asked Thomas to explain to him that candy was for eating, but the child shook his head. Thomas then took the candy from him, bit off a piece—possibly to show it was not poisonous—and popped the rest into the boy's mouth. Slowly the youngster chewed it, but with an uncertain and none too happy expression on his face.

The Konde women living on the mountain wore only a colored bark-cloth girdle to support a piece of cloth that is passed between the legs, leaving the ends hanging down before and behind like two tails. One morning two women came along the path when Mary and Billy were lying in wait for a striped skink they had seen retreat into its hole in the bank beside the trail. One woman walked erect with a large earthenware pot poised on her head; the other was so old she was bent nearly double. No sooner had they passed than they knelt down, clapped their hands, and held up their right arms bent at the elbow in a kind of salute. M. & B., unable to speak the language, felt quite embarrassed by such gracious customs. They bowed and smiled their acknowledgment, then they too clapped their hands in the hope that it was the correct thing to do.

A frequent visitor to camp was an attractive fifteen-year-old girl who accompanied two small brothers and other children, possibly to see they were paid enough for the snails or whatever they might bring. One morning when Mary and I were out the girl arrived with two gourds containing what Billy supposed was water. These she proffered to Billy, who called Hamisi and asked him to explain to the girl that she did not want the water but would like to buy the gourds. The girl, looking distinctly worried, spoke quickly to Hamisi, who reported that the gourds contained sweet beer which the girl had brought as a present for the Memsahibs. Billy, a bit nonplused, requested Hamisi to thank the visitor very much for her gift and try to explain that neither she nor Mary drank beer.

When Mary returned she discovered that the girl's name was Annette, another example of the deplorable Nyasaland custom of adopting European names. Mary gave Annette a pretty ruby-studded earring and tried to show her its purpose. Hamisi, coming up to translate, attempted to screw the bauble onto the girl's ear but only succeeded in making her yelp. The child attached the earring to the front of her dress, but this failed to please her so presently she placed it *in* her ear. Billy fetched a mirror from the tent and allowed Annette to view herself in it. This she did with evident delight and afterward curtsied her thanks.

A few days later Annette was back with a strip of attractively colored plaited work that Mary and Billy supposed was an unfinished belt. This time, with Thomas translating, they told the girl they would like to buy two if she would make them. Annette replied that there would not be time before we left but that she would bring them down to us at Chinunkha. It was now M.'s & B.'s turn to be puzzled that so simple a task should take so long. Subsequently an old man explained the plaited strip brought by Annette was merely the border of a sleeping mat. Their ignorance had led M. & B. to order a pair of sleeping mats.

Late one afternoon we were out hunting high up on the forested ridge when I heard a yodeling dancing party passing swiftly along the main path through the forest far below, apparently the same crowd that had made a considerable din as they ran through the dark forest on their outward journey the night before. Though we hastened down, the revelers had already passed on before we reached the path. Judging by the rapidity with which the sound of their drums, whistles and singing grew fainter, we realized they were still running. Hoping I might be able to buy one of their drums for Harvard's Ethnological Museum, I sent Wyson to overtake and halt them. He only managed to do so as they emerged from the forest in the vicinity of our camp.

The party consisted of a master of ceremonies, resplendent in red jersey and carrying a fine fly whisk made from the tail of some antelope; three drummers, who produced a characteristically weird harmony from their three very different-sized drums; a masculine dancer in a state of intoxication; and one or two old crones chaperoning a dozen comely damsels, nude except for their gaudily decorated, entirely new, bark belts over which, back and front, was tucked a strip of bark cloth. Mary and Billy came hurrying down the slope from camp hoping to get some photographs, but already the sun had sunk behind the surrounding peaks.

I offered to buy the drums and the dance master named a price for each which he possibly thought would act as a deterrent for, when I tentatively acquiesced, he said he could not dispose of them as they were communal property. I suggested he discuss the matter with the chief or elders, to which he replied:

"You are the big master, but our dance engagement prevents our parting with the drums now; we may do so on our way back tomorrow."

"Tomorrow is Sunday and I do not buy on Sundays," I rejoined.

"Well, some of us will be returning on Monday," he replied suavely.

I felt fairly certain that was the last I should see of them, for drums are treasured heirlooms which cannot be replaced as their skillful makers belonged to an era that is passing away. After I had made a small present to the master of ceremonies he politely asked permission to depart, pointing out that it was already dusk and they were still some distance from the nearest village.

The following night we heard the revelers returning, blowing whistles and singing loudly according to their custom. Our five boys, who had had the day off, were apparently with the dancers for we heard them talking in high spirits as they came up to camp. The rest of the party continued on into the forest for a quarter-mile, and only then did they give one muffled roll on the drums. A sort of

"Ha ha to you," which made us laugh, for they had kept the drums silent until they were safely past.

As it became known that we were interested in buying ethnological material, the tribespeople started bringing it in. The first purchases were made by Mary and Billy who were out for their usual evening walk when they met two men on the way to camp with quite an assortment of such things. Knowing I was out and would not be back until dark, M. & B. returned to camp with the men and bought their load which consisted of four old-time, carved, black, alpenstock type of sticks for use on the steep Misuku trails; a necklace of crude, slave-day beads, and a basket plastered with cow dung to make it watertight.

Strangely enough, bows and arrows seemed nonexistent among the Misuku. If we except the almost universal and utilitarian billhook and hatchet, a spear was the only weapon carried and, naturally, most men were disinclined to part with their spears at any price.

"It is my gun," replied one Swahili-speaking traveler I accosted on the path, as he eyed the three weapons being carried by Wyson and me.

In general the Misuku live so simply they had little variety to offer. Their seats, for instance, consisted merely of a block of wood about a foot in length and four inches wide. I bought ten, well polished by long use, and this appeared to amuse the vendors who perhaps wondered why I, who owned a serviceable canvas chair, wanted so many of their lowly stools. Clay pipes, and pots of various shapes and sizes, were as plentiful as goatskin garments, wraps, and wallets, and there were mallets of loaded cow's horn for beating out the bark cloth that is all too rarely made nowadays.

Among the more interesting objects were diminutive clay oxen for placing at the entrance of a kraal to promote conception by the kine that looked upon them as they passed in and out. Also clay figurines of open-mouthed male infants employed by expectant mothers to stimulate lactation.

We were offered more gourds than anything else, but they differed greatly in size and shape according to the purpose for which they were intended. Some, containing a few dried beans, were sealed, and served as very efficient rattles. Such objects could be purchased for a few pence; indeed the Misuku seem to prefer those cumbersome British coins to other currency. We had not been three days in the British Protectorate of Nyasaland before we discovered that English silver—shillings, sixpences, and threepenny bits, locally called "tickies"—were refused by our African wards who unhesitatingly returned them and requested the Southern Rhodesian equivalents. When I asked the district commissioner for an explanation of this strange state of affairs, Mr. Rangeley replied that the Indian storekeepers had sustained some losses during the war through accepting Australian silver, and now, fearing devaluation of the pound, would accept English currency only at a discount. Why Rhodesian currency was more in favor I do not know, presumably because it is familiar to, and imported by, the thousands of Nyasaland Natives who each year seek work in that self-governing colony.

In the Matipa camp we soon disbursed over fifty dollars' worth of small coin. It was a relief to have less of the bulky stuff, though I slept soundly enough at night for the metal uniform case that held three hundred dollars was inconspicuously, but securely, wired to the metal cross strips of my camp bed. A twin box, stacked on top of the other, served as a bedside table for my lamp and other paraphernalia. Satisfactory as this arrangement was at night, I felt it was rather vulnerable by day, for the tent was backed up against a patch of forest from which it was distant scarcely ten feet and screened by bushes from the open-air kitchen where our boys usually sat. I have never forgotten accompanying a medical officer to where a similar uniform case, stolen in the middle of the morning from his tent in the center of a camp, was lying in a near-by ravine where it had been hacked open and emptied of its contents.

Partly for such reasons, one of us—either Mary, Billy or I—generally remained in camp when the other two were away. After assisting me all one morning in buying, listing, and labeling the ethnological purchases, M. & B. went off for the afternoon. They returned just before sunset with scores of live snails they had gathered on some rolling hills a mile or two away. In her search for kinds she had not previously collected, Mary stripped the lichen from an ancient gnarled tree, but found nothing. Shortly afterward Billy came along and discovered about eight small black-and-white shells in cavities on the underside of the lichen. With this basic information to guide them, M. & B. renewed the search and secured not only thirty of the black-and-white species, but three of another kind none of us had ever seen before.

On one of Mary's solitary walks she followed an old trail through shoulder-high bracken until she emerged on a burnt-over hillside. The sight that met her enraptured gaze was such as to cause her to exclaim aloud: "How beautiful." Though the rains were not due for at least a month, the ground was so carpeted with wild flowers—scarlet, purple, blue, yellow, white—that the place looked like a garden. The scarlet blooms resembled dwarf roses for they were less than six inches tall, like the clumps of sky-blue "violets"; indeed the only blossoms of any height were the handsome purple lupins.

This was shortly after we set up our tents near Matipa Forest when the weather was delightful and the nights very cold. Each day dawned cool and misty but by the time the sun had climbed over the peaks and above the treetops we began to shed greatcoats, jackets and cardigans for which we had no further use until sunset. Toward the end of our stay, however, daily temperatures were rising and about noon the thermometer on my tent pole began registering 80°. As the extensive area of bare ground in front of our tents was subjected to a daily sun-baking, its proximity to the cool forest set currents of air in motion. These winds, becoming progressively violent, swept across the cleared area in the form of dust devils which deposited their burden over everything. For the friable soil of the burnt-over land was well pulverized by the coming and going of our many visitors' bare feet. To prevent the powdery earth in my tent being stirred up I had had, soon after our arrival, armfuls of soft grass strewn over the floor. The day after this was done I was attacked by half a dozen itchy mites or immature ticks. My experience at first deterred M. & B. from having their tents similarly treated, but the dust soon became such a nuisance they too asked for grass to be laid down.

Latterly numerous flies accompanied the daily arrival of dozens of Africans, while among their erstwhile possessions which had to be stored in my tent were countless cockroaches and at least a couple of lice. Then one day Billy remarked she had a slightly sore toe, so we described the symptoms accompanying an invasion by a chigoe or burrowing flea (*Tunga penetrans*)—first itching of the infected toe and later painful pulsating or throbbing at night. Curiously enough she had felt neither, but rather than let an African—most of whom are skillful in the removal of chigoes—examine her foot; she did some exploratory work on her own account and with a needle successfully extracted a chigoe from one toe. Then, noticing something dark beside her big toenail, she squeezed it and a veritable fountain of chigoe eggs shot out—several hundreds in all. Again resorting to the needle she removed the remains of the chigoe, whose abdomen she had ruptured, and treated the cavity to a liberal anointing with iodine. Ruptured egg sacs are apt to set up suppuration but in this instance all was well. Billy's final comment was: "We may have foul weather in Scotland but at least we have no chigoes."

Such deteriorating conditions somewhat eased the thought of our impending departure. About 5:00 A.M. on October 16 I started carrying the recent ethnological purchases from my tent to sort them in anticipation of the arrival of Subchief Mwenichiula, who had promised to supply me with the Misuku names of the various articles. However, Mwenichiula sent word by two of his henchmen that his little son was very sick and he could not come. The two old fellows, assisted by half a dozen younger men and boys, furnished not only the Misuku names for the articles we had bought, but also told me what they called the different animals, birds, reptiles and amphibians we had collected during our stay. I noticed one bright-eyed boy respectfully suggest the correct names of sundry birds he considered the older men had misidentified. The elders listened to his urgent arguments with smiles and deferred to his judgments, so evidently the youngster had some standing as a naturalist. I regretted that the language difficulty and our approaching departure prevented my getting to know him better.

Both Mr. C. W. Benson, former district commissioner for the Misukus, and his successor stationed on the lake shore at Karonga, three days' walk from our Matipa camp, had expressed grave doubts as to our ability to muster sufficient carriers to transport our belongings down to Chinunkha. Their misgivings proved groundless. Five days ahead of time, our regular visitors began volunteering of their own accord, asking me to write down their names as they were anxious to tote our loads.

At 1:30 A.M. on October 18 I was aroused by approaching voices, intentionally raised to indicate there was nothing clandestine about their coming. The owners of the voices proceeded to make many small fires around which they sat, coughing and laughing. Sleep was utterly impossible so half an hour later I went out to ask them to be quiet and found three of our own boys sitting with the strangers—almost all women—whose fires were scarcely fifty feet from the boys' tents. The moon was full and it was almost as bright as day, so my own tent being cluttered up with the loads we had packed the preceding Saturday, I dispatched fifteen of them by as many women, who had a youth or two with them as escort.

Before returning to my tent I urged those that remained to be quiet until sunrise. Some attempt to comply with the request was made for about ten minutes. After that fresh reinforcements began arriving and each group was greeted with sallies followed by gales of laughter. Sleep being impossible I rose to dress and shave while our boys were striking their tents.

We breakfasted at 5:30, Mary and Billy left at 6:00 A.M. and, about an hour later after the last of some fifty loads was on its way, I followed. A man, playing wild music on a flute as he capered about the path like a faun, immediately preceded me. Behind me was Thomas, and at his heels a chattering crowd of almost a hundred disappointed carriers and many children. We quickly outdistanced them and after a while observed small groups turning off the main path along trails that led to their scattered homes among the hills.

IX

Tinkle-Bell's Baby—
Nchenachena to the Nyika

PRESENTLY Thomas and I were striding along, overtaking and passing our bearers who were usually in groups of two or three. For some time we followed two sturdy women who were walking almost as fast as we, though carrying thirty-pound loads, and one, in addition, had riding on her back a plump little baby boy around whose ankle was tied a tiny metal bell that sounded with every step his mother took.

"Tinkle-bell," my wife had nicknamed the woman who had frequently visited our camp with things to sell. On the first occasion, after buying her wares I had pointed to the baby's ankle bells and asked how much she wanted for them. She replied, Thomas interpreting, they were not for sale.

"Your baby is greedy," I rejoined, "for he has two bells and I have none."

When Thomas translated this there was a gust of laughter among the group of women crowding around, for every trifling transaction appeared to be of interest to all.

At that Tinkle-bell, with a wry smile and a trifle hesitantly, detached the leather thong about one little ankle and handed the bell to me. After I had paid for it I suggested it was a pity I did not have the pair as people in America would think Misuku babies only wore one bell. The mother smiled broadly as she shook her head and said: "Another day perhaps," which is as much of a flat refusal as African etiquette permits. When at last we passed her and her friend on the Chinunkha trail I asked Thomas to say I was glad she had not parted with the second bell or we would have been deprived of its pleasant music on the march.

Soon we were descending the last gravel-strewn slopes and emerged on the extensive clearing over which were scattered the veterinary buildings and those of their protégé—the Native co-operative concern for the conversion of milk into ghee. Seated in the shade of the buildings—for, though only slightly after 9:00 A.M., the sun was oppressively hot to those accustomed to the cooler uplands—sat groups of my bearers, but Mary and her sister were nowhere to be seen.

I walked toward the house in which Mr. M. P. Gaffikin, the veterinary inspector, was now installed. He, poor man, had been awakened at dawn by the voices of the fifteen dusky ladies who had left my montane camp at 2:00 A.M. Hopping out of bed he saw them depositing their loads outside. "My goodness," he thought, "the Loveridge party are arriving and will find me in pajamas." So he dressed hurriedly and unnecessarily, for we did not turn up for another three hours!

I found Gaffikin out on the lawn supervising the pitching of his tent so that we, who were absolute strangers to him, might occupy his home! But that is Nyasaland. I said we could not possibly contemplate dispossessing him, a point on which I remained adamant though he pressed me hard. Then I inquired for Mary and Billy who should have reached Chinunkha after having had such a good start. Gaffikin suggested they had taken a wrong path, and dispatched two of his men along the base of the range to look for them.

Meanwhile I turned my attention to erecting our tents in the shadeless heat and glare which was especially trying after an almost sleepless night. I suppose the task might have been left to the boys to do, but they had been up even longer than I and were very tired and desperately slow. By the time M. & B. turned up, having branched off along a wrong trail, thereby adding several unnecessary miles to the *ulendo,* their tent was ready for them. For this they were thankful. They received welcoming smiles from Tinkle-bell and a few other old acquaintances.

When the last of our bearers appeared, Thomas summoned the whole lot to fall in line to be paid off. This took some doing for I was short of small change though I had an ample supply of large silver. Some days before I had notified Nyondo that I would require change, and immediately on reaching Chinunkha had sent a messenger for it. Apparently the Native treasury was near broke for he could spare only a few shillings worth. My employees, however, were cheerful and accommodating, grouping themselves in threes or fives according to their villages or friendships so I might pay them with the coins I had. Then they hastened away to spend their earnings in the African store at Nyondo's, for of course there is no shop of any sort in their mountains.

From Nyondo came a messenger bearing a belated note that began: "Sir, I beg your most highness to state . . ." and went on to say that, in response to my request, letters were being sent to two village headmen in the Misukus asking them to try and find bearers to bring my loads down the mountain. Possibly a slight slip in tense, as in title, indicated that more credit was due to Nyondo for our plethora of porters than to our popularity, as I had been assuming.

Presently Nyondo's drums began to announce our arrival and that I would purchase snakes, cast-off clothing, and any examples of his people's old-time handicrafts. The drums, which kept on hour after hour all day long unknown to me were also notifying the scattered populace that an *ngoma* or dance would be held that night. Apparently Nyondo's notion of a good way of getting them all together for a pep talk.

Surfeited with sun, we retired to our tents after lunch. The sticky heat of morning appeared slightly alleviated by a warm wind that sprang up. Our relief—or at least mine—was short-lived, for in sudden gusts it swept through the tents depositing dust and straws over our beds and everything. The dust-laden air made one cough yet the atmosphere became so oppressive when the tent was closed that I vacillated between opening up again and relacing the flaps.

From these conditions M. & B. were able to escape, for, as there was no gasoline to be had at Fort Hill, Mr. Gaffikin had to fetch some from Tanganyika Territory and suggested we accompany him. I could not do so as it was necessary to be on hand should any specimens be brought in, but the others went. It was after dark when they returned, bringing with them a couple of hundred of the familiar copper coins, perforated in the center to facilitate their being carried on a G-string or suspended about the neck of pocketless Africans.

I was surprised to learn that this foreign currency, though unacceptable in Southern Nyasaland, was welcomed by the local Lambia tribe. This was due, explained Gaffikin, to their proximity to the frontier across which there was a good deal of coming and going. Subsequently, however, this anomalous situation was somewhat altered by a government announcement that, after a certain date, Tanganyika currency would not be accepted in payment of Nyasaland taxes.

Though ready to drop when I turned in after a nineteen-hour day, sleep was denied me by Nyondo's drummers and the periodic discordant outbursts of the dancers at his village. Even after the *ngoma* ended at 11:00 P.M., returning revelers raised their voices purposely as they passed my tent, which was within ten feet of a main footpath. In so public a situation it had seemed advisable to close the tent as a precaution against possible prowlers, so I tossed and turned in the stifling heat until the small hours, for with sunset the wind had dropped.

But that was only on the first night. We soon learned that high winds were usual at Chinunkha during October. They resulted from the overheated air of the lowlands encountering the cold currents seeping down the mountain at whose foot we were camped. They became progressively worse until the fourth night when the wind assumed hurricane force, plucking out tent pegs and setting the awnings flapping so wildly that again and again I had to go out to put things right. At the height of the gale there was a succession of crashes as the washstands in both closed tents went over. Mine fell against a folding camp table on which was a tray full of small things —mirror, razor, brushes, soap, etc., etc. As it heeled over there was such a crash and clatter that I imagined all the crockery had gone too. Switching on a flashlight I was relieved to find that only the miscellaneous assortment on the table was involved, now scattered far and wide in the dust or mud resulting from the water flung from the overturned washbasin. That clinched it and I told the boys we would leave as soon as possible next day. It was after midnight when I got to sleep only to be roused at 4:00 A.M. by the voices of our boys who, I discovered, had already struck and packed their tents and most of their blankets, for they were as eager as we to move on.

We started loading the lorry at daybreak and were away by 7:20 A.M. This was by the new short cut to the main road, constructed under Gaffikin's supervision and only opened to lorry traffic that morning! I hopefully anticipated seeing some wildlife but except for a lizard or two there was nothing on the five-mile stretch.

Once out on the main dirt road we sped merrily along at thirty miles an hour. The boys, thankful to shake off the dust of Chinunkha, sang harmoniously in chorus from their seats on top of the load. There was a springlike feeling in the air for, in anticipation of the rains, the savanna shrubs and trees were already breaking into leaf, the delicate greenery showing to advantage against the bright-red background of the soil. During the entire morning only a solitary car passed us and at noon we drew up alongside a one-room brick resthouse close to Cheri River bridge. As we came to a halt two gorgeously colored agama lizards scurried up a tall tree beside us. The caretaker, a kindly, gray-haired old African, came from one of the huts near by. He told me that for twenty years he had been in the employ of the Public Works Department, whose house it was. When I explained who we were he unlocked the door so that we might spend the night. My camp bed was erected in the open on the tiny veranda two bricks higher than the surrounding ground.

We lunched royally off sardines and bread with hunger as an appetizer and a can of fruit salad for dessert. Then I proceeded to collect half a dozen of the large arboreal agamas (*Agama cyanogaster*) while Mary went off exploring on her own. She returned with her topee full of huge *Achatina* shells, some bleached by the sun, some scorched or blackened by a fire that had recently swept through the scrub. "It's a good thing there is a live wire on this expedition," she grinned as she off-loaded her find into my hands. I called the headman and giving him one of the snails, said we would pay the pickaninnies a penny for every three shells in good condition. "I will tell the children," said he, and shortly afterward we saw half a dozen youngsters racing off to make their fortunes.

Later I went out collecting by myself and on the way back stopped to chat with a family group sitting outside their huts at sundown. In front of one doorway I observed a bushel basket full of the dry woody pods from the surrounding trees, and inquired if they gathered them for fuel or for some other purpose. I was then shown a huge earthenware pot sunk in the ground near by, and told that over this the basket would be placed while water, from yet another receptacle, dripped slowly on the pods and trickled into the sunken pot. Eventually the pot would be removed from its hole in the ground and set over a fire to evaporate the water and leave a residue of salt. A tedious business without a doubt, but salt is a much-prized commodity in these remote places; even at Mzimba a hundred miles or so to the south it was surprisingly expensive.

There were numerous chickens scratching about, among them an old rooster whose head and neck were entirely devoid of feathers.

"What ails the bird?" I asked.

"Nothing," answered the owner, politely rising, "that kind is always bare and its chickens are the same." He pointed to a fowl that was being followed by a dozen chicks of which three or four were naked to the shoulders. I concluded that they were suffering from an inheritable or contagious disease, but subsequently was told by Major Dennis Smalley that the birds were an Indian breed, introduced into Nyasaland because of their ability to fatten on the sparse pickings to be found around villages.

I first met Major D. N. Smalley, agricultural officer in charge of Northern Province, at Mzimba where he was attending a conference. Not only had he given me invaluable advice but also promised to try and find carriers for our loads when we reached Nchenachena, the isolated agricultural station where the only Europeans were the Major and his wife. When we arrived at Nchenachena next day the Smalleys themselves were in the throes of settling in—unpacking furniture and effects that had been in storage for several years. Nevertheless Mrs. Smalley, with kindness which we were to discover was characteristic, invited us all in for elevenses, refreshing us not merely with delicious tea, but with their friendly helpfulness.

Though we had turned up a few days ahead of schedule, already the Major had had the path cleared right up to the Nyika Plateau, and requested the chief to muster the bearers to take up our loads the following Monday. On the mountain we would find a grass-hut kitchen he had had made two years ago, he said. Fortunately it had escaped a devastating conflagration that had recently swept the plateau. On seeing the fire Major Smalley had assembled some of his Native assistants and made a dash to the uplands for the purpose of saving the hut. The last legitimate date for bush-burning was September 21, but despite a reminder sent the chief on October 1, his people—as if to show their contempt for government regulations—had delayed burning until mid-October. The Major regretted we would, on reaching the plateau, find ourselves surrounded by many square miles of freshly burned ground as had been our experience on Mlanje.

Meanwhile a mile or so up the hill was a brick bungalow, intended for his assistant, all ready for us to move into. The lorry could be parked on the road which ended at the bungalow, but we would be well advised to remove the huge boxes of ethnological acquisitions from the truck to the house where everything not needed on the plateau could be locked up until our return. The Major sent some laborers to assist my tired boys with the off-loading, which I supervised.

After the long and humid drive Mary and Billy were thankful to drop into basket chairs on the shady veranda. There they reveled in the cool breeze and enchanting views of the distant Vipya enveloped in a shimmering heat haze. Its summit was sharply outlined against the pale blue sky across which a few fleecy white clouds were moving. Only on one short stretch of the lengthy skyline were any trees silhouetted. At this distance the Vipya's steep sides appeared gray-green, broadly streaked with sandy brown where erosion had stripped away the last vestiges of vegetation.

On October 24 Chief Mziliwanda reported he had forty bearers ready for us. The first batch arrived shortly after dawn the following day and within an hour and a half twenty-six of them, mostly women, left with their loads and an escort consisting of Thomas and old Zacheyo, the wood and water man. The rest never came. Quite fortunately for us, as a telegram from Blantyre did. It requested the immediate return of Amini and Hamisi whose master was due back from leave. Also a message from Benson who was sending Jali together with a cook to tide us over our stay on the plateau.

So instead of ascending the Nyika, Amini and Hamisi reversed their plans and hastened down to Major Smalley's where a passing government lorry was awaiting them. Mary, temporarily cookless, paid frequent visits to the kitchen—a brick building about a hundred feet from the house—to see if Amini's last loaves were rising properly. Patrick had a roaring wood fire in the oven and understood all about raking out the ashes and putting in the loaves as soon as they had risen sufficiently. Though not his work, he was actually eager to undertake the baking.

We had been invited to lunch with the Smalleys, but for the evening meal Patrick volunteered to make an omelet. An hour before supper was served we could hear him vigorously beating the eggs. The result was admittedly leathery as Patrick himself divined for, as he placed the dish on the table, he remarked: "Sorry, not very good." On our part we had long felt rather sorry for Patrick who, we felt, had been unfairly oppressed by old Hamisi. With the latter's departure and the sudden prospect of promotion to "boy" without an overseer, Patrick's spirits soared. He displayed a cheerful willingness and an unsuspected liveliness in marked contrast to the somewhat glum way in which he had been discharging his duties. Mary told him that during our stay on the Nyika he would be on trial, and whether we appointed another boy over or under him upon our return would depend entirely upon his own performance. Meanwhile M. & B. would relieve him of many minor chores.

Rather more than six hours after the bearers had left for the plateau the first of them were back clamoring for their rations. Clearly there was something amiss with the stories we had heard in Blantyre and elsewhere about the difficulties of the four-thousand-foot climb from Nchenachena. We soon had an opportunity of testing it ourselves. After an early breakfast next morning Mary and Billy started off and, much to their surprise, reached camp in two and a half hours. Indeed, except for one breathless, rather back-breaking stretch known as "Oh, my Aunt," they considered the climb the easiest so far encountered.

My own departure was delayed until after 7:00 A.M. by considerable arguments that developed among the last of our fifty-two bearers, three or four surly fellows who raised objections to each load and bickered among themselves as to who should carry what. Eventually these difficulties were settled and, with Dondon for company, I made my way up to the terraced camp site at 7,500 feet that Major Smalley had had cleared for us.

The spot was in a hollow at the head of a winding valley, just a few feet above a marshy swamp in which a spring gave rise to a tiny brook that, joining others, became quite a sizable stream before going over Nchenachena Falls a couple of miles below. Should there be heavy rain during our stay it looked as if surplus water might rush down the hillside and flood us out at the foot of the slope. To prevent this I had a series of furrows dug to carry off storm water.

The chief reason influencing the Major in the selection of this site had been the spring, for water is very scarce on the plateau and quite unobtainable on the precipitous southern slopes where some forest has been able to survive destruction by the Natives. To the nearest patch—a good quarter-hour walk up and down hill—Zacheyo would have to go for our firewood. I should have preferred to camp nearer the forest except for two cogent reasons. On such steep slopes tents could not be pitched, and if erected at the edge of the undulating plateau immediately above the forest, they would be subjected to the strong gales that sweep unhindered across the Nyika. So much Major Smalley had told us, though on the day of our arrival such a possibility seemed unlikely. As the last of our chattering *tengatenga* disappeared over the skyline a vast stillness settled down upon the empty landscape. Left to ourselves we felt marooned in that remote hollow so near the sky.

Already our activities in pitching the tents and moving the equipment into them had resulted in the pulverization of the exposed earth, so Wyson and Zacheyo were sent to cut grass and strew it both within and without the tents to keep down the dust. We were fully occupied in stowing things away and arranging them so that

From Richard U. Light: FOCUS ON AFRICA, *American Geographical Society of New York.*

Lichenya Plateau (6,000 feet) on Mlanje Mountain from the southeast showing the Likabula Valley (left) and forest-clad "crater" (right)

When not on trek, the truck driver (left) and photographer (right) proved agile froggers

A giant, bird-eating chameleon, 18 inches in length, caught on Zomba Plateau

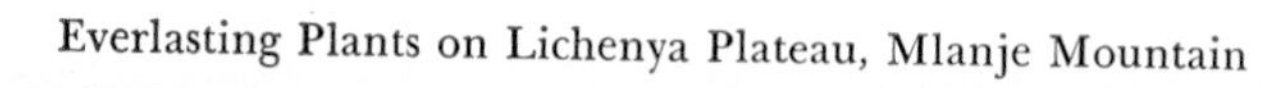

Everlasting Plants on Lichenya Plateau, Mlanje Mountain

Giant snail (*Achatina panthera lamarckiana*) on Zomba

Thomas, Backford, Wyson,
Dondon, Patrick, Zacheyo

Amini making biltong of reedbuck venison

Nailing out the reedbuck skin on Vipya Plateau

Carriers emerging from Matipa Forest on the Misukus

Women carriers sent by Chief Nyondo, Chinunkha

Snare set for blue monkey by Misuku

A bridge in lovely Matipa Forest, one of the few surviving forests

Misuku boys, few of whom owned a shirt

Thomas pounces on a frog as Zacheyo and the author stand by

Whyte's Blesmol on Misuku Mountains

Mary's well-stocked larder on the Misuku Mountains

An aerial view of Nyika Plateau, whose eastern slopes are lapped by the waters of Lake Nyasa

From Richard U. Light: FOCUS ON AFRICA, *American Geographical Society of New York.*

Our camp at 7500 feet on the vast Nyika Plateau

Jali, an expert bird collector at Nchenachena

Pigmy-Chameleons from Nchisi Forest

A skillful maker of baskets on Nchisı

Johnnie (on left) our Chewa guide on Nchisi with Thomas (right)

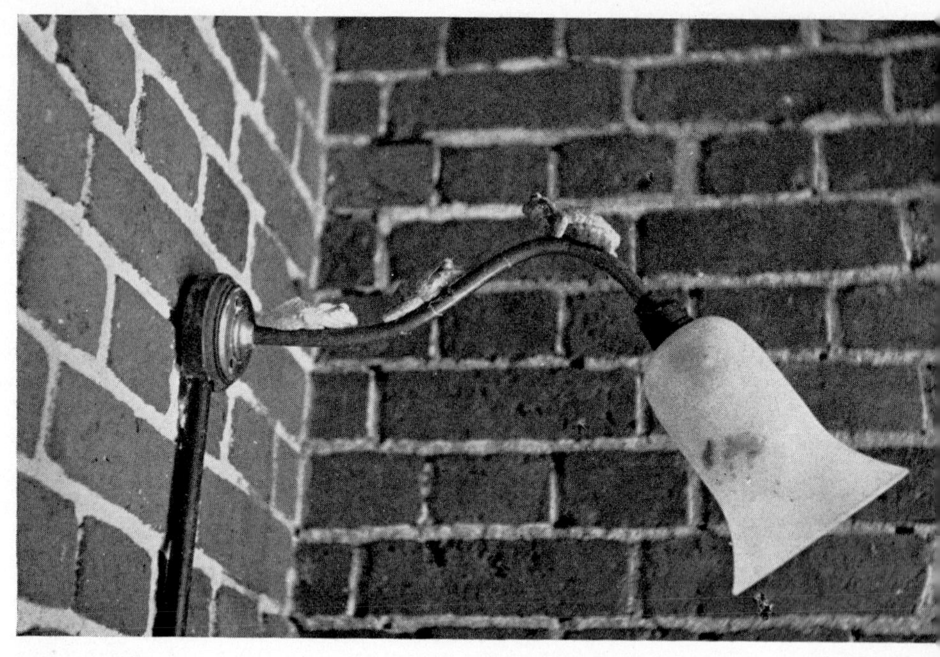

The three lady frogs who lived on this light bracket and disliked cold rain

Women pounding corn and putting the flour into baskets

Termitarium fenced in by Nchisi natives wishing to capture the flighting insects

Sandy bed of Chitala River. During the drought of 1948-49 this was the condition of thousands of rivers

Women loaded with baskets on their way to market

From Richard U. Light: Focus on Africa,
American Geographical Society of New York.

Mlanje gives rise to the forest-fringed Ruo and Lujeri Rivers between which the author spent the last fortnight of the trip on Lujeri Estate, Messrs. Lyons' model tea plantation, within easy reach of the Ruo Gorge Forest

A gentle, lizard-eating Variegated Wood-Snake such as Mpembe put in his mouth

Mpembe, Blantyre's spurious "snake charmer," exhibits his bleeding tongue

they would be handy for starting work first thing in the morning. As no Natives lived on the plateau—or at least not within a day's journey of us—we must depend solely on ourselves to find the things I most wanted.

Among these desiderata was a zebra, of which a few were said to live on the plateau. Major Smalley thought there were two small herds totaling less than a score. How long zebra had been isolated on the plateau I do not profess to know, for apparently there was nothing to prevent them reaching the foothills by the route we had come except fear of the Natives who have annihilated most of the game inhabiting the lowland savanna. Many years ago the skin of a Nyika zebra reached the British Museum and was described as a distinct race—*Equus burchelli crawshaii* after the sportsman who shot it. The validity of the form was questionable and its status a matter of intermittent dispute among interesed mammalogists. I hoped the matter might be satisfactorily settled if I could secure a pair—the sooner the better if the skins were to be properly dried out before we left the plateau.

During our first night on the Nyika we were all awakened by the roar of rain upon our canvas roofs during two prolonged downpours. Rising at 4:45 A.M. I left camp at 6:00 in a driving mist that shrouded everything from view outside a radius of a hundred feet. After walking two or three miles we came on fresh zebra tracks crossing the footpath, clearly made since the rain fell. These tracks we followed until the fog, momentarily lifting, permitted us a glimpse of five zebra silhouetted on the skyline above, then down came the swirling mist to shut us in once more. The zebra were only about a quarter of a mile away, but the wind was blowing from us to them so we began making an extensive detour in the hopes of getting to windward. Next time the mist cleared it revealed the zebra cantering up a mountainside at least a mile away!

Possibly the drove had been disturbed by an old man and two women we could see in the distance descending the solitary path that traverses the plateau. After hearing so much about the Nyika's being uninhabited except for a small settlement at the far end, the presence of people at this early hour was distinctly disconcerting. We walked to meet them and learned that they were indeed trekking right across the plateau to Nchenachena. The old man's belongings were wrapped in what looked to me like the freshly stripped hide of a very young eland. Sure enough the old fellow admitted quite frankly the skin was that of an *ncefu*.

The killing of young game animals was strictly forbidden in the parts of East Africa familiar to me. Judging from what I heard in Nyasaland, however, the government there is content with regulations on paper and the Natives do pretty much as they please. After saying good-by to the little party we tramped around the base of the mountain in the hopes of intercepting the zebra, but when we next sighted them they were peacefully grazing along the skyline two miles away.

As we tramped back to camp we came on fresh eland spoor with ample evidence that the animals had passed that way during the night. Later, when following along a vlei we disturbed a doe reedbuck that never paused until she disappeared over the top of the next peak. I shot a handsome Yellow-mantled Whydah (*Coliuspasser hartlaubi psammochromius*) I had never seen in either Tanganyika or Kenya. Being a cock, this widow bird possessed the fantastically long black tail plumes that led the early Dutch settlers in South Africa to bestow the group name of whydah (widow) birds on these weavers.

When, after almost three hours of toiling up and down steep hillsides, we reached camp, I found Mary had put on her Wellingtons and been down in the marsh prospecting for frogs. The two she sighted had adroitly escaped among the tangle of vegetation. Outwitted by amphibians Mary had turned her attention to, and successfully captured, nearly fifty large yellow slugs whose pace was more dignified and congenial. Though enveloped in the mist, which gathered and condensed upon her hair, she was never out of sound of the boys' voices so always knew in which direction camp lay.

Jali I found huddled over the kitchen fire, declaring it was too cold to go collecting, nor did he stir from camp until noon for several days. Admittedly the change from hot Mzimba to uplands that were enveloped in fog each morning was none too pleasant. But my own gunbearers, doubtless buoyed up in part by the prospect of meat, turned out to accompany me at 6:00 A.M. without demur.

In this one thing Jali's influence was none too good, in other respects he was a most likable fellow with an irrepressible cheerfulness that proved a great asset. Not only could he speak his own language (Nyanja), but his wife's (Yao), his master's (English), and for my benefit, Swahili. An incomparable mimic of both birds and men, he nightly entertained his companions with reminiscences and impersonations of the people encountered during his extensive travels. One night I overheard him imitating an Indian baboo to perfection, his voice periodically submerged by waves of laughter from his listeners. His employer, Mr. C. W. Benson, had generously assigned Jali to collect birds for me in the mornings, nests and eggs in the afternoons. When these had been studied and reported upon by Benson he presented them all to the museum at Harvard.

Jali excelled at finding nests and it was Benson's desire that he escort one or other of us to each site to certify the location and make notes when necessary. On November 17 Jali requested me to accompany him to see a swallow's nest he had found a couple of miles from camp. For most people, mention of a swallow's nest will conjure up a memory of daubs of mud on the rafters of some sweet-smelling cowshed, hayloft, or barn, with the nest-builders darting in and out, free as the air itself. But the Blue-backed Wire-tailed Swallow (*Hirundo atrocaerulea*), whose nest Jali had found, is independent of buildings as I had already learned in the Uzungwe Mountains over the border away to the north.

There as I was watching some of these beautiful bluish birds skimming low over the hillsides, I noticed one or another would suddenly vanish as if swallowed up by the earth. Concentrating on one bird I waited until it disappeared, then keeping my eyes on the spot, approached it and came upon a large aardvark burrow. Attached to the roof of the burrow, but about four feet from the entrance, was a typical swallow's nest brimful of gaping, yellow-mouthed young. That was at Dabaga on January 2, yet on the thirty-first at near-by Kigogo, and on February 2 in the faraway Livingstone Mountains at the north end of Lake Nyasa, I watched other swallows of the same species building their homes beneath banks overhanging streams.

The nest that Jali had found, and which constituted the first record of this species building in Nyasaland, was in a somewhat similar situation. The nest had been placed in a sort of mud cavern formed by the swirling stream in the side of a deep channel it had carved in the black peaty soil of the Nyika. A projecting lump of this mud made a tiny shelf that supported a shallow, saucer-like nest constructed of fine rootlets and grass, lined with soft downy feathers. On these rested three fresh eggs, much like a barn swallow's at home; that is to say a slightly glossy white freely speckled with reddish-brown spots imposed on gray lilac.

As we approached the place a buzzard, either mountain or augur, rose from a hillside ahead of us and circled low. Jali raced uphill after it with an astonishing display of energy. Indeed he was the only Nyasaland Native I met who walked so fast I had difficulty in keeping up with him. My own boys, Thomas and Wyson, were probably the poorest gunbearers I ever had for they were rarely at my elbow when wanted and their dawdling resulted in my losing many opportunities. It may, I suppose, have been lack of stamina but, ignoring exhortations, they habitually dropped behind when we were returning to camp which they would reach as much as ten minutes after me. This time they overtook us by taking a short cut and splashing through the Nchenachena River. Even so we had to wait some time for them. When at last they reached us I remarked to Thomas: "I am thinking of making Jali a sergeant major and letting him take you out for a route march each morning until you learn how to walk!"

X

Burrowing Blesmols—Zebra of the Plateau

WHEN we were camped at the foot of Mlanje Mountain shortly after our arrival in Nyasaland, one of the first animals to be brought us was an Angoni Blesmol (*Heliophobius argenteocinereus angonicus*), widely known by its Nyanja name of *fuko* which happens to be the same word as in Swahili. Europeans miscall blesmols "mole-rats"—but they are neither mole nor rat, though resembling both, with their beady black eyes no larger than pinheads yet presumably adequate to the requirements of a subterranean life. This blesmol was a plump, rather shapeless, oblong bag with a pink nose at one end and the remains of a tail at the other. I say "remains" because the blesmol has gone underground where caudal appendages, serving no useful purpose, are consequently in short supply. All the tail left to a six-inch blesmol is three-quarters of an inch. Even so you may have to search for it in the long gray fur that supposedly helps to keep a blesmol warm in its highland home. For this one was of the upland race of an animal first found in the sweltering heat of the Zambezi Valley.

Later I hoped to collect the Zambezi form and see if its coat was any thinner, but at the moment I was interested in a related problem. When, just before the turn of the century, Alexander Whyte crossed the Nyika, he apparently failed to label some of the speciments obtained at that time. At least many of the reptiles and frogs reported as having been taken on the Nyika Plateau between six and seven thousand feet were actually lowland species more probably collected during his journey down from Kondowe (now Livingstonia) to Karonga on the shore of Lake Nyasa.

One of Whyte's discoveries was a blesmol (*Cryptomys hottentotus whytei*), or rather two, of which one allegedly came from hot and humid Karonga, the other from the chilly heights of Nyika at eight thousand feet. I was inclined to think this possible for I had previously collected Whyte's blesmol at Ujiji, on the east shore of Lake Tanganyika, as well as at six thousand feet in the Uzungwe Mountains whose fauna shows marked affinities to that of the Nyika Plateau. Mammals, especially burrowing mammals, are naturally less affected by fluctuations of temperature than are cold-blooded reptiles whose distribution is largely governed by climatic conditions. Still Whyte's blesmol must be unusually adaptable to tolerate such extremes and I was anxious to find out if it was present on the Nyika.

The most striking feature of this rodent is the enormous gnawing teeth with which it chatters when frustrated or frightened; but the poor *angonicus* brought me by two boys at Likabula camp had only bleeding stumps. I promptly killed the animal and returned the corpse to its captors to eat, asking them, via Thomas, how they could be so cruel and how they would like to have their teeth struck out. Indignantly I told them I would refuse to buy any animals so mutilated. A man who had come up while we were talking remarked that I would then get no blesmols for it was customary to deprive them of their teeth so they could not bite their captor. I conceded that possibly they might inflict a severe bite with such formidable teeth, but the people of Tanganyika had brought me many blesmols alive and uninjured, either in large gourds or bamboo containers. Much as I desired Nyasaland specimens for comparison with those of Tanganyika, I said, I would do without them if Nyanja boys were too cowardly to bring them to me with teeth intact.

In Tanganyika I had kept a blesmol for two months in a five-gallon can of earth covered by double wire netting. The animal throve on corncobs, potatoes, and ground nuts. It is in search of peanuts, say the Natives, that blesmols invade their gardens and do much damage. Certainly in the Native *shambas* of southwestern Tanganyika the characteristic heaps of earth that mark a blesmol's peregrinations were plentiful enough. To rid a place of *fuko* by digging for them is an almost hopeless procedure in which hours may be spent in vain, for a blesmol's sturdy forefeet enable it to travel rapidly through loose soil. There were scores of blesmol hillocks on the slopes surrounding our Nyika camp so I set out with Thomas, Wyson, and Zacheyo one afternoon to try and dig out a blesmol.

From the start my companions were pessimistic, declaring that blesmols only burrow from the top of a hill to the bottom. I asked how they came to be in possession of this inside information, and if all blesmols were born on top of mountains how their mothers managed it unless they sometimes worked their way uphill from the bottom. Thomas replied it was common knowledge. I answered if they were so certain then we would start digging at the bottom and so find all the blesmols we wanted at once. While speaking I looked around for the nearest little pile of freshly excavated soil and selecting one of a series, each about two feet apart, that extended up and down the hill, I followed the heaps downhill for fifty yards. On coming to what appeared to be the last of the series I told the boys to start digging.

Zacheyo, using a hoe, dug for thirty feet. At no time did the burrow go more than a foot below the surface; its average depth was about nine inches. Then Zacheyo's English-speaking friend Wyson expostulated: "This kind not work alone, thirty-fifty this kind make burrow."

Just a defeatist's excuse, I thought, as I replied: "How do you know that thirty or fifty blesmols make one burrow?"

Thomas' eyes twinkled as he translated this into Ngoni, and answered me that as boys Wyson and Zacheyo had dug them out, adding, as if to forestall further questioning, "perhaps for food."

"Splendid," I exclaimed with feigned enthusiasm, "keep on digging and we will get all thirty, fill the lethal can" (which we had brought with us and which at most would hold only a dozen blesmols), "the pockets of Wyson's pants, and you, Thomas, can carry one or two in either hand."

As Thomas started translating this into Ngoni and his active imagination conjured up the scene I had described he began to laugh. Shaking so he could no longer speak he walked twenty feet away and stood with his back toward us while trying to control himself. The spectacle caused old Zacheyo to guffaw loudly and Wyson, laying down the bush knife with which he had been digging, declared he was robbed of all strength, for being tired we laughed unrestrainedly.

Wyson had been engaged in opening up a burrow on the bank of the stream flowing through the *dambo* and his excavation was now nearing Zacheyo's, their united efforts having exposed quite sixty feet of blesmol tunneling. Suddenly Wyson had a hunch and began digging beneath a bush that was more or less between the two lines of excavation. Presently he exposed two *fuko* nests, composed of broad grasses; each was in size slightly smaller than a human head. Promptly lifting first one and then the other to his nose, Wyson sniffed. "Too old," he said, handing a nest to me that I too might smell its faintly musty odor.

Behind the mountains the sun had already sunk from sight. By this time Thomas had departed on his daily mission of setting mousetraps. Having long shivered in the chill wind we were glad of the excuse to gather our impedimenta together and trudge up the *dambo* toward camp, only a quarter-mile away. Once again the optimism with which we had set out had failed to bear any fruit.

Our failure was no doubt discussed at length around the boys' fire that evening for Patrick came to me and, with Thomas' help, described the correct procedure to capture a blesmol. First one should select a hillock whose shifting soil indicates the presence of a *fuko* at work. Gently brush aside the soil so as to expose the opening, then insert a stick through the roof of the burrow a foot or so from the entrance to prevent the rodent retreating. Blow with as much force as you can muster into the hole until the blesmol, allegedly sensitive to breezes, returns to block the entrance when a second stick should be suddenly thrust downward immediately behind it and the disconcerted animal quickly seized. I told him to demonstrate his technique and pointed to a hole in the terraced earth wall beside my tent from which little jets of earth periodically fell to the ground below showing that a blesmol was at work. Patrick pushed in his sticks but failed to get the *fuko*. Later, however, he was successful and bit by bit we gathered a series of Nyika blesmols.

It is rarely that one finds a blesmol throwing up soil for they seem to be most active at night. Sometimes the backs of their forefeet are caked with dried mud, more frequently small blobs of soil are firmly attached to the silky gray fur that clothes the adult *fuko*. On the head or back there are usually one or more erratically disposed patches of pure white; the central area of the belly may also be white. So variable are the markings it seems likely that they have little significance for blesmols, whose young remain nearly jet-black until half-grown.

About the base of the fur of young blesmols there are often swarms of mites, doubtless acquired in the loose assemblage of grass, and sometimes leaves, that serves as a nest. It is chiefly during times of famine that *fuko* are eaten by adult Africans, but to growing boys who have to contend with an insatiable appetite I suspect there is no closed season for blesmols. Once I recovered a *fuko* from the stomach of a jackal, and once only from a snake—a harmless House-Snake (*Boaedon l. lineatus*) which must have been pretty ravenous to have tackled so formidable a mouthful.

Not unnaturally I assumed that my series of Nyika blesmols represented *whytei*, for the pelage of most blesmols is very similar and it takes a mammalogist to distinguish between them. When my material reached the Museum of Comparative Zoology and was studied by Miss Barbara Lawrence, it turned out that the only place where I got Whyte's blesmol was in the Misuku Mountains; those from the Nyika, Nchisi, Zomba, Mlanje and Cholo Mountains were all *angonicus*. The dentition of the two genera, *Cryptomys* and *Heliophobius*, is quite distinct.

I had not forgotten the zebra in search of which I had started out at daybreak on several successive mornings, but all in vain. Then one day, about an hour's walk from camp, either Thomas or I spotted five of the animals silhouetted on a skyline two miles away.

It took us thirty-five minutes to reach the ridge. Cautiously we raised our heads over the top but saw no sign of our quarry which we had been at great pains not to disturb. We scouted away to the left and then to the right until Thomas caught sight of a raised head resembling a boulder among the grass, the rest of the animal being in a vlei below.

Leaving the boys behind, I crept downhill until the head reappeared. Then, from a sitting position, I fired, but too high. Promptly the head disappeared. I waited patiently and presently not one but a row of heads appeared over the rise. Still I waited and slowly the heads grew larger until five black chests came into view as the animals stared straight at my immobile outline. Not until one zebra was fully exposed did I raise my rifle and pull the trigger. Nothing happened beyond a faint click, the trigger refused to work. The zebra galloped madly away in full view, leaving me crestfallen and the boys justifiably disgusted.

Though I was unaware of it at the time, the cause of the trouble was a dud cartridge that, failing to explode, jammed in the breech instead of being thrown out by the delicate ejecting mechanism. To remove it I had to dismantle the rifle which I subjected to a careful examination without finding anything amiss. It was very disconcerting to have a weapon on which one depends behave so. Unfortunately I never detected the bad cartridge among the good ones that tumbled from the magazine. As a result that cartridge and another bedeviled my shooting on several occasions.

The next time we came up with zebra there were four in the party; a stallion, two mares, and a well-grown foal as I could see through my field glasses. They were feeding along a distant hillside. Taking advantage of every ravine and shoulder I began to stalk them upwind. Once they began moving in our direction, whereupon we sat down for a welcome rest. At times one mare would chase the other, their flying hoofs raising sinuous clouds of dust as they churned up the friable soil of the burnt-over hillside. Paying scant attention to their behavior, the steadily grazing stallion followed in their general direction until the little party reached the *dambo* at the head of the valley in which we were.

It seemed probable the zebra were heading for a well-marked

game trail that ran along the hillside directly opposite the one along which we were walking through dry, wind-swept, ankle-high grass. So down we dropped as momentarily the zebra appeared from behind a spur. The minute they were out of sight again we rose to seek shelter among the ranker grass and bushes fringing the stream that flowed in the valley bottom. We had scarcely taken a dozen steps, however, when a duiker bounded from the longer grass and went racing over the crest of the spur in the general direction of the zebra.

As we were watching it disappear over the ridge, up got a jackal and with waving brush departed after the duiker. In case the jackal should halt and look back—which duiker on the Nyika never seemed to do—I raised my rifle and kept the animal covered. So, when a moment later a second jackal arose a hundred feet below to stare at us, I had only to swing my rifle round and pull the trigger for the beast to drop dead. We walked down to it and I remarked to Thomas that the animal was probably a female as it had displayed curiosity instead of dashing away as its companion had done. However, it was a male!

As the crack of the rifle shattered the silence the zebra had cantered wildly about until coming to a standstill they all stood staring in our direction as we sat in the grass. When, after waiting a few minutes, we had risen to go to the jackal, the zebra turned and galloped over the spur of the mountain down which they had so recently come. Once over the top, however, they wheeled about, at first exposing only their ears, then their heads, and as curiosity outweighed caution, they came into full view with the exception of the foal which remained out of sight.

Dondon, carrying the jackal stolewise around his neck, started back to camp, while Thomas and I turned toward the zebra only to find they had disappeared. We followed their spoor for two miles before I detected them feeding afar off among some scattered trees. A detour was necessary, after which I worked upwind moving from bush to bush or tree to tree each time all heads were down as they grazed slowly along a ridge. Finally, with heart pounding from ascending the slope in spurts, I crouched within a hundred yards of them, my rifle trained on what I thought was the stallion. Then up to "his" heels trotted the foal, so I lowered my weapon for I had no desire to bereave the youngster even though it was well able to shift for itself. Next minute it moved over to the other two animals and I decided that after all the leader was the stallion. My rifle cracked, for a moment the mob wove about in characteristic fashion before vanishing over the crest. I followed, and there within a hundred yards lay the stallion stone-dead, a bullet lodged in, or near, his heart, for it never came out.

For days afterward camp bore some resemblance to a butchery with our boys displaying unsuspected energy as they cut the flesh into strips for conversion into biltong. A few mornings later Zacheyo brought word that from the ridge above us he had seen a herd of eland. Eland, largest of all African antelopes, was one of the few kinds I had never collected, and as there was no example of the Nyasaland race (*Taurotragus oryx livingstonii*) in the Harvard Museum I needed no urging. M. & B. were not up when I climbed out of the bowl in which we were camped and had the eland pointed out to me. There were about eighty of them grazing along a hillside away to the east. However, as the wind was blowing from us toward the herd a considerable detour would be necessary. Noting the direction in which the animals were moving I skirted around a mountain so as to approach them upwind.

As I drew near the heights from the west I was surprised to see M. & B. crouching beneath the crest. On reaching them I learned that Patrick had told them about the eland immediately after my departure. Hurriedly dressing, they had cut some sandwiches in lieu of breakfast, and hastened along the path. In climbing the slope Billy had disturbed a two-foot back-fanged snake (*Psammophylax tritaeniatus variabilis*). Mary wished to help her catch it but Billy had exclaimed: "This is my snake. Keep off." Then she captured it singlehanded, securing it in the large silk handkerchief that covered her hair. But their greatest thrill had been meeting the magnificent leading eland face to face as they topped the slope. Some people have all the luck. After a good stare at each other the two parties withdrew and Mary was quite sure the animals were still just on the other side of the crest—I was not. Nor were they, and several days elapsed before I succeeded in getting an eland.

The day before we were to leave Mary and Billy returned from a swamp seven miles away, declaring they had seen a yellow lizard and gold-striped frog of kinds we had not got. Mary had been the first to find a new race of chameleon on the Nyika and Billy a new species of skink. All in all we had done fairly well on the plateau but that evening Mary could talk of nothing but her golden frog and was unwilling to leave without it.

Next morning two would-be bearers came rushing down the hillside into camp at 6:00 A.M., immensely pleased with themselves for being the first to arrive. An hour and a half later Mary and Billy, taking Thomas our acknowledged star frogger with them, left for the distant swamp.

It was Billy who had seen the yellow lizard dart down its hole the previous day, so when they reached the place Billy, armed with the .22 collecting gun, mounted guard to await the hapless reptile's re-emergence. Mary and Thomas continued on for a couple of miles to the grass-grown swamp where Mary had repeatedly tried to pounce upon the elusive yellow frog. Thomas was more successful and presently there were three reposing in the bag, but as Mary opened it to receive a fourth she got a shock. Her handsome "golden-striped frogs" had all turned dark brown except for a somewhat silvery band down the middle of each back. In fact they were no different from the Striped Grass-Frogs (*Rana fasciata fülleborni*) we had been catching around camp.

Disillusioned, Mary and Thomas returned for Billy, who had seen nothing of the yellow lizard but had got five of her new skinks (*Mabuya* sp. nov.). As they walked back to camp Billy remarked: "When we get back I wouldn't be at all surprised to find the tents struck." However, when they topped the rise and looked down into the hollow where we were camped, the tents were still standing, but outside theirs were two big duffel bags which they rightly divined held their bedding. For the second day in succession they had just completed a fourteen-mile walk, and realized those ominous bags were an invitation to continue on down to Nchenachena.

I had remained in camp to pack loads and dispatch them as fast as bearers for them became available. After the first pair others continued to arrive in threes and fives until 11:00 A.M., by which time twenty-seven had turned up. As this was more than half the total requested it meant that I must dispatch either my or M.'s & B.'s tent and camp kit. If mine, then I must also go, and that raised several problems. Fervently hoping that M. & B. would be willing to continue on down, I went so far as to pack their box and supervise the bundling of their bedding into several kit bags. Their beds I left standing, realizing they would require some rest.

The peripatetic pair rose to the occasion and were most co-operative, agreeing to do the additional five miles after lunch and a rest. They were dreadfully sorry to leave the plateau for it marked a turning point in the *ulendo* which, for them, had less than six weeks to run. After their departure Thomas, Dondon and I had the plateau to ourselves. By a curious coincidence that last evening was the loveliest since our arrival there, calm and clear. Overhead the palest of blue skies was streaked with delicate pink while across it drifted a few fleecy clouds, like big bolls of raw cotton being blown along. Hemming us in were the rolling mountains, their slopes now clothed in fresh verdure till they met and merged with the vivid green of sedges and lobelias in our valley.

Next morning I reached Nchenachena in time for a late breakfast, passing on the way the porters who were toiling up for the remaining loads. Well I knew that but for Major Smalley's kindness in supervising their departure I might have been marooned on the Nyika as I had been on Mlanje, so entirely undependable was Mziliwanda, the local chief. The lorry was intact, so after a week end at Nchenachena, with Billy at the wheel, we headed south via Mzimba for Nchisi Mountain.

XI

Muldoon Goes "Fishing for Lions" at Nchisi

As WE approached the Bua River, which appears to be one of the last refuges for game in the Protectorate, overthrown trees and torn-off branches with unwilted leaves showed that elephant had crossed the road during the night. Our truck driver inquired what she was supposed to do if, rounding a bend, she suddenly came upon a party of pachyderms feeding or loitering about the road. Should she blow the horn loud and long while charging ahead or go into reverse? I assured her that the question was almost academic as elephants are endowed with good hearing and being intelligent mammals they might be depended upon to depart promptly when they heard the lorry approaching. We were still discussing the point in desultory fashion when a small buck dashed across the road followed, shortly afterward, by a family of grotesque wart hogs—pop, mom, and four piglets—which, seeing Billy bearing down on them, ran confusedly about and along the road before taking to the bush with their ridiculous tassely tails waving farewells as they disappeared among the trees.

After doing about a hundred miles we turned off to Mwera Hill to look up Guy Muldoon whom I had met at Blantyre when we were both guests of Mr. Rangeley. At our host's suggestion Muldoon had graphically described for my benefit the unusual technique by which he had bagged twenty-three leopards and a dozen lions. "Fishing for lions," Rangeley called it, and Muldoon had concluded by offering to demonstrate the method if I decided to visit the lion-infested Nchisi district where he lived. The experimental fruit farm of which Muldoon is in charge was only about ten twisty, very hilly miles from old Nchisi Boma, an abandoned district officer's house that we had received permission to occupy as it was conveniently near to the forest capping the mountain.

While we were enjoying the refreshments provided by Mrs. Muldoon, I asked her husband for the latest news of the lion situation at Nchisi, where they had achieved some reputation as a recurrent nuisance. Muldoon replied that less than a week before half a dozen of the big cats had walked through the back yard of our future home—Nchisi Boma; as no rain had fallen since their visit the footprints might still be visible. Within a radius of four miles of the old house a lioness had killed six Natives, but as the last fatality was two months ago she had evidently shifted her beat to another district. The six lions known to be residing in the forest had killed an ox on Saturday, an ox on Sunday, an ox on Monday, nothing on Tuesday but another on Wednesday. It was then Thursday so I inquired if Muldoon were not going to sit up by the last kill. He replied that he had been making preparations to do so and asked if I would like to accompany him.

After arranging that Muldoon should call for me about an hour before sunset, we left for Nchisi. A long winding road led up to the old Boma whose thatched roof and whitewashed walls made it resemble a sturdy farmhouse of the better sort. The veranda, enclosed in double wire netting as a precaution against leopards, and possibly thieves, overlooked a terraced tennis court in a state of disrepair. Beyond the court was a marvelous view of ravines and rolling hills merging into the plains that stretched away to Nyasa itself, lost in a blue haze. I had little time to look around, however, before Muldoon came to take me to the kill that, though not far from the Boma by crow flight, was easier to reach by car.

Following a circuitous route we eventually drew up at a village where several Natives were waiting to carry the tent, crowbars, and coils of stout rawhide ropes variously known as riems, reims, or rheims throughout Southern Africa. Muldoon had explained to me in Blantyre how he had a standing arrangement with the local Natives that, when one of their cattle was killed, if they chose to leave the carcass unmolested and provide bearers for his bed, bedding and tent, he would try and get the marauders. Leaving the car, we walked for a mile or two through the foothills to where the deceased was lying. The lions, after killing the bullock near its kraal, had dragged the carcass downhill for fully two hundred yards before making their meal and abandoning the remainder to the clouds of flies which were buzzing about it like a swarm of bees as we approached.

Muldoon gave a few brisk instructions and promptly two of the men began driving a stout crowbar into the ground close to the bullock's head. To prevent the animal being dragged out of range its horns were then securely lashed to the bar by means of one of the riems we had brought for the purpose. Next, the end of what was destined to be a signal riem was passed through the animal's exposed pelvis and made fast. When Muldoon first devised his technique he habitually looped the other end of the signal riem about his wrist before lying on his bed to await the tug which would signify that the kill was being pulled about by a lion or lions. Once, however, the animals announced their arrival by such a terrific jerk that Muldoon, visualizing the possibility of a dislocated wrist, decided that in future it might be better to hold the thong. So the free end of this riem was to be held by Muldoon when we sat in his empty tent, even then being pitched by other Natives on the opposite slope just sixty feet from the kill.

Muldoon strolled across to the spot and turning, surveyed the carcass critically. Between it and the tent was the beginning of a gully, barely, yet just, deep enough to shelter a crouching lion. My companion ordered the men to break down the edge on our side so that a wounded lion could not utilize it for taking cover or launching a charge. The clump of tall sedges growing beside it must also be leveled, and the low trailing branch of a sort of crab apple obstructing a clear view of the kill had to be chopped off.

When this was accomplished the Africans asked if they might go. One, named Martin, had been in Muldoon's employ for some years until he became headman of the village nearest to Nchisi Boma. Martin was coming back to sit with Muldoon as he had always done. But we needed a second, said Muldoon—who would like to stay? At that there was some laughter and ribbing; finally one lad volunteered. Muldoon told these two they had better be spry in getting their supper for the sun was already down and only a bare half-hour of daylight remained. No fear, they laughed, and ran off toward the stockaded village we could see a quarter-mile away.

The intervening slopes were relatively free of cover, having been cultivated during previous rainy seasons though lying fallow in the present drought. The hillside immediately behind the tent, however, was well covered with scattered bush and low trees among which the village cattle were accustomed to wander in search of tufts of dry grass on which to browse. We too were hungry, so from my haversack I drew some sandwiches Mary had prepared. Muldoon produced a Thermos of tea and two cups, then we sat down in the gloaming to enjoy our repast.

Muldoon pointed to the dark mass of forest capping Nchisi Mountain behind the village. That was where the lions were lying up, he said, probably they were already astir, but would not come down until the supper fires had died out and everything was hushed in the villages scattered around the mountain's lower slopes. This theory was evidently shared by Martin, for it was practically dark when he and his companion returned.

Muldoon's dilapidated tent was of the usual tropical type, consisting of two upright posts supporting a single, in this instance broken and sagging, ridgepole over which the canvas was flung. This gave two sloping sides and a vertical back and front that could be closed by lacing them up the middle. The back had been so fastened, but not the front, as the canvas would need to be flung back suddenly when Muldoon gave the signal. On either side of the upright post Muldoon and I sat on the ground knee to knee. At his right squatted Martin, on my left the other fellow, each African ready to throw back his respective half of the canvas which, not a foot from our faces, was all there was between us and snooping lions. Muldoon's forehead bore a headlight that he would switch on when a tug of the riem told him something was molesting the bullock. As I had only a flashlight it was held by my assistant who was to direct it toward the kill so I might see to shoot. As the beam fell upon them, said Muldoon, lions invariably turned and looked toward its source. That was the moment to fire. If our lights showed all six lions grouped around the kill, we arranged to pick the females first: if there was only a pride Muldoon would take on the female and I the male.

Then we relapsed into silence, never moving a muscle unless absolutely necessary. An hour passed and, as so often happens in the tropics after a hot day, a breeze sprang up as the heated air that had been rising induced the cooler air to come flowing down the hillside. It blew so gustily at times as to send the back of the tent billowing inward, raising it a foot or two off the ground. Simultaneously the canvas in front of us blew wide open, affording a fleeting glimpse of dark shapes—bushes and trees—before subsiding. Then came another gust, lifting the skirts of the tent which anyway failed to reach the ground at several points. It is customary for the skirting of a tent to be pegged to the ground, but Muldoon had remarked he was short of pegs. The few he had were needed for the distant guy ropes and not one had been available to fasten the canvas.

Inside the tent the blackness of the night was absolute, so it was far from clear to me why a lion should not enter from the rear and seize one of us by the scruff of the neck. It was no business of mine, however, as this was essentially Muldoon's show, he had had first-hand acquaintance with the behavior of Nyasaland lions while I was a complete stranger. Presently the wind began to blow more regularly, causing the canvas to slap the pole between us quite noisily. This would never do, and Muldoon breathed instructions to each of our assistants to hold his canvas steady. This meant some of their fingers remained outside. Obviously Nyasaland lions were so sporting they would understand the necessity for this and not take unfair advantage of the situation.

There was ample time for such thoughts to flicker through one's mind as the four of us sat there immobile hour after hour. Eventually first the Africans, then one or other of us, would shift slightly, yet perceptibly. At times I had difficulty in keeping awake. At ten o'clock Muldoon whispered that we might as well go, for by this time the lions would certainly be seeking their supper elsewhere.

As we walked back to the car my flashlight was reflected in the glowing orbs of some feline. At first I suspected a genet, but the way the owner of the eyes dodged about made it appear more probably a cat, domestic or wild, so I let it go. Muldoon enlivened the walk with his reminiscences. When returning along this self-same path one night he was descending into the dry watercourse we were then crossing when he met two lions coming down the opposite bank. The lions politely withdrew, but Muldoon saw one of them standing ahead of him as he neared the village. He could not fire as there was an occupied hut immediately behind the animal; just then some sixth sense caused him to swing around with his flashlight to find the second lion had circled about and was behind him. He scared them off and reached his car without being molested.

We did the same without incident of any kind, and during the run back to Nchisi Boma the headlights revealed nothing more exciting than a hare loping along the track ahead of us. Contrary to expectations we found Mary and Billy still up. They soon had tea ready and we all sat chatting until midnight when Muldoon left for home. On the way he shot a wild tabby cat (*Felis libya mellandi*) which he sent back next morning for me to preserve. With it came a note saying that while he and I had been sitting waiting for the lions, the carnivores had been raiding a cattle stockade in Martin's own village—about a mile from our house—and mauled a bullock but had been scared away before they made a kill. These six lions were evidently so cunning they preferred to make a fresh kill each night rather than risk returning to an old one.

We awoke that first morning at Nchisi to find both the mountain and our immediate surroundings enveloped in a thick mist that remained until noon when condensation took place and it rained for about an hour. More or less similar meteorological conditions prevailed on and off during the fortnight we spent at Nchisi. So a morning or two later, despite a driving mist that enveloped everything outside a very limited radius, I set off for the forest whose cold-blooded fauna was my chief interest.

The few hundred acres of surviving forest on the ridgelike summit of Nchisi Mountain had been declared a reserve, the purpose being to deter the local Africans from felling and burning with their customary prodigality. Consequently the place is little visited by Natives and there are no paths in it apart from an occasional game trail. At the point we entered it was necessary to push through the belt of bracken and rank grass that literally choked a little gully, where it formed a protective mantle to prevent erosion. I had chosen this place as a troupe of monkeys were feeding in the treetops nearby, but they went rocketing away before I was clear of the undergrowth.

Once inside the forest, progress was relatively easy if one steered a course clear of the extensive thickets. Within there was the usual cathedral-like hush and stillness associated with big timber. I noticed the gunbearers hung back, awed no doubt by superstitions and the reputation the place had as a resort for predatory animals. Their presence, I imagine, serves a useful purpose in forest conservation.

On reaching the buttress roots of a big tree I waited for the boys to catch up, then told them to rake away the drifted leaves and search for possible reptiles and snails. As I spoke, breaking the silence for the first time, there came a grunt from some bushes just fifty yards below. Wide-eyed the boys looked at one another as simultaneously each said "lion" in his own language. I smiled reassuringly and remarked that if we minded our own business we might be sure the lion, or lions, would be pleased to do the same.

For five to ten minutes we carried on with our snail hunt, gathering quite a harvest of fine mollusks. Then a squirrel started "ku-wheking" in the thickets immediately below. "I must get that squirrel," I exclaimed, recognizing the cry as coming from a different kind from any we had obtained in the north. Seizing the shotgun, I hurried down the slope exchanging the buckshot cartridges with which it was loaded for some more suited to a squirrel, as simultaneously I called to Dondon to follow. He started to do so, then muttering something in Nyanja that made Thomas laugh, he turned back to pick up the rifle I had left leaning against the big tree between whose buttress roots we had been searching.

The slope we were descending ended in a gulley down which a very shallow stream was flowing though mostly obscured by bushes. The farther side rose steeply, supporting trees and patches of undergrowth like one on my right which constituted an impenetrable thicket. At its edge I halted. On my left was a big bush beneath which had been lying the lion, whose weight had flattened the drifted leaves, while the stench of its ordure polluted the atmosphere. Evidently when pussy's morning siesta was disturbed by our arrival, the animal had given a warning grunt as it rose and moved into the near-by thicket. There its presence had been detected by the indignant squirrel which had since ceased to voice its alarm. As Dondon joined me, from across the gully came the sound of first one and then a second stick snapping loudly; obviously they had been trodden upon by some heavy beast. From their vantage point above us the snail hunters called out they could hear the lion running up the farther slope.

I was vainly scanning the thicket for the now silent squirrel when my attention was attracted by two young monkeys, the smaller appearing but little larger than a man's fist. Apparently merely for the fun of exercising their muscles, they were leaping about in the branches of a tall tree that towered above me. With head thrown far back, for the monkeys were directly overhead, I was watching their antics when a sharp nip on my bare leg above the puttee made me jump. Looking down I saw a dozen driver ants (*Dorylus nigricans molestus*) swarming up my legs and realized the foot-high vegetation in which I stood was alive with the pests. Hastily decamping to a discreet distance, Dondon and I stamped our feet as a preliminary to removing the invaders one by one. A couple of the ants had worked their way inside a sock where they were safe until their disconcerting nips finally forced me to remove a puttee.

We remained in the forest for three hours, filling a whole tin with snails which were fairly common beneath the large leaves that thickly strewed the forest floor on its eastern slopes. But ever since dawn it had been heavily overcast and now began to rain in earnest. We sought shelter between the buttress roots of a giant tree, congratulating ourselves on having discovered such a refuge from the deluge. After a while, however, the canopy overhead began to leak as each overburdened leaf released its quota of water. The storm lasted only half an hour but resulted in a considerable drop in temperature. Thoroughly chilled, generally damp and quite wet in patches, we abandoned our retreat and picked a fresh way out of the dripping forest. Though constantly on the lookout for frogs during the downpour I only caught two, but they were exceptionally welcome for they represented a species (*Arthroleptis stenodactylus whytii*) especially associated with rain forest.

At seven o'clock next morning we returned to the forest, following a path below its eastern edge until we came to a stream flowing in a little gully with well-wooded banks. There we stopped to search for frogs; finding none I started scrambling up the farther slope when a squirrel commenced "kuwheking." Telling Thomas to follow with the rifle, I pushed through a screen of bushes and small trees. Almost immediately I recognized a tall tree as the one in which the baby monkeys had been disporting the day before. Unquestionably the squirrel was the animal we had heard then, for it was holding forth from the same dense thicket, but this time I was approaching from the opposite direction and had to cross the meandering stream. I shot the squirrel before either Thomas or Dondon, who had just come up, could detect the animal in its leafy retreat—this despite its bright reddish pelage, for it proved to be a male *Paraxerus p. palliatus,* though in poor condition as it was molting.

Stopping to turn every dead log we could find, and pausing to dig beneath most of them, we slowly worked our way through the forest. After moving at least forty logs we reached a sunlit clearing in which was lying a moss-grown tree trunk. In its lee I caught sight of a single white, parchment-shelled egg less than half an inch long and under a quarter in breadth. Pouncing upon it I exclaimed that we *must* find the lizard that laid that egg, for it furnished the first tangible evidence of the presence of reptiles within the forest. A moment later, among the dead leaves that had drifted against the log, I spotted an undescribed kind of short-tailed pygmy-chameleon (*Brookesia*). As I picked it up, Dondon, raking aside the leaves where it had been, uncovered six more eggs of substantially the same size as the one already found. Each egg, well separated from its nearest neighbor, was two-thirds buried in the rich black loam. Suggesting that such fresh-looking eggs had most probably been laid by the reptile I had caught (which subsequent dissection revealed as holding eight more), I said that the solitary egg must have been laid by another chameleon. After intensive search we eventually discovered her (and later found she held fourteen eggs ready for laying). Upon opening the solitary egg an embryo was disclosed within, as proved to be the case with the unlaid ones also. This was the most gratifying morning's work since our arrival at Nchisi, confirming and extending the information we had already gained in the Misuku Mountains.

There the boy who found the first pygmy chameleon had been puzzled by its strange appearance. "What's this?" he had exclaimed, pointing with his machete at the plump little reptile lying motionless on its side among a litter of freshly felled vegetation. Mottled in shades of brown and gray, its tiny tail representing the stalk, the chameleon certainly looked more like a dead leaf than a living creature. Two others that we found in succeeding weeks were also lying on their sides among the dead leaves of creepers that had fallen from the clumps of bananas at whose base they lay. However, the leaflike appearance of these little chameleons did not afford them perfect protection as I recovered no less than four from the stomachs of vine snakes.

Striking a fairly well-defined game trail that traversed the forest in a more or less east-westerly direction, we followed it until we came on a game pit plumb in the center of the track. We had become accustomed to finding abandoned game pits on this mountain, but all were surpassed by this one. Twelve feet long and about twelve in depth, it had probably been dug for sable or eland, though possibly for lion. Its already moss-grown sides suggested it had been excavated during the war years when forestry conservators were otherwise engaged and poachers could operate without risk of molestation.

Emerging on the western side of the forest, we found ourselves almost on the brink of a rocky bluff that was practically a precipice. Along the summit wound a trail, skirting the forest in the narrow space between it and the edge. As we were nearing the southern end I heard a stick snap on my left. Turning, I silently signaled the gunbearers, who were fully fifty feet behind, to stop talking, for their voices would certainly scare any animal that might be about. At that moment a party of monkeys, completely concealed in the dense foliage, began chattering vivaciously. Entirely unaware of their proximity, I had just passed them. Hurriedly exchanging the cartridges in my shotgun, I was about to push through a gap in the belt of elephant grass separating me from the forest, when Thomas, who had come up meantime, laid a restraining hand on my arm.

"Lion," he whispered, then added urgently: "Look, look, it is standing up now." He was pointing at a gloomy grass-free spot beneath a tree not fifty feet away. But before my eyes could adjust themselves from the noonday glare sufficiently to distinguish the big beast, it had melted into the shadows. Confident it would retreat, I hastened in and heard it running through the forest as I passed the spot where it had been lying. Egotistically I had assumed that it was on my account the monkeys had started chattering, and with my attention directed to them, or rather toward the overhead foliage in which they were hiding, I had never given a thought to lion until Thomas spoke.

Early the following morning we came on the odoriferous remains of a sable killed by lions on the northeast outskirts of the forest. A bull sable is one of the handsomest of antelopes, big as a horse, but bearing backward-sweeping horns that it uses to good purpose when wounded. The surrounding grass was much trampled and from the kill lion tracks led down to a shallow stream which bordered the forest at that point—the farthest from the Boma.

This part of the forest was much more difficult to get through; in fact, we frequently had to retrace our steps when the way was barred by impenetrable thickets. Such growths are rarely associated with big timber, but spring up in areas that in bygone days have been cleared for planting and subsequently abandoned. In one gorge we disturbed a bevy of half-grown bushfowl which burst into noisy flight. In a clearing far removed from the one previously visited, we found yet another gravid chameleon beside a log to which it had retired to lay. Evidently the first week in December, which normally coincides with the lesser rains, is the usual season at Nchisi. This pygmy chameleon was almost the only thing of interest seen as we gradually made our way through the forest to the middle where we had left off working the day before. Lion spoor was plentiful; we kept coming across their tracks all morning.

That evening Mary announced that unless I could get some venison she would have to open still another of our fast dwindling stock of canned meat. My last attempt had been unsuccessful, but in response to Mary's request I decided to return to the southwestern slopes of the mountain though it meant crossing a great many deep ravines, some of considerable size.

Five minutes after leaving the house I observed a buck on the run in the far distance. Then I detected a male duiker unconcernedly grazing on the hillside above us. My first shot was high and the animal bolted for fifty yards before pausing to reconnoiter the danger, when it was killed outright by the second shot. A little later I rounded a big rock and saw about two hundred yards away a female duiker nibbling the fresh grass sprouting after the recent rain. Again my first shot went over, alerting her as she raised her head smartly but otherwise never moved. She was killed instantly by the second bullet passing through her heart. First Dondon, then Thomas, each carrying about his shoulders a carefully measured little antelope ready for skinning, returned to the Boma, while I decided to continue on with Johnnie, in the hope of securing a pair of klipspringers I had seen among the scattered rocks on the southern slopes of the mountain.

Away to the south the sky was threateningly black and we could see rain falling, but our local guide assured me it was not coming our way. For a further hour and a half we hunted without seeing a single living thing except a party of baboons and Dondon, who rejoined us as we were heading homeward.

Suddenly, to an accompaniment of vivid lightning and several ear-splitting cracks of thunder that reverberated against the cliffs, down came the rain. We ran for shelter to a fissure in a great rock that had been split in some previous storm. There was just room for the three of us to sit on the sloping ground with the water cascading in front of our toes as from an overflowing gutter. Nor did we notice that down the rock face behind us was running a rivulet that presently announced its presence by seeping through our seats. This menace was diverted by the guide's masterly use of his bush knife, but thereafter we stood, damp, chilled by the sudden drop in temperature from humid heat, and constantly making small adjustments in our positions to avoid drips or splashes from fresh sources.

Apart from a slight slackening that had followed the exceptionally heavy initial downpour, the storm showed no signs of abating. So, after we had waited an hour, I told my companions they might remain if they so chose, but I for one was going home. They too were shivering and had had enough, but no sooner did we vacate our poor shelter than we were all drenched to the skin, a process that was repeated each time a clap of thunder reinvigorated the deluge. On reaching the kitchen the boys remained to change their clothes by the fire. I continued on to the house where Mary, with customary thoughtfulness, had ordered water to be heated for a bath, a lengthy business where water is not piped in and every drop must be warmed over kindled wood.

It was natural to suppose that such a downpour would have aroused the estivating frogs, so when it was over I took two of the boys and optimistically embarked on a search for them. Apparently, however, the amphibians found conditions in a wet and sodden world too chilly and cheerless, for we got very few and after an hour relinquished the hunt.

XII

Baboons and Boomslangs— We Leave Nchisi

THOUGH Nchisi frogs refused to be activated to any great extent by the downpour, Nchisi snails were more optimistic and rose to the occasion in a surprising manner. Dawn on December 9, like many another, revealed the mountain shrouded in mist. After a while condensation set in, the mist turned to fine rain which terminated in a sharp shower that ended about noon. Mary, who emerged first, called me to come and see the giant snails, big as two fowl eggs, awakening from their long sleep. For the past five months we had been speculating as to where these four-inch-long mollusks spend their summers, an African riddle akin to the American one as to what becomes of the flies in winter.

Mary pointed to the ground in front of her, claylike murram beaten hard as a path during the past eight months by the passage of many feet, both bare and shod. The spot that Mary was watching had cracked in a small circle and even as we looked it heaved gently a few times until the apex of a snail's shell appeared, a pause, then it was thrust a little higher wearing a pancake of earth like a hat. One or two more heaves and the hat tilted to one side and slid off along with other fragments of soil. So it went on until the entire snail (*Achatina craveni*) was exposed, extended its horns to see where it was going, then started to crawl away. Mary had noticed the circular crack and a movement of the earth as she was heading for the house with a couple of snails she had found emerging from the flower bed. They had been pushing up among the geraniums and roses that Mary, with her passion for gardening, had resuscitated with an admixture of antelope and lion manure. Together we wandered about scanning the ground for signs of more snails and gathered quite a number. During twelve years of travel in Africa I had never witnessed, nor even heard of, this burial custom of snails, though I did know that if they were caught out in the open during the dry season the heat was sometimes severe enough to cook them in their shells.

As Mary and Billy had not yet been up to the forest we decided to go there directly after lunch. Just as we reached the forest rain began again, lasting half an hour, which we three, having raincoats, spent in turning leaves in search of snails. Subsequently the boys, whom I had told to seek shelter, joined us in the search. Billy called out that "two mice" she had uncovered were running away. As I raced up the slope I saw one of the pair making off and recognized it as a shrew. Summoning Thomas, together we searched the surroundings very thoroughly until the fierce little creature was located and captured among the roots of a tree.

We left the dripping forest and, beneath a leaden sky that was frequently fissured by forked lightning, made our way down the mountainside between massive rocks among which the thunder echoed as it exploded with terrific concussions. Across the plain there was no sign of the lake for it was blotted out by a gray wall of torrential rain slowly advancing toward the mountain. I told the boys they had better run for the Boma. Away they went racing and leaping down the slope until they disturbed a wart hog that, bolting across in front of them, brought Dondon and his companion to a halt.

Thomas, looking back to see if I also had observed the animal, saw me, gun in hand, apparently pursuing Mary and Billy who were running fifty yards ahead. The sight struck Thomas as so funny he could not stir for laughing, and so they passed him. In her haste Billy dropped her hunting knife without missing it and as Thomas, following behind, stooped to pick it up he was moved to fresh convulsions of laughter.

Within sight of the house Mary stopped to examine a flower and so brought Billy also to a halt. Overtaking them I urged Mary not to dally another moment. Two minutes later as Billy ran through the doorway, down came the rain in torrents that reduced visibility to a couple of yards, and continued unabated for an hour. Afterward there was a slight slackening though it kept on until sunset. When it moderated Thomas called from the kitchen to know if I wanted any more snails as "they are coming up all the time." "*Ndio* (Yes)," I shouted back, supposing he meant they were emerging from the ground as we had watched them doing that morning.

Presently he darted across the yard to ask if I would not come to the kitchen into which about fifteen children had crowded for shelter. Each child was herding a couple of dozen half-grown giant snails. For these I paid the promised reward while getting Thomas to emphasize to each child that I now had all the snails I needed from Nchisi.

Elated with the idea that the monsoon had arrived at last, we made plans to leave for the arid lowlands near Chitala River where Mr. B. L. Mitchell had reportedly discovered several new species of frogs that were unrepresented in our museum. We decided to leave the following Monday. That meant only one or two more collecting trips at Nchisi before I must start packing all the varied assortment of specimens we had acquired during our stay.

One local species I had failed to get was a baboon. Early on the morning after our arrival we had heard an uproar in the valley immediately below. Looking out, we had seen dozens of baboons wending their way up both sides of the ravine. Eventually they trooped past our long-unoccupied house. A man who had just arrived with a snake for sale declared that the animals had been disturbed by a lion whose footprints showed it had entered the lower end of the ravine early that morning. As we stood watching the baboons from the open doorway, several of them were seen to pause and pick up some wild fruit. Subsequently children from Martin's village, bringing rats and snails, discovered the fruit and ran around gleefully gathering all they could find. We learned that it was the fruit (*Masuku* in Nyanja) of the *Msuko* (plural *Misuko*) or *Msuku* (*Uapaca kirkiana*) that was so relished.

The better to observe the baboons Mary and Billy collected fallen fruit from a prolific *msuko* growing farther down the slope and scattered it beneath the trees nearer the house. There Thomas and Dondon found it and were so obviously enjoying the feast I had not the heart to shoo them away. I did raise my arms and incline my head as if sighting them along the barrel of an imaginary gun. Understanding the inference they laughed. Thomas said that in times of scarcity their womenfolk gathered *msuku* and mashed it in a bowl. The pulp was orange-colored with a faint flavor of honey. I tried some but could not muster any enthusiasm, though M. & B. apparently liked it as much as did the boys and baboons.

During our last days at Nchisi the fruit ripened rapidly so that visits from the baboons became an almost daily source of amusement to M. & B. They selected an inconspicuous spot among the trees where they might sit and watch for the arrival of the animals. Mary reported that one infant sat bolt upright on its mother's rump as, pausing from time to time to transfer more fruit from the ground to her already bulging mouth, she stalked leggily along. Another youngster habitually remained behind until the rest of the troop were well away whereupon he would scamper after them. Once the dawdler climbed into a low tree after all his companions had moved on. Addressing herself to him Mary remarked: "You'll do that once too often, young fellow." As if in fulfillment of this prophecy an old male baboon appeared out of the undergrowth and without pausing in his walk, reached up and gave the youngster a cuff that sent him, or her, scurrying and shrieking after the others. Mary's parting shot was: "I warned you."

The trees immediately below the house had recently burst into leaf and their vivid green foliage, silhouetted against the background of reddish soil washed clean by the recent rain, was a refreshing sight. Systematically scanning the trees were two Chewa youths who had already demonstrated an aptitude for finding snakes. While a market for such things still remained, the pair apparently decided to make the most of it. So periodically that last Saturday they summoned me from my packing to pay for the snakes they had shot from the trees with their arrows. They brought in three five-foot Boomslangs (*Dispholidus typus*), a species whose sex—in Nyasaland at least—is readily told by the color. The brilliant enamel green of the three males must have rendered them difficult to detect among the fresh green leafage of the *Brachystegia* woodland.

Each snake's stomach held a large flap-necked chameleon, in many places their favorite food. Indeed, shortly after our arrival at Mzimba resthouse, the caretaker called me to catch a snake fifty yards away. Rather more than a score of African men and boys were intently watching a four-foot female boomslang leisurely nosing around a dying chameleon of considerable size. The two reptiles had almost certainly fallen from the branches overhead during the snake's efforts to master its once vigorous prey. Though I approached quietly, the alert serpent darted to the base of the nearest tree up which it would have gone had I not seized it by the tail and swung it gently to and fro so as to prevent it striking until I could pin it down with my snake stick. Then, picking it up by the neck, quite uninjured, I carried it to the house and put it in a cotton bag.

I returned with a second bag for the chameleon, but the poor creature had already died of the poison and presented a revolting sight, being bloated and black with blood oozing from it as a result of the hemorrhagic properties of boomslang venom. Boomslangs are usually mistaken for mambas by the European residents of Nyasaland, and with some justification for the males resemble the Green Mamba (*Dendroaspis angusticeps*) as closely as do their brown females the "Black" Mamba (*D. polylepis*). The latter was present at Nchisi though I never saw one during our brief stay.

However, on one of our visits to the forest Thomas, exclaiming he had forgotten the bush knife, handed my rifle to Dondon to carry and ran back to the Boma which we had left only five minutes before. Dondon, the guide and I continued along the mountainside, walking slowly so that Thomas might overtake us. After a while I heard him talking excitedly to Dondon who brought up the rear of our little procession, for the narrowness of Native paths makes Indian file the rule. I called back to know what was the matter; had Thomas seen something?

"Yes, a snake," he replied.

"Why did you not call me to catch it?"

"I did, but you never answered."

I waited for him to come forward, then inquired as to its species and size. Thomas pointed to a near-by tree, then measured off a distance of approximately ten feet.

"As long as my stick then?" I suggested, though my stick was only five feet, for Thomas was obviously excited and the old adage holds good that the length of a snake depends on the fright of the man who saw it.

"Much bigger," he exclaimed, then breaking into English, "Very beeg snek, stood higher than my head," and putting his right hand at right angles to his shoulder he raised it above his face.

"Did it spread a hood?" I inquired, illustrating with my hands.

"No."

"Then it must have been a mamba," I rejoined, using the Yao name for this the most deadly and dreaded snake in Africa.

"But it was a brown snake," protested Thomas.

"Well, so are some mambas," I answered.

We retraced our steps for a quarter of a mile in order that Thomas might point out the spot where the snake had come slithering down the hillside toward him. There was little cover in the vicinity but higher up the slope was a great jumble of rocks such as "black" mambas frequent. The snake, possibly catching sight of Thomas, had swerved from its course when ten feet away so as to pass on the farther side of a big boulder Thomas was approaching. This brought the reptile out onto the path six feet ahead of him, whereupon it instantly reared up facing him, paused for a second or two, then, dropping to the ground, continued down the eroded hillside.

On the chance of finding it we followed in open order on a fifty-yard front, two boys on my right and two to the left, each separated from the next by a dozen yards. I carried the shotgun ready to fire at a moment's notice, for I entertained no aspirations about capturing so large a mamba alive. Eventually we reached the edge of a gorge whose sides, though very steep, were negotiable, but the bottom was choked with boulders, bushes, grass and trees. An impenetrable tangle requiring some hours of work with a machete to clear a path. Anyway the place was not one in which to follow up a big mamba on a hot afternoon, so we turned back.

Muldoon, bringing our mail, dropped in to wish us good-by, as we were leaving on Monday. When I told him about Thomas' encounter he remarked that though accustomed to hunt on the mountain over a period of years he had only once met with a mamba. On that occasion the snake, appearing suddenly, reared chest-high in front of him and his small son. Instinctively Muldoon thrust out a hand to restrain the boy from taking another step, then he shot and killed the mamba with the .22 rifle he was carrying at the time. The reptile measured eight and a half feet.

Muldoon also told us that the lions had killed eleven cattle during the past four nights. He blamed the Chewa for their indolence, being unwilling to exert themselves sufficiently to build serviceable stockades for the protection of their animals. Nor would they co-operate to destroy the lions, contenting themselves with making an uproar to scare the beasts each time their cattle were attacked, behavior that was the possible factor in deterring the brutes from returning to their kills. Thomas and his companions, whom I had sent out to look for frogs when Muldoon arrived, returned empty-handed half an hour before sunset and alleged that lions were already calling so they did not like to stay longer.

On Sunday while we were breakfasting, the voices of our staff sounded so loud through the open window that Mary asked me to ascertain what all the argument was about. As I opened the back door I could see four of the boys standing outside the kitchen in two groups a yard apart. The caretaker, a quiet, mild-mannered ex-serviceman, was beside Thomas who was smiling as he spoke. I did not immediately observe that Dondon, who was very close to Patrick, had hold of the latter's arm.

Next moment Patrick flung free of the restraining grasp and, with a cry of rage, hurled himself on the caretaker, hammering with his fists in the wildest manner at the older man's face. The caretaker only attempted to ward off the blows by grappling with his assailant's flailing arms. Shouting to Patrick to desist, I hurried toward them. Then Dondon flung his arms around Patrick from behind as Thomas similarly seized the caretaker in an effort to separate them.

As they were being dragged apart Patrick's hand shot out and seized the caretaker's open shirt near the throat, ripping it from top to bottom.

I endeavored to calm Patrick who, panting like a wild beast, tried to speak but failed to find the words. Incited by his own thoughts and dragging Dondon with him, once again Patrick sprang struggling at the caretaker despite his movements' being hampered by Dondon clinging tenaciously to him. So infuriated was Patrick by the mere sight of his enemy that I told the caretaker to withdraw farther away while I tried to discover the cause of the dispute.

When Patrick failed to answer my questions I turned to Thomas and requested an explanation for the disgraceful scene. Thomas replied that the fracas had started through Patrick's ordering the caretaker to clean some pots and pans—presumably the porridge pot and frying pan. Naturally the caretaker refused, for it was no part of his duties. An argument ensued and as it became more heated Patrick attacked the caretaker. Patrick, hearing Thomas talking, though it was doubtful whether he comprehended all the *capitao* was saying, roared out something, tore free from Dondon, and charged at the caretaker. I stepped quickly between them and almost simultaneously Dondon overtook his charge. Whereupon Patrick flung himself at my feet, wildly hammering on the ground with his bare fists and rolling about in such a paroxysm of uncontrolled passion as I have rarely witnessed.

Thomas helped Dondon to raise Patrick who was a strange sight. His big muscular torso was covered with dust for all he was wearing at the moment was an old tablecloth about his middle, having just washed his shirt and shorts in preparation for the morrow's journey. As I urged Patrick to behave more like a civilized being I felt sorry for him, suspecting that the nimble-witted Thomas had goaded or taunted him beyond endurance. Little love was lost between the two since, on the Nyika, Patrick had detected and denounced Thomas for extensive purloining of his companion's rations. Consequently Patrick, slow of speech at the best of times, probably felt that any account Thomas might give of the present affair would do him less than justice and injure his future prospects.

I had, however, already reached the conclusion that Patrick was too primitive and undependable to be retained. The industry he had shown at Nchenachena following Hamisi's departure had been short-lived. Too often on the Nyika it was I who had to call him in the mornings, while in the discharge of his duties he displayed little interest and even less forethought. He furnished a rather typical demonstration of improvidence one day when I called for my bath. Patrick, after pouring the almost boiling contents of two five-gallon gasoline cans into my canvas bath, announced it was ready. Stepping in I nearly scalded my foot. When I called for cold water Patrick replied, "Water finish." The water boy, empty gasoline can on head, departed for the stream a quarter-mile away; by the time he returned the bath had almost attained the right temperature on its own account.

At Nchenachena Mary had been disconcerted to find Patrick had plunged the dessert plates together with the discarded granadilla skins they bore, into the bowl of washing-up water. Another day she discovered Patrick washing his hands in the bowl to which he had already consigned the crockery he was about to wash. It led Mary to declare that, much as she loves an occasional *ulendo*, she would never wish to make her home in Africa because of the dirty ways of so many of its peoples.

Whenever Patrick was given a new dishcloth it came to resemble a floorcloth within a few days and Mary could not help wondering what he did with them. He lacked the necessary background to appreciate the advantages of even elementary cleanliness, preferring comfortable slovenliness if he could get away with it. Reluctantly we agreed we had been unduly optimistic in supposing one so lately removed from savagedom could be trained in six brief months. His temporary promotion to tent boy had resulted in his being even more prone than ever to adopt a hectoring and aggressive attitude toward the simple African peasantry who came to camp. It was not merely in trivial things that Patrick showed poor judgment, so I decided to return him to his home at Chiradzulu at the first opportunity after we reached Blantyre.

That Sunday evening at Nchisi Mary and I went for a last stroll, punctuated by pauses while she gathered certain seeds she specially wanted, among them those of a beautiful little solitary red "poppy" as Mary chose to call it. We all felt sad that their time in Africa was so nearly at an end. Five months of the "hot season" had passed with incredible swiftness, and without our feeling unduly warm as we had been above four thousand feet almost all the time. After leaving Nchisi I expected to be camping at low altitudes in humid heat and heavy rain and would require the second tent as everything would have to be kept under cover, including all skins that were drying.

XIII

Chitala's Eccentric Frogs—A Snake Charmer Dies

ON MONDAY morning we rose in the dark so that beds and bedding might be stowed on the previously loaded lorry. The boys scrambled on top and at 7:30 A.M. Billy steered the truck out of the old Boma yard. It was a perfect morning and we had time to observe the astonishing transformation wrought on the mountain by a few heavy showers. But as we rolled around curve after curve descending almost three thousand feet in ever increasing heat, we found ourselves presently back in a dusty and desiccated countryside that had been little affected by the solitary downpour we had seen sweeping across the plain as we scurried for shelter. At one point a sizable puff adder, oblivious to the necessity of adapting its ways to changing conditions, lay basking in the road. Billy drew up and I went back and caught it without any trouble for even our passing lorry had failed to disturb its equanimity.

Missing the way, we drove around two sides of a triangle, thereby adding almost thirty unnecessary miles to the run that brought us to the Empire Cotton Growers' Experimental Station near Chitala River, and finally to the residence of its managing director. My sole purpose in visiting Chitala River was to secure study series of four species of frogs found there by Mr. B. L. Mitchell and subsequently designated as new forms by Dr. A. C. Hoffman, whose descriptions, in two instances based on a single immature frog, were somewhat inadequate. At the time they were collected Mitchell had been a member of the staff of the Experimental Station of which Mr. H. C. Ducker is the director.

When we drew up in front of Mr. Ducker's house he came out to greet us and very generously offered to put us all up. We were loath to impose upon him but he assured me that with the coming of the rains—long overdue and believed to be imminent—we would find camping more than uncomfortable. Once the black cotton soil of the flats became sodden, said Ducker, tent pegs would not retain their hold. This was especially so when subjected to the stresses that invariably accompanied the arrival of the monsoon, heralded by gales of wind off the lake. He did not fancy being called out on a wet and windy night to assist in raising the ladies' collapsed canvas! In the house were several vacant bedrooms, for Mrs. Ducker and the children were away on holiday or at school.

When I suggested that a naturalist in the house was more than some people could stand, Mr. Ducker said he would place at my disposal an office and laboratory equipped with sinks and running water. Our boys could sleep in a screened building adjacent to the laboratory, outside which the lorry might be parked where they could keep an eye on it. So many attractions could not be spurned; we thankfully accepted Mr. Ducker's hospitality and "moved in" to find an accumulation of letters and telegrams awaiting us. Later that afternoon he pointed out the house where Mitchell had lived, then took me to see the dams where Mitchell supposedly got the frogs.

During the previous week's downpour a considerable quantity of water had collected in the dams, but of this the only remaining evidence was a patch of damp mud, except in two dams, each of which retained a small muddy pool in one corner. In these I netted some of the wholly aquatic, and now famous, Smooth Clawed-Frogs (*Xenopus l. laevis*), and captured some smaller kinds that squatted at the water's edge and leaped into the pool at the slightest sign of danger. As we walked home in the gathering dusk we saw a buck, a wart hog, and lastly a pair of water mongoose (*Atilax*) that dashed across the raised dirt causeway along which we were walking.

In Mr. Ducker's well-designed home the dining room is downstairs while on the upper floor are bedrooms and a couple of lounges that open onto a spacious veranda. The mantelpiece in the larger lounge supported quite a collection of animals carved from ivory by certain lake-shore Africans who have developed considerable skill in this work. It transpired that after Mary and Billy had been admiring these carvings, Billy was descending the veranda stairs when she caught sight of what she took to be three clay frogs placed one behind the other on the long curving arm of a wall bracket that supported the electric light above the stairs. The mistake was a very natural one for the motionless, unblinking, putty-colored creatures were females of a peculiar species (*Chiromantis xerampelina*) whose tadpoles are hatched in trees and only take to water in later life.[1]

The first I heard about these bracket frogs was when we were assembling in the lounge before dinner and Billy asked our host whether the objects she had seen were real or otherwise. Mr. Ducker replied they were the genuine thing, though their conduct as frogs was peculiar to say the least. For many months, except when feeding at night, they had been waiting on the wall bracket for the advent of the monsoon. Yet on the night of November 28 when the first isolated downpour occurred, and the veranda was lashed by cold rain driven before a blustering wind, the three females deserted their bracket and sought shelter in Mr. Ducker's bedroom. It might have been supposed that after a six-month drought, and the trying temperatures to which they had been subjected at this altitude, the amphibians would have enjoyed a wetting. But *Chiromantis* is an unusual frog and manages to maintain a moist skin on the hottest of days.

Ducker walked across the room to a side table and gave a gentle push to an immobile little lump that was adhering to the top of a photograph frame. Momentarily it came alive and stepped onto the disturbing finger where it settled down again. "Philip, I would like you to meet Miss Sloan," said Mr. Ducker, addressing himself to the lump as he recrossed the room, then, to Billy: "Miss Sloan, this is

[1] For full account, see Arthur Loveridge, *Tomorrow's a Holiday* (Harper & Brothers, 1947), p. 154.

Philip." In the same way, but from the other end of the lounge, he fetched "George," who was peacefully reposing on the frame of a picture hanging high on the wall. A third frog, whose name I forget, also lived in this room. All three were males, noticeably smaller than the bracketeers.

When we asked how long he had known them, Ducker replied they had been living in the lounge about seven months since the cessation of the big rains. How did he know one from t'other? Frankly, he could not recognize them for certain, apart from their fixed habitat preferences—Philip always favoring his son's photograph frame, George adhering to the wall picture, and so on. To verify this Ducker had shifted them to different places, endeavoring to confuse them by moving them around, but when morning dawned they were always back on their chosen roosts. Undoubtedly they moved about to feed at night; indeed, he thought it was because a good living could be lapped up with a minimum of exertion, that the more gregarious girl frogs had chosen the bracket outside where many insects were attracted to the light.

After dinner we adjourned for coffee to the other lounge where we met some more of Mr. Ducker's guests. To my surprise two species, each about six inches in length, were present, though occupying different walls. Yet the solitary House Gecko (*Hemidactylus mabouia*) was not nearly so stoutly built as the others, whose big heads and swollen jowls made them veritable bulldogs of geckos. These were Zambezi Geckos (*Pachydactylus bibronii turneri*) which are scarce in Tanganyika Territory but become increasingly common toward Southwest Africa. Unlike the pallid house geckos, the robust, rough-skinned fellows were a rich nut-brown shade, their heads handsomely streaked with black. There were wavy crossbands of the same color on their backs while well-spaced rings of black encircled their tails. Their coloring suggests that the lizards are more at home on rough-barked woodland trees or weathered rocks and, unlike the house geckos, have only recently taken to sharing our dwellings.

There they should be welcomed, for ants, termites, beetles, earwigs, and spiders constitute the food of the Zambezi gecko, who hunts his prey from dusk till dawn. It has been said, and probably with truth, that these big geckos bite to good purpose when molested, retaining their grip with such bulldog tenacity that their jaws occasionally draw blood. But Mr. Ducker's geckos appeared to be both gentle and sociable, several gathering nightly around a projecting electric light. By directing a flashlight at their beady black eyes, I was able to take them up by the neck quite easily, and though they squirmed strongly not one of them attempted to bite.

In low-lying savanna country like that flanking Chitala River, free-tailed bats (*Chaerephon limbatus*) frequently amount to a plague by invading roofs in whose security they multiply excessively so that the stench of their guano may render a building almost uninhabitable.[2] There was nothing of this in Mr. Ducker's well-ordered household, but he introduced me to a type of trap whose simplicity should commend it to anyone suffering from bats. Its effectiveness is based on the known fact that these animals cannot take to the air without a certain amount of leeway in which to spread their wings.

All one requires is a long triple-forked pole and a five-gallon gasoline can. From the latter one side must be cut away, and with this open side uppermost the can is inserted in the fork of the pole. The pole is then raised and wedged against the guttering or eaves of a building immediately below the aperture from which bats have been observed to emerge at sundown. As they leave the building the bats launch themselves into the receptacle up whose slippery sides they cannot climb. At the Experimental Station it was routine practice to set up these traps around any building where the animals were becoming obnoxious. At one house, I was told, forty-four bats were captured the first night and a total of 140 in the three weeks it took to clear the place. So at daybreak on the morning after our arrival I went across to "my" laboratory to see what had been caught—several bats in one can, in another a Two-striped Skink (*Mabuya s. striata*). More bats were brought to me from neighboring buildings so that my skinners were soon busy preparing a dozen for study purposes; a further two dozen were pickled for possible use in anatomical studies.

[2] For detailed account, see Arthur Loveridge, *Many Happy Days I've Squandered* (Harper & Brothers, 1945), p. 198.

The following day promised to be a scorcher so Mr. Ducker suggested driving us over to Lake Nyasa, as it would probably be the only opportunity for Mary and Billy to see at close quarters the lake they had often viewed from distant mountaintops. As we reached the beach Ducker, pointing far out across the lake to where a smoke-like column was rising, exclaimed jokingly: "See, the lake is on fire." The resemblance to smoke was quite remarkable. We were fortunate in witnessing this seasonal phenomenon caused by an emergent flight of *nkungu* flies spiraling upward like a waterspout from the surface of the lake in which, as nymphs, these countless myriads of chironomid midges had passed their youth. When an onshore breeze blows the *nkungu* inland, said Mr. Ducker, the Natives gather them up in baskets to serve as a relish with their stodgy porridge of corn meal.

Mary and I spent an hour and a half hunting for snails, both aquatic and terrestrial, along the beach, among the rocks, and around the point, without finding a single one. It was near noon and the heat blistering when we rejoined the others for lunch. We passed many clusters of huts—they could scarcely be called villages—as we drove back, and Ducker remarked that there must be something radically wrong with our African policy of the last fifty years to produce such results as are to be seen today. For countless centuries Africans have been at war with their environment and there are no indications that the rank and file of them are establishing any equilibrium with it. Due to the erosion resulting from their casual cultivation, the land available for further exploitation is contracting at an ever increasing tempo. As they realize this the Natives are becoming discontented and, where discipline is lacking, unruly.

As elsewhere this is partly the result of parental negligence or laxity. In illustration, Ducker told me that the children in the village through which we had just driven, began to stone passing cars for amusement. A dangerous practice and one difficult to correct; for if the driver drew up he was at a hopeless disadvantage in pursuing the nimble-footed delinquents. As their elders, when spoken to, appeared powerless to correct the gamins, the finding of a solution devolved, as usual, on the European. One of them selected two of the best runners from among his plantation hands and instructed them to crouch in the back of his car until it stopped. When the stone-throwing began the driver pulled up abruptly, the two sprinters leapt out and pursued the startled scallawags until they captured two of them. The village headman appeared and the white man told him to send for the fathers of the boys. When the parents arrived they were given the choice of then and there administering an effective whipping to their offspring or else have them taken before a magistrate, the nearest being, I suppose, about thirty miles away. The parents chose the first alternative and there was no more stone-throwing.

Tobacco production in Nyasaland, remarked Mr. Ducker, introduced and built up solely by European initiative, has now largely passed into the hands of Africans, some of whom were making quite a small fortune. Unfortunately for the buyers there is no assurance of supply, for, after a good year, the producers may decide to relax and do no planting the following season. While such uncertainty plays havoc with the law of supply and demand, it seemed to me that it had its good points for at least it implied that the land too got a rest. In the Northern Province from which we had come, the Native tobacco-curing industry was undoubtedly responsible for the disappearance of timber from the vicinity of many villages where the open-fire method of curing was employed. A yard of timber, weighing approximately five hundred pounds, is quickly consumed in the process.

In order to prevent chaos and protect the Natives' interests, the Nyasaland government created the Native Tobacco Board with whom every grower must register, and from whom he must purchase his seed, raised from an American variety adjudged the most suitable of many types tried out at the Agricultural Department's Experimental Station which I had seen near Zomba. A staff of Native instructors under European supervisors were sent round the districts to instruct their countrymen on the best methods of growing and grading the leaf.

But Africans, like too many of their white brethren today, will not work steadily unless forced to do so by economic pressure, and then only under constant supervision. When the plantation employer is a good one, making every provision for his people's health, housing, food—and some I have known supplied schools and teachers free for their employees' children—the average African appears actually happier than when on his own, for such conditions enable him to indulge that cheerful carefree irresponsibility which seems inherent in his nature. This too seems to be the goal of workers in other lands where they hope that government will assume the role of indulgent employer. But whereas ordinary employers are subject to government, monopoly governments of the welfare-state type show a tendency to accumulate power and, being responsible to no one, become a law unto themselves as the workers in due time discover.

Ducker told me that the vast cotton estates near Kilosa in Tanganyika, where I had lived for several years, had had to be abandoned by their Greek proprietors—partly because of constant pilfering of their cotton bolls by neighboring Natives, difficult to prevent or prove when one is surrounded by Africans who are being urged by the Mandatory Power to grow cotton on their own—partly on account of the impossibility of controlling insect pests that were constantly being reinforced by others multiplying in neglected Native plots near by. In Uganda, where the African proletariat has a higher standard of intelligence, this difficulty seems to have been overcome—under strict supervision and regulation—for the Native cotton crop is Uganda's principal export.

I was reminded of the threat to Tanganyika's coffee trade that developed during my last years of residence in that Territory. There, in the Bukoba district, indolent Africans neglected their coffee trees and made up for diminished crops by adding pebbles to the sacks of coffee beans. The scheme worked for a time until the stones began damaging the machinery of the overseas processors who then refused to purchase coffee beans from the offending areas until the swindlers were checked by government stepping in with fresh controls.

I had early discovered that Mr. Ducker and I had a mutual interest in the arrival of the monsoon. Until the rains broke it was useless to plant the cotton seed which his staff was all poised ready to do. On rising each morning both of us anxiously scanned the horizon for signs of a cloud, and at breakfast discussed the prospects.

There were evenings when dark clouds gathered on the horizon only to disperse again before morning. As our week at Chitala River (which, incidentally, had long since ceased to run) drew to a close, Ducker presented me with a neat memorandum showing the dates of arrival of effective rains at the Experimental Station over an eighteen-year period. There was also a summary of the situation by weeks in order that I might estimate my chances of getting the frogs before we had to leave on December 21.

Rain fell between	*Number of years*
November 1-30	1
December 1-7	7
December 8-14	2
December 15-21	5
December 22-28	2
December 29 or after	1
	18

The chances were about fifteen to three in our favor, but we lost, for at Chitala River the rains failed altogether that season.

As bats had been a topic of conversation during our first breakfast at Chitala, they were destined to be so also at the last. We were about to take our seats when a boy arrived bringing a Hollow-faced Bat (*Nycteris aethiopica oriana*) from Mr. Miller, secretary to the Experimental Station. I adjourned to set Dondon, who made a wry face, to skinning it at once, which he did sitting on the step of the already loaded lorry. After wishing our more than kind host good-by, we called in at the Millers to thank them for the bat which, though probably a common species, was one we had not previously taken on the trip. I learned that it had cost them a good lamp shade when it flitted around their lounge the preceding evening. Mr. Miller's aim with a towel had not been too accurate the first time, for he had knocked over a lampstand in lieu of the bat.

Many miles from anywhere we overtook eight women, each of whom carried a bulky load of baskets she had made and was taking to market. One of the party signaled she wanted a lift and Billy drew up. From another woman we bought two well-woven baskets resembling shallow dishes about eighteen inches in diameter. The woman who had first signaled us was then told by Thomas she might climb aboard. Immediately all eight of them started to do so and I had to stop them, as in addition to our four boys we were already heavily overloaded. Then the women asked if they might pile their baskets on the lorry. This too was out of the question for, though light, they were bulky enough to have filled a small cart and would soon have bounced off again had there been room for them all, which there was not.

When I regretfully refused, the woman who had sold us the baskets exclaimed reproachfully in Nyanja: "You bought my baskets, not hers, but you won't give me a lift?" Two of the others half-humorously pointed to the babies on their backs in an effort to arouse Mary's sympathy. The one we took was certainly fortunate for we whisked her over a score of miles to a hamlet near Lilongwe, where she asked to be set down. Then, crouching by the roadside, she clapped her hands in the customary tribal manner of expressing thanks.

At Lilongwe we stopped for lunch. According to my calculations we had approximately the right amount of gasoline to propel us over the 234 miles to Blantyre. Owing to the shortage it was improbable we could supplement our supply should we take a wrong road or if it really rained. I spent an hour at Lilongwe trying to persuade someone to sell me a dozen gallons. Neither of Lilongwe's two garages had any but I eventually got it from the North Charterland Company, a trucking concern that, in the absence of a railway, supplies all northern Nyasaland. Every drop of gasoline in Lilongwe had been brought there from the distant coastal port of Beira, so the price of nearly a dollar per gallon was not unreasonable. It partly explained why we passed only half a dozen other vehicles on the run to Blantyre.

A few miles outside of the town we picked up an African whose car had run out of gasoline and carried him into the metropolis. On arrival I found I had exactly twelve gallons left so that we might have managed without any from Lilongwe. Fortunately I had engaged rooms well in advance, for all available accommodation in Blantyre had been taken by those who had come into town to spend Christmas or, like Mary and Billy, were due to sail on the *R.M.S. Llangibby Castle* four days later. I helped the boys erect their tent in the hotel yard, for we learned that Blantyre had had a sprinkling of rain that morning, the first to fall in many months. In case there should be more, but also to prevent pilfering, we lashed the awnings securely over the loaded lorry which was to remain beside the tent. It was fortunate we took the precautions for there was actually a light shower during the night, but the ground was so dry there was nothing to show for the fall by morning.

My most urgent need was for some kind of lockup shed or building into which I could off-load the contents of the lorry, do a little final packing, and assemble a shipment for dispatch to Cambridge by bringing together the boxes of specimens left behind in the government store. I scoured the town on what was a hopeless quest until I called on the Rev. Stephen Green of the Church of Scotland Mission. He very kindly placed their fine council chamber at my disposal—an incomparable boon and a great relief, for I was really in a predicament, haunted by specters of burglars and torrential downpours. After we had moved the many tables and chairs to one end of the room there was ample space left for all our impedimenta. By 11:30 A.M. everything was under cover, after which Billy drove me up to Mandala's Export Department to arrange for the shipping of the accumulated results of our six months' collecting.

No one can be long in Blantyre without hearing the word "Mandala," which is Nyanja for "glass," consequently for "glasses" or "spectacles." Because spectacles on the nose of John Moir, one of Nyasaland's earliest pioneers, appeared significant to the astonished Natives of those days, they called him "Mandala." John and his brother Frederick were joint managers of the infant African Lakes Corporation store, a concern that, with its many branches, appears well on its way to become the future Sears, Roebuck and Company of East Central Africa. John Moir cleared the bush and built his house and store on a hill outside Blantyre, so the hill became Mandala Hill, situated in Mandala suburb, and the store became "Mandala's," all stemming from an industrious Scot's spectacles.

Having learned at Mandala's Export Department that they would handle my shipment immediately after the Christmas Holidays, I called at their Passenger Department regarding the reservations for M. & B., who were due to sail for Saint Helena in four days' time.

However, it transpired that the liner had not yet reached Beira so there was considerable uncertainty as to which day they were to entrain for the coast.

Anticipating Billy's departure, I had long ago written to the district commissioner in Blantyre asking if he could find me a prospective driver. He sent me Duncan bin Maloya who had previously worked for the railway. I got Duncan to drive Patrick and me in the lorry to Limbe, from which place Patrick could get a bus to his Chiradzulu home. We parted amicably, and I was much relieved to see the last of him after our association of nearly six months.

Then Duncan took me to the railway yards in order that I might inquire why he had remained with them for only three months. We had to leave the truck outside and walk some distance through the yards. I noticed that Duncan was greeted with smiles, waves, or hearty handshakes by his late companions, some of whom accorded him the welcome usually reserved for a long-lost brother. He was immediately recognized by the European in charge who said without hesitation: "Oh! He's all right. He's first-rate; he resigned because we wanted him to drive a rail car and he did not want to." The Native foreman in charge of their truck drivers also declared that they had nothing whatever against Duncan. As I was well satisfied with the way in which Duncan had handled the truck when passing through Blantyre and Limbe, I engaged him for the remaining four months of the safari.

To replace Patrick I took on a well-trained boy named Jim. Of moderate height and rather light build, Jim went unsmilingly about his work, rarely speaking unless spoken to and then replying with considerable brevity. When things were not going according to plan he wore a worried expression, reminding me of Paulo of our 1933-34 safari. Like Paulo, Jim discharged his duties conscientiously and was a devotee of the fixed regime so we got on very well together. Unlike Patrick, who had to be called in the morning and goaded all day, Jim, with consistent regularity, would arrive to open up the tent at 5:00 A.M. Tea, hot water for shaving, and other requisites followed automatically. He was exceptionally good at washing and ironing, which he seemed to enjoy doing, and would look for work sometimes by announcing: "I want to wash sheet bed today," though normally he addressed me in Swahili. He always kept his own clothes clean, looking quite smart in his white cap, blue jersey, and white shorts. Though apparently on good terms with his companions, more especially with Dondon, he was inclined to sit apart from them as if they had little in common.

When Mrs. Green heard that the sailing of the *Llangibby Castle* had been postponed for several days, she hospitably invited us all to stay at the Manse. From the overcrowded hotel to the quiet peace of the Manse was a delightful change, ideal for me as I was able to work in the council chamber from dawn till dusk. Mary, who with Billy had been visiting first one and then another of the manifold activities of the mission, told me she had heard that a Yao "snake charmer" named Mpembe lived in an isolated hut within a mile or two of the mission.

After lunch the same day—it was a Friday—we started out to find the hut but, failing completely, turned back and called at the mission school for girls. Miss Young, who was in charge, put on her terai, saying she would accompany us as there was such a network of paths it would be next to impossible to furnish directions. Besides, she added, her knowledge of Nyanja might be of some help for Mpembe was apt to be temperamental and sometimes disinclined to perform.

When we reached the place Mpembe's wife was working in the garden but, at a word from Miss Young, summoned her husband from their hut. As he emerged, possibly just aroused from sleep, his speech and manner were so peculiar I decided he had been drinking. He wore a kind of pull-over consisting of a dirty old sack in whose bottom had been cut a hole for his head, and two others in the sides for his arms. Mpembe professed reluctance to exhibit his alleged powers, but eventually produced a basket and led the way to a patch of recently hoed-over ground beside the hut.

There Mpembe opened the basket and pulling from it a yard-long, blackish-brown reptile, proceeded to play with it, holding the serpent by its middle in his mouth. I saw at once he had a House-Snake (*Boaedon l. lineatus*), a nonpoisonous species though ready enough with its needle-like teeth when freshly caught. This one, however, seemed so spiritless when released that, with the intention of examining its mouth to see if the old scamp had removed its teeth, I stepped forward to pick it up. Mpembe promptly thrust out a restraining arm and set up such a clamor—accompanied by gesturing to suggest the reptile was deadly—that Mary urged me to let him conduct the display in his own fashion without molestation.

Mumbling and grumbling, Mpembe returned to his hut and came back with a small tin from which he removed a dreadfully emaciated wood-snake (see illustrations) he had somehow forced into the receptacle. Placed on the ground the reptile appeared so moribund that the old man patted it into the dusty soil and poked it repeatedly before it could be provoked into activity. Having demonstrated to us it was alive, he popped the unfortunate reptile's head into his mouth and proceeded to push and cram the dusty body after it. This he did to an accompaniment of facial contortions and grunts that were intended to indicate the task was both dangerous and difficult. To force the last foot of snake into his mouth and close his lips was certainly no easy task, but the wretched snake was as inoffensive as it was harmless.

Next this disgusting old man began pulling the serpent from his slavering jaws, then, gaping widely, extended his bleeding tongue (see illustrations) with the object of inferring he had been bitten by the snake. Personally I am confident he had scratched his tongue with a pin during the rather long interval when he returned to his hut. Miss Young handed him my largesse and offered to buy the snakes on my behalf. Not that I wanted such common species but partly because I was sorry for the poor creatures which were obviously being starved to death, partly in order to verify my belief that Mpembe had been tampering with their teeth. Mpembe, however, stoutly refused to part with the reptiles.

At lunch two days later Mr. Green remarked that Mpembe was dead. The police were investigating the circumstances and talked of a post-mortem examination as there were suspicions of foul play. The old scamp was something of a witch doctor and much feared by the simple peasantry. By exploiting their superstitious fears he was able to extort gifts from them and it was thought he might possibly have been poisoned by a victim who was tiring of being blackmailed. "Yes, he has been poisoned," said Thomas unequivocally.

"By whom?" I inquired. This simple question sent Thomas into fits of laughter and it was some time before he could compose himself to answer: "How should I know?"

We had all risen early that morning as the train for Beira was due to leave Blantyre at 8:15 A.M. Fortunately we reached the station almost half an hour ahead of time for, as I was asking the Indian stationmaster to weigh up the luggage, the Indian guard chipped in to say there was no accommodation on the train for Mary and Billy. I pointed out that when the fourth[3] postponement of the *Llangibby*'s sailing was announced I had requested the accommodation should be transferred to this train. The stationmaster supported me, saying he had relayed the request to Limbe when issuing me with the tickets four days before.

At this juncture Mary and Billy, who had been hurrying along the train looking for their names on the carriages, came up to say their names were not posted anywhere, but that Mrs. F. H. Lanham, a lady whom they knew, apparently had a first-class compartment entirely to herself so they would like to be assigned to that coach. The guard, assuming a typically oriental stubbornness in face of an emergency, said that Mrs. Lanham was in a second-class compartment (which was incorrect) and anyway he would not add their names for they did not appear on his list. Nor would it do them any good if he did, for all sleeper accommodation was booked in the train waiting on the farther bank of the Shire River Ferry. Besides which it was too late to do anything about it. . . . That they would miss the *Llangibby Castle* meant nothing to him. Eventually he agreed to allow them to travel with Mrs. Lanham as far as Limbe.

As soon as they and their luggage were safely on the train I got Duncan to drive me on to railway headquarters at Limbe where I sought out the traffic superintendent whom I had once met. Mr. G. Barron telephoned here and there but fully ten minutes must have ticked away before the responsible members of his staff were located and came in. That there had been an oversight was conceded and permission received for Mary and Billy to continue their journey with the assurance that sleeper accommodation would somehow be

[3] Previously announced sailing dates had been December 27, 29, 31. This was January 2, 1949.

provided for them in the train waiting near Chiromo. This authorization was obtained less than five minutes before their train came puffing into Limbe station.

Sorry though they were to be leaving Nyasaland, M.'s and B.'s relief on hearing the news may well be imagined, for they had had an anxious half-hour. How rapidly the time had flown; far too quickly we agreed, and they were thankful that they still had the South Atlantic island of St. Helena to which to look forward. Billy had come through her ordeal by truck with flying colors, for at the start there had been so much well-intentioned advice about horrific escarpment roads that the prospect had been something of a strain. Now the unknown was all behind her for she had accomplished the none too easy task of piloting a heavily laden lorry over two thousand miles of some of the worst roads I had seen in years of such travel.

With Duncan at the wheel I returned to Blantyre where we would have less than forty-eight hours before our departure for Mozambique.

XIV

I Reach the Zambezi—
Some Interesting Lizards

TO MAKE an early start when you have a long journey ahead is even more advisable in Africa than elsewhere, so the night before we were to leave for Mozambique I told Duncan very explicitly he must sleep at the Manse. So sophisticated an African as Duncan was quite able to appreciate the importance of obedience and punctuality, for during World War II he had been in Ethiopia driving a lorry for the King's African Rifles. On the day of our departure, however, when I sent for Duncan at five-thirty—I had been up an hour already—I was told he had not yet arrived from his home ten miles away where, ignoring my instructions, he had slept as usual.

In his absence I drove the lorry up to the council chamber so that three of my boys might proceed with transferring to the lorry our impedimenta stored there. By no means so simple a matter as it sounds, for everything had to be carefully fitted and securely wedged to avoid breakages when the lorry began bouncing about on the rough road. The task was nearing completion when Duncan rode up on his cycle, easily apologetic but clearly unrepentant. Duncan, who was of medium height and average build, had a pleasant face that readily broke into a disarming smile. Though I had known him so short a time I should say his temperament might best be summarized by the words "blythe spirit."

How can one correct such gay irresponsibility when it indulges in indifference to orders? No punishment of any kind is permissible, and the administration's sole solution seems to be: "If the employee is unsatisfactory, give him a month's pay in lieu of notice and discharge him, but no criticism of his conduct may be entered in his employment book for the guidance of future employers." Thus you are counseled to reward poor service with a month's holiday on full pay. With such tangible evidence of our ineptitude and impotence it is scarcely surprising that an uneasy generation is growing up, emancipated from tribal inhibitions and according neither respect nor allegiance to anyone—black or white.

Passing the cycle up to his companions already ensconced on the loads, Duncan got in beside me and we returned to the Manse where Royd, my new cook, had been left with the job of preparing breakfast for all the boys. It was seven-thirty before we rolled down the drive and out into the roadway headed for Tete. Slightly more than nine miles had been covered when Duncan drew up abruptly where a meek little woman, his wife, was waiting beside the road to give him a bundle of clothing and a dish of cooked food to supplement the rations and blankets I would provide. The entire consignment, I estimated, weighed less than ten pounds. "How delightful," I reflected, "to be able to leave home for a month or two with so little luggage." Calling out some final instructions, Duncan jumped back into the cab and drove off, leaving me wondering whether his expressionless spouse was sad or glad at his departure, for there had been no farewell.

Recalling that the cycle was still on the lorry I asked Duncan if he proposed taking it on to Tete. Oh, no, he replied, he would leave it at his brother's house which we should pass presently. Our route lay through villages where Duncan appeared to have countless acquaintances whom he hailed effusively. Indeed our triumphant progress was accompanied by so much shouting, waving, and sudden stops that I ventured to remind my irrepressible chauffeur that the trip had not been undertaken solely for his benefit, and it might be as well to ask my permission before making unscheduled stops.

Our next halt was at the Chileka customs barrier where a Native clerk seemed chiefly interested in ascertaining whether my "boys" were all in possession of papers showing that their taxes had been paid up to date, and in obtaining an assurance from me that in due course I would bring them all safely back to Nyasaland. Thereafter, stopping only to hand over the cycle to Duncan's brother, who was waiting by the roadside, we drove for hours through a kind of no man's land until, shortly after noon, we reached the Portuguese outpost of Dzobwe.

On hearing my name and unusual business, the customs-*cum*-immigration officer remarked that he believed he had received instructions concerning me. It took some searching through old files to find the letter with which he returned all smiles. In view of the scientific nature of my mission, he said, no duty would be charged, but for their records it would be necessary to know the make and numbers of my five firearms, together with a list of the ammunition. On discovering my ignorance of Portuguese he assisted me in filling out the various documents I must sign; indeed, no one could have been more helpful and he was even apologetic for the numerous, but necessary, formalities. Finally he stamped my passport and we were free to proceed.

Expeditious though he had been, I soon realized that the delays at the two outposts meant we could not now reach the great Zambezi before sunset, and presumably at too late an hour for the lorry to be taken across. The thought of erecting tents in the humid heat of the Zambezi Valley was unattractive, besides I visualized hungry hordes of mosquitoes descending on us for I had been warned I should be "eaten alive."

So two hours before sunset I directed Duncan to drive the lorry off the road at a spot where there was sufficient space to erect the tents beside some ruined and abandoned huts. The best of these was taken over as a kitchen by Royd, who set about preparing the first meal he had ever cooked for me.

Presently the local headman appeared and sent some women to fetch wood and water. Twenty years ago these items were provided free to the occasional stranger, but the advent of the automobile has altered all that, and very naturally, for it is unreasonable to expect such courtesies for the relatively numerous travelers of today. Unfortunately in many places Africans now go to the other extreme and demand exorbitant prices from ignorant strangers.

There appeared to be no need to make a very early start next morning; consequently my tent was left standing until after breakfast and still we were on our way by 8:00 A.M. We had not gone far when a pair of guinea fowl landed in the road, so tame we nearly ran them down. Close by were baboons, of whom one old male climbed on a great rock close to the track and, stretching out a leg, proceeded to scratch his buttock in very leisurely fashion. These were the only animals seen during the 140-mile run between Blantyre and Tete; all along that weary way there was nothing but interminable and lifeless *Brachystegia* "bush."

As extensive stretches of this bush are haunted by tsetse fly—though it chanced we saw no biting flies of any kind en route—we had to pass through a huge fumigating shed built over the road. In this we were shut in the dark for a brief period, little realizing how fortunate we were by a narrow margin of time. For, on emerging at the farther end of the shed, we found three Portuguese lorries awaiting their turn to enter, while a fourth, raising billowing clouds of choking dust, was approaching at a crazy pace. I told Duncan to draw to one side to let it pass, but before this happened another and yet another lorry hove in sight until eight members of the convoy were lined up beside us, ready to pass through the deflying shed, which would take about an hour.

Five more trucks and one touring car were drawn up to be ferried across the Zambezi when we reached the famous river's north bank. The Congo, the Nile, the Niger, and the Zambezi constitute Africa's "big four," but this year the Zambezi's flow had been affected by the prevailing drought.

Though only 10:30 A.M. the sun's rays were devastatingly hot, mitigated slightly by a warm breeze off the water if one could find some shade. Fortunately, perhaps, I did not know we would be condemned to spend four and a half sweltering hours in a shade temperature of about 120°. It had been 130° in the shade at the end of November, said the driver of the lorry immediately ahead of me, but only 120° the last time he was there. Later in the day these figures were confirmed for me by the *intendente* himself.

The driver, a Rhodesian, was thoroughly familiar with the place for he was regularly engaged in transporting bales of blankets from Salisbury to Blantyre. For this purpose the Studebaker lorries of his convoy were fitted with high iron scaffolding to which the bales could be lashed. On his last run north he had encountered a heavy downpour between Tete and Dzobwe that had twice sent his truck skidding into the ditch with its four-ton load coming to rest on the axle. As a consequence the journey had taken eleven days instead of the customary one.

He and his companion had with them a young baboon they had caught on the road and were taking to a friend in Salisbury, who already had half a dozen monkeys of various kinds. I felt sorry for this unhappy little beast which tried, by periodic bouts of screaming, to express its dissatisfaction and discomfort in the oppressive heat.

To board the pontoon Duncan had to drive the lorry up two stout planks, the width of each being precisely that of our double rear wheels, thus leaving no margin for error. The hazard was augmented by a substantial piece having been broken off the side near the end of one plank. To reduce the risk I insisted that this damaged plank be reversed so that the narrowed portion rested on the bank instead of up toward the pontoon. The Africans operating the ferry were reluctant to change it as the heavy balk of timber took four of them to lift it. We embarked without a hitch and my insistence was justified when, on leaving the pontoon, one of the rear wheels of the heavily loaded truck dropped six inches to the ground instead of four feet into the water.

From the jetty Duncan drove straight to the *intendente*'s office. I was relieved to find that His Excellency Senhor Policarpo de Sousa Santos spoke English fluently, having spent many years in Australia where he joined the Australian forces during the last war. When it broke out he was stationed at Port Darwin, a place even hotter than Tete, he said, and here they had had temperatures of 130° F. (45° C.) in November. When I explained I was anxious to find a camp site close to the Zambezi, yet within fifteen miles of Tete and neither too near nor too far from the nearest village, shade, firewood and drinking water, His Excellency sent for Senhor F. de Bivar, who was more familiar with the district.

Senhor de Bivar was district commissioner, and to him I explained my desire to secure topotypes, that is to say representatives, of the same animals found at Tete by Wilhelm Peters in 1848.[1] I rejected the suggestion that I put up at the hotel, on the grounds that wildlife has a way of receding from centers of human habitation, and Tete had grown greatly during the century. But there was only one spring within fifteen miles of the township, said Senhor de Bivar. It was at Micombe about twelve kilometers to the east. Unfortunately the place could not be approached by a motor vehicle on account of an unbridged, fifty-foot-deep ravine about twelve miles out.

West of Tete, he said, speaking English with ease, there was no pure water to be had nearer than Boroma Catholic Mission about twenty miles away. He suggested I select a congenial spot somewhat nearer and send the lorry to town each day to fetch water. That suggestion had to be ruled out because of the prohibitive price of gasoline—of which the Dodge required a gallon for every ten miles, to say nothing of the difficulty in obtaining it. Then the only alternative of which the commissioner could think was a big village called Kasumbadedza, five miles away. There, he thought, I might be able to find some shade, but the sole source of water would be the Zambezi, even now a deep brown due to the suspended silt it carried, while after rain it would have the consistency of thick soup.

I plumped for Kasumbadedza, nor did the arid and eroded country we passed through on our way there next morning tempt me to halt en route. Kasumbadedza is of considerable size, situated on a slight rise about a quarter-mile from the south bank of the river. When we reached it a messenger, whom Senhor de Bivar had lent me as a guide, climbed down and went in search of the chief but, finding that worthy was away "cutting down a tree," returned with a shriveled old crone whom he introduced as the chief's wife. The poor old thing had little to say but countered every question by replying that the chief would know. Deciding it would be better to camp upstream from so extensive a settlement, we drove slowly along looking

[1] See page xii.

for a couple of shady trees beneath which we could pitch the tents and park the lorry out of the blistering sun. Though in this region the Zambezi plain was studded with trees, few were of any size for almost all were pollarded, presumably for fuel by persons who wished to avoid charges of having felled them.

Such shade trees as we did see were solitary, usually one in the vicinity of each hamlet. Judging by the broken potsherds scattered around them, they had only escaped destruction by becoming community graveyards, it being customary to break the cooking vessels of the deceased and place them on the grave. Had I so wished—and I did not—it is doubtful if I would have been permitted to camp beneath such semisacred trees. At other hamlets the solitary tree served as noonday shelter for the local cattle, goats and pigs. Any attempt to eject them from their favorite resting place might well involve us in a prolonged contest with the livestock. We turned and drove back to Kasumbadedza.

Kasumbadedza is a picture-book kind of African village consisting of round, beehive-like huts, well built and thatched, but erected anywhere, anyhow. Usually the plot surrounding each hut was enclosed by a rectangular fence of canes seven feet or more in height so as to ensure some privacy for the family. Naturally the homes of the more slovenly members of the community were, through a combination of termites and negligence, in various stages of disrepair. Often, in lieu of the cane fence, there was a stout stockade for the protection of the proprietor's animals. Cattle, sheep, goats and pigs were so numerous in the village that every scrap of vegetation within reach had been devoured.

The state of the waste ground between the more widely spaced huts may well be imagined, with débris, dust and litter everywhere. The contrast in composition of this litter with that which one encounters in city streets of the Eastern United States might arouse an anthropologist's interest, so sharply does it differ. At Kasumbadedza there were a few discarded loin cloths but a welcome absence of newspapers blowing about. If a scrap should find its way there from Tete, and a denizen of Kasumbadedza be so unimaginably thriftless as to discard it, the goats would soon remove such an eyesore.

These dusty open spaces are the playground for the numerous, sturdy, sleek, little boys who associate in age groups. On one patch I saw some six-year-olds wrestling and playing very happily together. I watched one tubby little chap about four years of age practicing the balancing of an empty quart tin on his head. Each time it fell off he was convulsed with laughter, gathered it up and hugged it to his chest. Finally he shifted it carefully, as if a great burden, to his shoulder and stumped off with it to his hut laughing merrily.

The only place at all suitable for my tent was beneath another great fig tree on whose western side there was ample room for the lorry. Though at least two hundred yards from the nearest hut the spot was well situated for publicity, being only fifty feet from the fork where the paths to Tete and the river meet, so that any specimens put outside the entrance to dry would be in full view of the women returning with water which they fetched twice daily. It was an amusing spectacle to see the droves of little tots following their mothers home, the women balancing five-gallon gasoline cans of water on their heads followed by tiny girls with well-poised little pots of water on theirs, or else transporting the latest arrival to the family who at times was nearly as large as the sister-carrier.

For their tents the boys selected a site beneath some smaller trees about fifty yards away, but when I offered to help erect them Royd said surlily they were tired out and would rather rest and eat first. Apparently they soon thought better of it, for when I emerged from putting things shipshape in my own tent, theirs were up. They were neatly aligned with mine, evidence of Thomas' straight eye, for few Africans display good judgment in such trivial matters.

My own composite tent, or rather tents, for it was formed of two of uniform size united by rolling the canvas ends together where they met, measured eight feet across inside by thirty-three feet long. However, a third of this was occupied by the extension awning whose foremost pole was set on three bricks to give additional height —eight feet against seven in the midline of the tent. Consequently the awning's eaves only reached to within two feet of the ground and as the front was open to night prowlers, all that could be stored there were four great packing cases which, on their sides, were pushed well back under the eaves where, two-a-side, they provided much additional table space.

Night found me with a few details still uncompleted but the bulk of my belongings were satisfactorily stowed so as to be readily accessible. How welcome was the dinner, bath and bed that followed. Even at 8:30 P.M. my thermometer still registered 88° and I would have liked to sleep with the tent wide-open, but during the afternoon Duncan came to complain that his passport had been stolen from the cubbyhole in the cab, left unguarded while I was in my tent and the boys were pitching theirs. Moreover, the uniformed messenger assigned to me by Senhor de Bivar said the commissioner had told him to remain with us as the Makua were great thieves. His presence, being an indication that I was to some extent under the wing of the government, was calculated to deter pilferers.

When we were pitching the tents I had asked the assembled villagers if there were lions in the neighborhood and received a spontaneous chorus of affirmatives, one of the group declaring he had seen a lion not far away that morning. I was inclined to be skeptical. Certainly I heard nothing but a noisy jackal that first night, but then a gale had sprung up at sunset, flapping the canvas and rustling the sedges which I had had spread over the floor. Across them the wind could sweep as I had left a good air space between canvas and ground beside my bed, whose x-pattern construction would effectually prevent anyone from crawling in beneath it.

I was awakened between 3:00 and 4.00 A.M. when one of two men, presumably returning home from Tete, tripped over the guy rope near my head. There was an exclamation followed by a petulant "What the . . ." or rather its Nyungwe equivalent; then laughter as their sunny African temperaments surmounted the annoyance. When I rose at five o'clock the temperature was 70°; only once did it fall so low, by day or night, during the month we spent at Kasumbadedza.

As I sat drinking my morning tea beneath the tent awning, I could see the Zambezi with the sun rising red beyond the backdrop of low green hills. Overhead fleecy white clouds drifted slowly across a dome of azure blue. The river too looked bluish at this distance, but I knew only too well that at close quarters the sullen waters, swirling between acres of yellow sand bars, were muddy brown. However, at so enchanting an hour everything was looking its best and always in the subconscious was the magical uncertainty of what the new day held in store.

I had decided to spend the first morning in camp to deal with the snakes and other creatures that the messenger, the boys and I had been urging the villagers to bring in. About 6:00 A.M. a Native arrived with a young buck of a species (*Raphiceros sharpei*) we had not encountered before. I had no facilities for keeping it alive. Regretfully I chloroformed the little antelope, thereby saving it from a worse fate. Dondon prepared an excellent "study skin" and skull, and the meat was eaten by some of the boys.

This promising beginning was not maintained, however, for not another mammal was offered us all day. Instead children swarmed around with scores of more or less bleached and broken shells of *Achatina* snails; very few of them held living mollusks. I selected and bought the best of them, being, as usual on the first day in a new camp, less discriminating so as not to discourage the youngsters.

Between noon and 3:30 P.M. while the temperature is over 90°, by common consent there is a "dead period" when nobody moves unless they must. Afterward I crossed the tree-studded plain that separated my tent from the Zambezi. The mighty river was still a marvelous sight though probably lower than it had been for years, so that many acres of sand bars were exposed and formed lagoons that harbored waterfowl. Beautiful bee-eaters, kingfishers, swallows, doves and drongos were everywhere, making me wonder whether this abundance was normal, or whether the birds were concentrated along the river as a result of the drought; they were certainly in greater variety and more numerous than in any place we had visited in Nyasaland.

Next morning, as there was still no indication of the imminent arrival of the monsoon, it seemed best to make a representative collection of birds while the sun still shone and the skins would have a chance to dry. Then when the rain summoned the frogs from their estivating quarters I could concentrate on amphibians and reptiles. With the exception of a few hardy species, these cold-blooded creatures were not much in evidence and could only be secured by digging for them at considerable expenditure of energy and time.

So, accompanied by Dondon and Duncan, I set out before breakfast and shot eleven birds with eleven shots. When engaged in filling the beak of a shrike with absorbent cotton I asked Dondon to give me more cotton in which to wrap it. He came and stood beside me while getting the cotton from the haversack he was carrying. After a minute or so I handed the wrapped bird to him and was turning away when he remarked laconically, "And this?" indicating with his eyes an absolutely motionless lizard *(Agama hispida armata)* on the gravel-strewn ground right between our feet. So closely did the creature's coloring resemble that of the sandy terrain I had entirely failed to notice it during the five minutes I had been standing there. Momentarily I thought it must be dead, or injured, for the temperature—then about 80° though it was only 6:00 A.M.—was not such as to induce lethargy in a reptile. I stooped to pick it up and only as I grasped it did the lizard show any signs of life by actively squirming and struggling. Clearly this almost ten-inch agama, which in size and robust build reminded one of an American fence-lizard, was relying on its cryptic coloring—a motley of buffs, grays, sandy yellow and reddish brown—to escape notice.

A second example of such behavior was furnished later, about 5:00 P.M. when the temperature was around 90°. My gunbearer quietly laid a hand on my arm to invite attention to a motionless male agama resting with its forward half upraised against a stone. It was so close to us I had to retreat a further six feet or so before firing at it with dust shot when, without so much as a tremor, it fell over dead with a tiny bullet through its brain. I was delighted to get these Zambezi Spiny Agamas, called *tokwe* by the local Nyungwe, for they represented one of the many things first described from Tete by Peters—a formidable list of between two and three dozen reptiles from which I could now strike one, for I had set myself the task of trying to get them all within the month.

The agama I had caught that morning was a gravid female, as were eleven others taken during the following fortnight, each carrying from twelve to twenty oval eggs about half an inch in length, tangible evidence that the laying season at Tete coincides with the arrival of the overdue rains. The stomach contents of these useful lizards, submitted to an entomologist for study, may be briefly summarized as consisting chiefly of half a dozen species of ants, but beetles, bugs (Hemiptera), and the nymph of a praying mantis were also present.

As I was dealing with the first agama we were joined by a thirteen-year-old boy who remarked to Dondon that if it was lizards we wanted he could show us a place where there were many. He guided us to a rock-strewn gully where, among the scattered scrub, I shot several skinks of a kind (*Mabuya lacertiformis*) unrepresented in any American museum, having been collected but once since Peters described them almost a century ago. Here they were actually not uncommon but so unobtrusive as to escape the notice of ordinary people. During the hot season they are only abroad in the early morning and again toward sunset. Then they creep from the rock fissures to hunt their insect prey among the drifts of dried leaves that accumulate along the base of the shelving rocks or rounded boulders.

If disturbed, these small skinks slipped quietly back to their retreats among the leaves or into a crevice. There they would pause to review the situation, retiring further when they considered the menace serious enough. From such retreats they could be obtained only by shooting. This, of course, called for considerable care as the fine dust shot was apt to ricochet from the surrounding rock, splattering the lizard by more tiny bullets than were necessary to kill it. Moreover, if one small shot so much as touched a tail, that appendage was instantly discarded. To minimize these risks it was usually necessary to maneuver about until the tail was shielded by some curve of the boulder or projection of rock, then stealthily retreat to a judicious distance before firing. We returned in the evening to hunt for more of the choice skinks, but morning was apparently the best time to seek them, for by late afternoon they were so thoroughly warmed through that they displayed an inclination to bolt immediately.

Once, shortly before sunset, I detected a Stripe-bellied Sand-Snake *(Psammophis s. subtaeniatus)* poking its nose here and there along the base of a great rock. Obviously it was on the prowl for lizards;

later I realized it was looking for one that it had just lost. As the snake was well protected by thornbrush sprays I could only secure it by shooting. This I did with dust shot, aiming at the heart which is situated about a third of the way behind the head, and killing it outright as suddenly as does a blow on the heart. Too often would-be snake-killers belabor the reptile's back indiscriminately, or by smashing its head ruin its value for taxonomic studies. In the stomach of this individual was the entire, and recently swallowed, tail of a *lacertiformis* skink whose owner had escaped and retired to grow a new one.

Dondon, Thomas and I set out early next morning but did not get very far. For every other mopane tree was inhabited by one or two large and handsome lizards of a race peculiar to the Zambezi region and consequently new to me. Indeed, I might as well admit that at the time I thought it was an undescribed form. Only on my return to Cambridge did I discover it was *Mabuya striata ellenbergeri* whose description had been based on a single young skink taken at Lealui on the Upper Zambezi 650 miles west of Tete. Though published by a French naturalist as long ago as 1917, little *ellenbergeri* had been ignored ever since by herpetologists. Even the industrious Wilhelm Peters had failed to get anything resembling it at Tete, yet it was so common at Kasumbadedza that one wonders if the lizards have not moved into the district during the century since Peters was there.

On the back of this Zambezi form the conspicuous lines characteristic of the common Two-striped Skink *(Mabuya s. striata)* of East Africa were lacking. I cannot say "completely" for a close examination in a good light occasionally revealed faint indications of pale lines on its otherwise brown back. But most of the Zambezi skinks were just orange-brown from nose to nape and all had a broad black band from nostril along the flank to about the hind limb. As they basked on their mopane trees one could see the pale lemon of their lower lips, usually richer on their throats which are seldom seen except when raised during courtship.

But in January most females were carrying about half a dozen eggs, some already containing well-developed embryos. Examination of the stomach of one skink revealed it had been feeding on three distinct kinds of beetles, besides a cockroach and its egg purse. These exclusively arboreal lizards proved exceedingly wary, rarely permitting anyone to approach nearer than twenty feet before slipping into the cavity provided by almost every mopane tree, with whose distribution their own is possibly linked. Despite their alertness, during the course of the morning I got twenty-three with twenty-six shots, laboring under the delusion I was on the track of a new species or race.

XV

Lions and Linguistics— Menace of Crocodiles

THE thirteen-year-old lad who had piloted us to the rocky ravine for lizards became a camp habitué. Naturally garrulous, he would sit by the hour talking to the skinners as they worked. At first they found his company entertaining but later complained of his aggressive boastfulness. John, as I found he was called, was strangely excitable and probably came of a family that were slightly subnormal. When I first saw his younger brothers, aged about five and seven years respectively, I was struck by the vacant stare of the older boy whose behavior matched his looks. At the time I was unaware of the relationship and had not yet met John who, apart from his excessive garrulousness, appeared quite bright. Indeed, he proved marvelously observant, exceptionally so, for in detecting wild creatures I cannot recall his equal except Salimu bin Asmani of Tanganyika days.

At first John was crazy to go hunting. It was necessary to restrict the number of boys who wanted to accompany me and, by way of appreciation for services rendered, those selected received a small tip upon our return. On one occasion John noisily protested at being paid "the same as a boy," saying he was a man! The following morning John, though expected, failed to show up and we left camp without him. Duncan seemed pleased, saying "John no good," alleging that he was so insufferably cheeky and conceited he had quarreled with everyone. As we passed through the village I sent another boy to call at John's hut; the youngster reported that he was not there.

An hour later Duncan remarked that John was trailing us through the scrub, keeping far behind and stopping whenever we halted. Eventually, during an unusually long wait caused by my stalking some sunbirds which were hovering about certain trees that were in flower, John approached and sat down about a hundred feet away from the others. In Africa sunbirds perform the role of the American hummingbirds, to which they bear a superficial resemblance. When we started on again John came up to me and opening his hand revealed a beautiful cock sunbird of a scarlet and black species (*Chalcomitra senegalensis gutturalis*). It was one of six I had shot but which, unlike the others, had flown a short distance before dropping. John alone had marked where it fell among the bushes and had recovered it when the attention of the other boys had been directed elsewhere. Whether he brought it as fresh evidence of his astuteness compared with others, or as a kind of peace offering for his pettish behavior, who can say?

On another occasion John accompanied me to a distant hill that allegedly teemed with squirrels and swarmed with big snakes so aggressively disposed that Africans shunned the spot. Similar allegations about hills on the horizon are too commonplace for a naturalist to attach any great significance to them. I suppose a single unpleasant encounter with a mamba is sufficient to start such a rumor rolling. With us, as gunbearer and guide respectively, were Duncan and a local Native I mentally nicknamed Cyclops.

I rose at 4:30 A.M. as the day promised to be a scorcher. Heat is relative, of course, and after a stiflingly humid night the first three hours of daylight appear delightful. During our stay at Kasumbadedza the shade temperature customarily reached 80° by 8:00 A.M.; on very few days during the month did the mercury fail to reach or pass 100°. I noticed that Dondon, though he appeared to feel the heat even more than his companions, persisted in wearing *over* his thick woolen jersey a heavy-drill hunting shirt that I had given him at Blantyre. So reluctant was he to discard the precious novelty during our first few days at Kasumbadedza, that on four separate occasions I had to suggest he take it off before he could bring himself to remove it.

For the first hour we walked briskly, making good progress through thornbush, then up a sandy winding watercourse where we found the going much heavier. Eventually we reached our objective, and in the ascent of its eroded, gravel-strewn slope I disturbed a young Stripe-bellied Sand-Snake (*Psammophis s. subtaeniatus*) which darted about as quickly as might be expected of a snake on the hot stones of a shadeless hillside. I would have lost it several times but for the Africans' keen sight, better equipment for such work than the finest bifocals ever made. In the end the snake dashed into a hole from which I removed it to a bag.

After this diversion we toiled on up. Duncan and Cyclops, having taken a more direct route, reached the ridge well ahead of John and me. There they disturbed a big, bushy-tailed mongoose that disappeared among the jumbled boulders lying between the trees that capped the hill. Cyclops declared he had heard a squirrel calling over there, so I led the way and detected the animal running down a tree trunk from which it sprang to a great boulder. I fired quickly, fearing it might vanish among the many caverns formed by the piled-up rocks as the mongoose had done. Unfortunately that was just what happened.

Though probably true that Natives shunned this hill, there was still a faint trail winding along the crest of its tree-studded hogsback. We followed this for a quarter of a mile, Duncan lagging far behind, Cyclops carrying my collecting gun a yard or two in the rear, and John well ahead. John, catching sight of some guinea fowl running along the path in front of him, crouched suddenly and waved me on. Before I could reach him three birds rose with loud cries and, flying through the treetops, dropped out of sight among the trees rising from the slope on our right.

I moved toward the edge endeavoring to scan the leaf-strewn spaces between the trees and the still more numerous thickets, from which came a pattering sound such as might be made by a large covey of guinea fowl on the run. Apparently Cyclops, now thirty feet behind me, was doing the same, for he exclaimed excitedly, "*Makanga, makanga.*"

Now *kanga* is the Swahili word for guinea fowl, both singular and plural—like "sheep" in English. But to my Nyungwe companions Swahili was a foreign tongue, so that when Cyclops called, "*Makanga,*" I jumped to the conclusion he was mistakenly endeavoring to impress me with the size of the flock by relegating it to the "*Ma-*" class of substantives whose plural is formed by the addition of a prefix as in *kasha,* "a chest," *makasha,* "chests."

Meanwhile John too was urgently whispering, "*Makanga*" at my elbow, and impatiently, wishing he would be quiet, I whispered back in Swahili, "I know, I know," while I continued to peer about within range of my shotgun. Then Cyclops cried: "Look, look, four of them, and one very big." I half-turned toward Cyclops to see in what direction he was pointing and the sight of his rather scared face swept away my obsession as I recalled that *makanga* is Nyungwe for "lions." Cyclops was pointing beyond me away to my left. I swung round quickly again but they were gone; even Duncan who had come up and was standing beside Cyclops had seen them!

The lions, said Cyclops, had been lying on the hillside in full view of him, though screened from me by a great patch of bush as I was directly above them. Now they had disappeared into a tangle of euphorbia, trees and thornbush thickets. I started down the hillside to see where they had been lying. "Are we following the lions?" inquired John, for the heavy rifle had been left in camp. "No," I answered, "they are far enough away by now." The place where they had been resting was just fifty yards from where I had been standing—evidently a favorite spot to judge by the flattened state of the leaves around. Concealed from above, it commanded a good view of anyone aproaching from below. We had not been playing the game when we climbed the hill from the far end and disturbed their siesta. Not that I felt too badly about that for on three successive nights their roaring had aroused us all, even stimulating the reticent Dondon to remark in English: "Too much lion here."

Beneath us stretched the whole countryside right away to Kasumbadedza and the Zambezi. We continued on down, this being the most direct route back to camp. Some remark started the boys laughing and for a while no one could speak in Nyungwe without setting them off again. Probably my innocent insistence on hunting guinea fowl while lions were within a stone's throw, tickled their sense of humor. Apart from shooting a guinea fowl, which besides being stuffed for the museum, provided me with lunch and dinner, the return home was uneventful.

While Royd was preparing breakfast I reduced my desiccated state by downing five glasses of water one after another. Under such conditions drinking the Zambezi was no hardship. Ever since our arrival at Kasumbadedza Royd had been vigilant in precipitating the mud with the minimum amount of alum necessary, so no "tinny" taste was imparted to the water. Once it was cleared Royd boiled the water long before it would be required and saw to it that there was always an ample stock of the crystal-clear liquid standing in the shade outside my tent.

At first we had endless trouble with the canvas chagul which was dried out to such an extent that even a prolonged soaking and a thorough massaging of its seams failed to stop it leaking. This was so rapid that the chagul emptied itself in less than an hour, pleasing only the ants which congregated beneath it with palpable appreciation. Consequently during the first three days only lukewarm water had been available for drinking. Then I brought the cooler into the tent and hung it from the roof, while immediately beneath it on the ground stood an enamel jug to catch the drips. The regularity with which they plashed into the water below was a pleasant sound that gradually became slower as the fibers of the chagul swelled until the leakage was negligible. As soon as the chagul began functioning properly I could have a cool drink flavored with lemon crystals at any time. Delicious, just so long as one's thoughts were not permitted to wander to the sights along the river.

Because of the ever present menace of crocodiles, people who wished to wash clothes or bathe went to a crudely fenced-in bit of the river. But during our stay at Kasumbadedza the Zambezi was so low that several crocodile-free lagoons had formed. To the shallowest of these went a regular procession of women and children each afternoon. Sometimes one woman would pass my tent with as many as eight or nine little ones, obviously not all her own, chattering vivaciously in joyful anticipation of their daily visit to the "seashore." It was difficult to think of it as anything else for there were stretches where one could walk out across the golden sands for a quarter-mile until separated from the farther bank by a slightly lesser distance of turgid flood. The daily exodus from the village usually took place while I was having lunch, and in the late afternoon the crowd came trooping home with pots of water to cook the evening meal.

I was attempting the customary after-lunch siesta when a couple of small boys came and stood in front of the open tent, coughing officiously until I sat up. One was holding out as bait the battered remains of a hapless lizard. Such senseless slaughter was distressing, for, with the messenger interpreting, I had spent much time in explaining just what was required and how they should be caught. The messenger and other boys were presumably resting at the moment so, speaking in Swahili in the hope the youngsters might understand a word or two, I waved them away.

Then I lay back reflecting what little aptitude for intelligent collecting was being displayed by the Nyungwe children as compared with those of some Tanganyika tribes. In four days, apart from snails, these youngsters had brought in only one rat and three snakes. Nor were their elders much better: tremendous talkers, they enjoyed endless discussions about what animals I wanted. But there the matter ended for, naturally enough perhaps, in this heat they preferred to conserve their energy for talking.

These reflections brought home to me that I was not doing very much myself. I had just about decided to rise and get on with something when Jim came in to put away the luncheon things he had been washing up. Behind him trailed two youngsters who halted in the entrance. Supposing they were the same importunate pair who had been back twice already, I asked Jim to tell them to go away. In a couple of minutes they returned with Thomas, who said they wanted me to come and shoot a crocodile which had just seized one of their goats right opposite our camp. The chances of recovering the corpse of a crocodile shot in a great river were negligible, but in a spirit of altruism I snatched up a clip of cartridges and grabbed the rifle. I soon passed the weapon to Thomas to sling over his shoulder for in no time the barrel became uncomfortably hot to carry in one's hand. Indeed, with the temperature over 100° the heat was too blistering to be hurrying anywhere. The atmosphere above the plain was shimmering, and the glare sufficiently blinding to cause us to nearly close our eyes as we walked.

When we reached the river we found two older boys pointing downstream. The goat, they said, had managed to struggle free as it was exceptionally big. Being white, it could be clearly seen bobbing along in the brown current a long way off. As we watched, it became the center of a violent contest between several crocodiles which churned the river into foam. One of the reptiles reared upright in the water till fully five feet of its throat, breast and belly gleamed white in the afternoon sunshine. The turmoil was soon over and the Zambezi flowed placidly along as if no tragedy had been enacted.

One of the little goatherds then drew my attention to the sinister snout and crown of a crocodile floating a hundred yards offshore. I fired and missed. Almost immediately the head of a larger reptile broke the surface and the boy excitedly declared that it was the animal which had dragged his goat into the river at that very point. This time the bullet unquestionably found its mark. Hit in the head, churning the water, the crocodile sank to the immense satisfaction of all concerned.

Quietly we walked on upstream, scanning the waters to see if there were any more of the brutes about. Twice the boys cautioned me to keep back from the edge. For here the river was constantly undercutting the bank until long sections of it projected as much as six feet before finally collapsing into the flood far below.

I recalled the story told me in Blantyre by Rangeley of a fellow countryman of ours who had been apprehended poaching elephants in Portuguese territory. He was brought to Tete to serve a term of imprisonment in the jail we had passed on our way to Kasumbadedza. Escaping from the prison, which is almost on the river bank, the stouthearted poacher had tried to swim the Zambezi but was seized by a crocodile. Being a powerful man as well as a strong swimmer, he fought himself free and regained the south bank. He was promptly rearrested and returned to jail where he remained for a while until he could effect a second break, and this time successfully swam the river without molestation.

Apparently it is during the heat of the afternoon—when most members of the human race are having a siesta and things are quiet along the river—that crocodiles venture out to bask. The temperature was still 100° when two boys came to report that a young crocodile was sunning on some flotsam lodged against the river bank. I accompanied them back to the place but they were so noisy they probably scared the reptile of which we saw no sign except its tracks. Then, through endless thickets that involved much stooping, they led me east along the river bank until we emerged among some rocks allegedly beloved of crocodiles, but none of the reptiles was to be seen. However, there were lizards on the rocks, locally known as "Mwanza," and I resolved to return the following day to hunt in the vicinity.

Next morning, with Dondon carrying my second gun, I was engaged in collecting lizards when a Native hurried up talking volubly. Dondon, translating, said that crocodiles had caught a kudu near by but the antelope had escaped, would I come and shoot it? A Greater Kudu (*Strepsiceros s. strepsiceros*) bull is the noblest of all African antelopes, measuring five feet at the shoulder and eight feet from nose to base of tail, the latter, with its terminal tuft another twenty inches. It is the magnificent spiraling horns of the male, however, that cause it to be reckoned the grandest of all tragelaphs, for around the curves a horn will measure as much as five feet though only four in a direct line from tip to base. Below the horns a whitish chevron-shaped mark ornaments the frontal region more or less between the eyes and shows to advantage against the general coloring of pale ashy brown.

A kudu bull's nape carries a mane, and thick hair continues along the spine to the base of the tail. The animal's fine appearance is further enhanced by the beardlike growth of sweeping hair that extends from chin to chest, while its white-streaked flanks—the markings less conspicuous in old animals—proclaim its kinship to the ubiquitous bushbuck and other harnessed antelopes.

We had seen kudu spoor in the low wooded hills where the lions lay up, and, as we hurried along, I wondered vaguely what so large an animal was doing within three miles of a populous village like Kasumbadedza. I assumed that, impelled by thirst, it had ventured down during the night to drink at the Zambezi and been seized by a crocodile. Dondon could not say. With his scanty vocabulary of English and Swahili any prolonged translation was a trial to him and he found it easier to answer questions with "*Sijui* (I don't know)."

We had to wriggle through a thicket to reach the river bank from which I could see the antelope struggling far out where the current appeared to be carrying it inexorably away. Beyond the kudu were the sinister snouts of two expectant crocodiles, while near by, on the narrowest of foreshores, were an excited group of men and four yapping curs. I got Dondon to tell them that to shoot the animal then would be tantamount to presenting it to the waiting crocodiles which were hesitant to attack such a powerful beast. I urged the men to call off their dogs and go away so the antelope might have a chance to land—if it could make it, which seemed unlikely. I returned to our lizard-hunting and later, hearing the men's voices receding in the distance, was gratified to think my advice had prevailed, for I was unaware that the dogs had been left behind.

Sometime later a pandemonium of barking and yelping broke out by the river. I went over to see what was happening. Sundry Natives too came running back but I waved to them to keep away. On reaching the edge of the thirty-foot cliff I could see the poor kudu standing in shallow water as she faced the four frantically barking curs on the jumbled rocks which, at this point, extended right into the water. She dropped dead at my first shot which penetrated the brain; fortunately a large rock prevented the body being swept away. By this time three big crocodiles had moved in to watch and we had to keep an eye on them while the three of us struggled to heave the heavy beast, big as a small horse, out of the water and up among the rocks where she might be skinned in comparative safety. Fortunately help arrived, for the task of moving a dead weight of about four hundred pounds was beyond our ability.

This *ngoma,* as the Nyungwe call the Greater Kudu, being a female, lacked the great horns that formerly served the Africans for trumpets—hence the connection between *ngoma,* a kudu, and *ngoma,* a dance in which trumpets and drums play so prominent a rôle. Dondon, with a wry smile, urged me to send for Thomas with more knives to aid him in the arduous task of flaying so large an animal. When I reached camp I dispatched Thomas in the truck, instructing Duncan to wait until they were finished, then bring them back.

At the prospect of a superfluity of meat the boys were all elated and willing, but when the truck, filled to capacity with my neighbors' children, returned, Thomas had brought only the head, hide and forelegs on which there was no great amount of meat. Thomas said that when he reached the kill the owner of the dogs was there and angrily asserted that the meat was his as he and his dogs had harried the kudu into the Zambezi after hunting it through the bush since dawn. He was willing for me to have the head and horns for shooting it, my skinners a foreleg for flaying it, but only on Thomas' insistence did he grudgingly relinquish the second foreleg for me to send the *intendente,* together with a note explaining the circumstances that had led up to the shooting.

I had brought grass and had it spread in readiness in a shady spot, yet stretching the skin proved a tedious affair as only my longest nails, of which there were too few, retained a grip in such sandy ground.

In the late afternoon I returned to Mwanza rocks to resume the interrupted lizard hunt. We had got several of moderate interest when Dondon, who was carrying my second gun, halted abruptly and, moving only his eyes to indicate a rock at his elbow, said slowly: "Sir, anuzzer kind." From where I was, about twenty feet away, I replied in Swahili: "It's only a half-grown *mbunyu,*" but shot it nevertheless. On picking it up, however, I immediately recognized it as one of the extraordinary flattened lizards (*Platysaurus guttatus torquatus*) for which I had been inquiring and searching ever since our arrival, as it had been first described from Tete by Peters. Their depressed shape enables them to seek shelter in the narrowest of crevices, and their distribution is apparently restricted to a particular type of rock that is subject to sun-splitting in a way that gives rise to very narrow fissuring.

The black head and back of the male I had shot carried three longitudinal golden lines between which were regular series of white spots; the malachite-green sides too were spotted with lighter, the dark limbs with rusty yellow; the tail was a lovely coral red shading to pink. For courtship purposes, no doubt, the male's throat was a jet black as glossy as my father's silk hat. Though I had handled many pickled specimens of these lizards, this was the first I had seen alive, and I was greatly elated at our success in securing one. In a short time I got two more and was interested to note how, sex for sex, these handsome lizards bore so striking, if superficial, a resemblance to the more numerous *mbunyu* or Five-striped Skinks (*Mabuya quinquetaeniata margaritifer*) occurring on the same group of rocks; the female flat lizards having brilliant azure tails like those of the female skinks. So different is the coloring of the male and female *margaritifer* that Peters described them as two different species, an error that was repeated by the English naturalist, John Gray. Consequently I had only to get a pair to have topotypes of four alleged "species," three of which are now relegated to the synonymy of Peters' *margaritifer*.

A week later I drove down to Mwanza rocks to look for more *Platysaurus*. One was basking in the rays of the setting sun beside a thin flaking of rock on a huge granitic boulder. I fired and the lizard simply vanished! Assuming it must have fled beneath the flake from which I had see it crawl, I sent for a stout six-foot crowbar. With this Dondon worked for fully ten minutes breaking off slivers of the sun-split rock until he exposed a bewildered gecko that, for a fleeting second, I took to be a Common House Gecko (*Hemidactylus mabouia*). Even as I pounced on it with a piece of cotton cloth, however, I recognized it as one of a group whose extraordinary flattened body and tail are an adaptation to living on rocks of just this kind. It proved to be a representative of *Afroedura transvaalica* never before taken farther north than Musami, near Salisbury, in Southern Rhodesia, so that my capture constituted a considerable northward extension of the known range of the genus *Afroedura*.

Curiously enough I never secured a specimen of a crocodile during our month at Kasumbadedza, though ever since our arrival I had expressed a willingness to buy a few young ones in good condition. I was about to start packing up in preparation for our departure when one evening, just before sunset, two fishermen walked into camp bearing a stout pole on which were slung two crocodiles they had killed in their nets. For study purposes a crocodile's cranium is all-important, but the skulls of both these animals had been stove in most thoroughly. Consequently I was not over-anxious to acquire them, especially at such an hour for they would have to be skinned immediately as both were too big to pickle in formaldehyde. My skinners were already tired and the task would take them far into the night. The next day promised to be a busy one and the care and drying of crocodiles while traveling would present difficulties.

To compensate the men for their trouble in transporting the reptiles from the river, I offered a couple of shillings. The fellows countered by asking five, which from their point of view was not unreasonable. Under the circumstances I was not prepared to pay as much and when I refused to increase my offer, they picked up their burden and tramped back to dump the carcasses in the Zambezi where they would provide a welcome meal for other crocodiles. The men's attitude interested me as it reflected the new spirit abroad in the land when Africans are willing to forgo a couple of shillings rather than reduce their price. Perhaps they had heard of the recent action of Mombasa fishermen who, upon the removal of price control, threw their catches back into the ocean rather than resume selling them at competitive rates.

XVI

Effect of a Shower— Afridi Encounters Cobra

RAIN was essential if we were to find certain kinds of frogs which Peters had discovered at Tete. Yet day after day the longed-for monsoon held off despite the anxious looks directed skyward by both us and our neighbors whose economy was largely dependent on agriculture. Peerless sunrises and lovely blue skies continued to greet us each morning. Fleecy white clouds assembled during the noon hours, to be followed on many an afternoon by a hot wind that surged through the tents with the relentless fervor of a blow torch. More frequently, however, it was as the sun sank to rest that a wind arose and, gradually attaining gale force, flapped the awnings and shook the tent far into the night, often with such violence that sleep became impossible. This quite apart from the temperature remaining at 90° till after midnight, so that one's bed assumed the restfulness of a hot plate.

Then one afternoon toward the middle of January we were out hunting lizards among the Mwanza rocks when northward across the river I observed a leaden-hued sky releasing a veritable wall of rain that seemed to be moving in our direction. As we hastened campward a gale of wind began sweeping choking clouds of dust over the open flats, forcing us periodically to hold our breath and close our eyes. Jim had had the good sense to shut and fasten my tent. Nevertheless, everything in it was covered with a fine film of dust and the temperature inside remained ten degrees higher than without.

The old chief arrived to urge me to move the tent immediately, saying that by morning more than a foot of water might be flowing over the site. While his thoughtfulness was appreciated it was rather late to point out that I was in the direct path of a torrent that formed during the rains. Not that it would have made much difference if he had done so on the day of our arrival, for then shade seemed the most desirable thing in the world. It was now so near sunset that moving everything was out of the question. Besides which the only alternative site the chief could suggest was out in the open where the tent would be subjected to the full glare of the sun. Hurriedly the wood and water man was set to digging a trench and throwing up an embankment to divert a flash flood from entering the tent. Meanwhile, with Jim and Dondon helping, I set about raising everything in the tent off the ground onto bricks that we obtained from a near-by ruin. Eventually I went around piling rocks about and on top of the tent pegs to prevent them being whipped out of the ground by the violently flapping canvas. However, all we got was a sharp shower that sank straight into the parched ground, but our hopes remained high and not ours only for that night there was an *ngoma* at the village. Judging by the shrill voices it was "for children only," and the drums ceased their throbbing about 11:00 P.M. instead of keeping on into the small hours as they usually did.

What one little shower could do was revealed next morning, zoologically the best since our arrival at Kasumbadedza. It began shortly after dawn when a woman brought me an all-black snake she had killed in the village. It was an Eastern Purple-glossed Snake (*Calamelaps unicolor warreni*), a species not previously recorded from Tete and the first and only one of its kind to be encountered during our entire *ulendo*. All four species of purple-glossed snakes occurring in tropical Africa are alike in being uniformly iridescent black both above and below. Usually about eighteen inches in length, a tenth is occupied by the tail. They present a decidedly cylindrical appearance as the tail tapers but little and the head is no wider than the body encased in glossy scales. All three characteristics are adaptations to facilitate passage through the soil with a minimum of friction.

Thomas and I left camp at 6:30 A.M. and had gone little more than a mile when we came to a plot where a man and woman were hard at work hoeing in anticipation of rain. I got Thomas to remind them that sixpence would be paid for every snake brought to me in good condition. Five minutes later the man came hurrying after us with a Blotched-back Centipede-eater (*Aparallactus l. lunulatus*) he had dug up. This was another species, first discovered at Tete by Peters, we had failed to find in Nyasaland. The man appeared distinctly pleased at being paid for a snake no thicker than a pencil. Though only twenty inches long it was the record for this species. Its color too was exceptional, a pinkish brown with a reticulated appearance resulting from the margin of each scale's being edged with black. But of the black crescentic marking on the nape which caused Peters to name it *lunulatus*, only a faint trace remained. Of its habits we know nothing, but its relatives in Tanganyika are known to subsist almost entirely on centipedes, a service that fails to save them from destruction by undiscriminating mankind.

Our own efforts that morning were unusually successful and I returned to camp with a full haversack including a pair of the local race of olive Bush-Squirrel (*Paraxerus cepapi sindi*) which is little larger than a big rat. Previously the only one glimpsed had been in rather dense scrub flanking a dry stream bed up which we were making our way. As the little rodent was on the run I fired rather hastily through a screen of twigs, obviously missing, for the animal bolted with considerable speed, first along a whole series of branches to the ground and then into a thicket.

On that occasion I was accompanied by a ten-year-old Nyungwe youngster named Afridi. We could not understand each other's language, but whenever I addressed him he gave a frank smile of confiding trust. He simply beamed when, as we set out, I hung a haversack over his shoulder, handed him the collecting gun to carry, and called him "askari (soldier)," a word he undoubtedly understood. Afridi told Duncan that this kind of squirrel lived in a big tree of which he knew. He piloted us to the place through a maze of sun-scorched thornbush growing on quartz gravel entirely stripped of surface soil. When we reached the huge baobabs where the squirrels allegedly lived, the temperature—which had been 90° or over all afternoon—was apparently still too hot for them. Selecting strategic positions we sat down and waited with the perspiration literally, not figuratively, running off us until we gave up in despair. It was quite a different matter on the morning after the shower, for I had obtained the pair without much trouble, which meant that another species described from Tete could be removed from my shrinking list.

At camp two boys and their panting dog were awaiting me with yet another topotype—as we call a specimen obtained in the selfsame locality as that from which the original type, or first example, was described. It was a handsome red mongoose with black-tipped tail. They had also a brightly striped piglet which was the first of the only two porkers (*Potamochoerus porcus nyasae*) we got during the entire trip, due, not to their rarity, but to their secretiveness, for wild pigs are essentially nocturnal where there is any likelihood of encountering man.

Then a great girdle-lizard, very similar to those we had dug from a termite hill at Likabula but of a different race (*Gerrhosaurus m. major*), was proffered by a chubby little chap who obviously never could have killed it. He was, in fact, acting salesman for his mother who was returning from the river with a can of water on her head and stood an amused spectator watching while I paid over the cash to the little fellow. It so happened that this was the only example of the coastal form we were to get during the entire *ulendo*.

And so things continued throughout the day. In the afternoon when I was examining the stomach contents of birds I had shot I came upon a short-legged lizard of a kind (*Mochlus punctulatus*) collected in this region by the Zambezi Expedition of a century ago. This tangible evidence of its presence determined me to renew my search for better examples at the first opportunity. It had been gulped down by a Pearl-spotted Owl (*Glaucidium perlatum*), a dwarf species no larger than an American robin but stockier and with a surprising appetite, for another I shot at dusk was engaged in eating a nightjar about as big as itself.

To cap the day, as I was returning to camp with a blood-red new moon rising over the thornbush, a lizard darted across the eroded ground outside the village. It paused for a moment and I shot it, discovering as I picked it up that it was yet another species—a Rough-scaled Sand-Lizard (*Ichnotropis squamulosa*)—that Peters had described from Tete.

Except for that one shower there had been no more rain, so it was rather too much to expect the succeeding day to be as productive. Yet it began well—or ill, according to one's point of view. We were passing a huge and familiar baobab when my gunbearer pointed to what he called a *sindi,* Nyungwe for "squirrel." Only the head was visible, and that but indistinctly for it was in deep shadow, within a hole far up the elephantine trunk. In fact, I could see little but the glint of an eye which seemed unnaturally prominent for a squirrel's. More or less motionless I waited for at least ten minutes in the blazing sunshine while a cloud of from thirty to fifty thirsty bees (*Melipona*) attempted to make life harder for me by hovering about and beneath my glasses. One crawled up my nose and another flew into my throat and alighting on the back of my tongue made me cough; luckily this species of bee is stingless. But the cough was sufficient to cause the "squirrel," which had crept forward again, to withdraw hastily into the depths of the hole.

Another long wait ensued till the curious creature returned to its old stance. Previously I had hesitated to shoot in case it should fall back into the hollow baobab. Now I fired and the animal sprang out, falling almost at my feet. As I looked up at the hole again there was another head where the first had been and its owner, without waiting for me to shoot, leaped into a near-by thorn tree, thence to another, and would have got away had I not killed it with a charge of shot from my second barrel.

What I had got was a pair of *kamundi,* as the Nyungwe call the Southern Galago (*Galago senegalensis moholi*), a diminutive relative of the lemurs measuring less than six inches from the end of its snub nose to the root of the ten-inch furry tail. When Peters met with this gray galago at Tete he had mistakenly supposed it to be undescribed and named it *Otolicnus mossambicus,* now generally regarded as synonymous with *moholi* of Bechuanaland. The specimens I had got will permit American mammalogists to make their own comparisons and deductions.

Having dispatched the galagos back to camp by Afridi, I told the other two boys to turn a big log I had noticed at the base of the baobab. One of the Africans let out a yell and both dropped the log suddenly, saying there was a snake beneath. I asked Duncan to tell them not to be silly for it was in the hope of finding a snake I had requested them to lift the log. In addition to the snake's disappearing tail I had glimpsed something infinitely worse—four or five of the big black-and-white carabid beetles (*Anthia burchelli*) which fire formic acid at one from rectal guns. To stoop and pick up the snake with these active beetles dashing about in the vicinity was to court an optical disaster. At their next attempt the boys succeeded in overthrowing the heavy log and the serpent, a perfectly harmless Brown House-Snake (*Boaedon l. lineatus*), made a six-foot dash which I intercepted. The effect on the Natives was surprising; they backed away in a body as Duncan exclaimed in Swahili: "What wonderful medicine you have to enable you to handle snakes!"

The gray baobabs' hollow trunks, frequently fifteen feet or more in diameter, served as reservoirs of animal life in the open country around Kasumbadedza. And in January, rain or no rain, the big trees were breaking into leaf. I was approaching an exceptionally fine example one overcast morning when my attention was attracted by the handsome ringed tail of a genet "cat" (*Genetta tigrina mossambica*). The animal was coiled up beside a hole high on the trunk. Taking careful aim I fired and the viverrid fell dead at my feet, killed outright by No. 5 shot from the 12-gauge.

Slightly over a yard in length from nose to tail tip, the creature was tawny gray with a dark rufous streak along the middle of its back. The forehead and cheeks showed some white, the neck and shoulders long streaks of reddish brown, while the flanks were handsomely spotted with a mixture of reddish brown and black. But of greater interest to me than the genet itself was what it had had for supper. Alongside a large yellow scorpion (*Buthus trilineatus*) among a mash of grasshoppers, were the partly digested remains of a rare burrowing snake (*Prosymna lineata*) of which only one example has been taken since Peters first described the reptile in

1876. Like other members of its genus, the scale on the snout of this snake is modified into a very effective little shovel to assist its owner in burying itself quickly in sandy soil.

Invertebrate life also responded promptly to the shower and had been more in evidence ever since. As I was drinking my dawn tea a six-inch centipede of a very poisonous kind (*Scolopendra morsitans*) had come scurrying across the rush-strewn floor. Then a second, just as large, had headed for my bath as I was about to step into it. Both myriapods landed up in my cyanide killing bottle and were later transferred to alcohol.

Yellow scorpions of the kind the genet had eaten became so abundant that I stopped collecting them. One evening I was about to step into the shallow canvas camp bath when I noticed my slippers were at the other end of the tent. To get them I walked shoeless across the rush-strewn floor, a kind of tenderfoot performance I am usually careful to avoid. Returning, I removed my glasses and sat down in the bath. As I did so "something" scurried out from underneath. With misgivings that I might be slaying one of the numerous, big black, but perfectly harmless, crickets (one had leaped from my sponge as I was applying it to my face), I hastily slapped a slipper down on the mobile "something" so effectively it was killed instantaneously.

Then I reached for my glasses and, putting them on, found I had killed a yellow scorpion, three inches in length without its pincers. As I returned my glasses to the table I disturbed one of the long-limbed, hairy-legged, spidery-like solpugids of which I had already caught several in the tent. Nyasalanders call them tarantulas, which they are not. I detest them for the speed with which they dash about, and the way their great jaws champ on my forceps when I pick them up.

The night began badly, for shortly after lying down I had received a bite on the spine comparable to a wasp sting. The flashlight revealed two specks of blood on the sheet and an ant with big jaws that must have injected formic acid or some other irritant—unless, indeed, it had stung me as well as biting, in understandable indignation at being lain upon. The irritation, possibly worse because of its proximity to the spine, was quite severe for the first quarter-hour but subsided during the succeeding fifteen minutes. After that I lay awake listening to the persistent clip-clip of a scorpion's pincers as it strove to climb the sloping metal stays supporting my camp bed.

I wondered which kind it was, for, in addition to the yellow species, I was sometimes visited by a black kind (*Hadogenes troglodytes*) that was especially abundant in a ruined wall just fifty yards away. The biggest of those that I pulled out of the interstices with my forceps, while directing a flashlight in their ruby glowing eyes, measured five and three-quarter inches across its massive pincers when fully extended. But it was mostly head for the total length was barely six inches, half being tail. Then I fell to speculating as to what caused the frequent rustling among the dry rushes carpeting the ground, for it was an airless night without a breath of wind stirring.

Daybreak (86° at 5:00 A.M.) revealed the reason for the rustling as well as for the abnormal invertebrate activity. On the eastern side of the tent long columns of army ants (*Dorylus*) were entering holes that led to the subterranean labyrinths of the termites responsible for ruining many of my tent pegs as well as eating the ropes looped around the pegs. After I had sprayed the ants with DDT—which dismayed them but appeared to have little permanent effect, I poured a solution of old Formalin down the holes they were entering.

Then I called Jim and got him to strip and move the bed so we could find the scorpion that had been annoying me. Apart from some refugee beetles, however, there was nothing more formidable than one of the big, formic-acid-spraying carabids (*Anthia burchelli*). During the morning my attention was attracted by the low hum being made by a blue hornet as it speeded across the rush-strewn floor like a plane about to take off. I arrested it and later found that its head and body were two and a half inches in length! The tinder-dry rushes made it impossible for me to spread hot ashes to drive away the army ants. All I could do was to thoroughly spray the interior of the tent with DDT which at least would discourage the malarial mosquitoes that had become more numerous since the shower.

In the absence of heavy rain we had spent many hours down at the Zambezi systematically turning débris left on the sand bars by the shrinking river. This was quite a rewarding operation though most numerous were a lot of disillusioned earwigs that actually use their pincers to good purpose, apparently having discovered that the mere threat of using them fails to intimidate the hungry denizens of this realistic continent. As each fresh lot of matted vegetation was turned a frog or two would go leaping away, only to be pounced upon by Thomas who rarely missed his quarry. Though we gathered half a dozen different kinds they were of wide-ranging species of no great significance. Of the sedge frogs I wanted there were none. After two hours on the sandbars we both agreed we had had enough, so wilting was the heat, so dazzling the glare from the great stretches of white sand.

But later in the day, and on three successive afternoons, we repeated the process, dividing forces so as to cover different stretches of the river. Thomas went off with two local youngsters while Dondon accompanied me. In the morning I had captured two juvenile Hissing Sand-Snakes (*Psammophis s. sibilans*) whose stomachs revealed that the reptiles, like us, had been attracted by the presence of frogs. Thomas, immensely pleased with himself, returned with two more and on the third day with a young frog-gorged Egyptian cobra of a banded variety that Peters had described from Tete. It was the only example of the species we were destined to get during the entire *ulendo,* as, though common enough in Egypt, *Naja h. haje* becomes progressively scarce south of the equator.

Thinking that the desired frogs might be estivating in some of the numerous holes which perforated the banks of the dry watercourses in the vicinity, I summoned the wood and water man to do the digging and set out with Thomas to supervise the excavating. All we got on that occasion was a large chameleon which Thomas found ogling him from one of the holes into which he was peering. I assumed it was a female that had retired to the burrow to deposit her eggs, but it proved to be a male of the lowland form (*Chamaeleo dilepis kirkii*) of the flap-necked chameleon we had encountered in Nyasaland. Curiously enough all ten chameleons collected during our stay at Kasumbadedza were males and not one of them under a foot in length. Indeed it is the much larger size of this lowland race which constitutes its only claim to distinction.

Next time we tried digging about the intricately tangled masses of branches brought down during the last rainy season and wrapped about the base of trees growing in the sandy river bed. Beneath the first pile we unearthed a flap-necked chameleon completely buried in sand. This discovery, following the previous day's somewhat similar find, was quite thrilling, for I had often pondered as to what became of these arboreal reptiles during the height of the dry season. Mr. B. L. Mitchell of Blantyre, commenting on the scarcity of chameleons on the Lower Shire from May to October, suggested they were hibernating as he had found one beneath a stone in Southern Rhodesia in August. Here at Kasumbadedza they were definitely estivating during the devastating drought.

Trudging through heavy sand we followed the river bed, stopping to overturn each likely pile of rubbish and securing three species of geckos in the process. But the greatest collection of débris, more than a truckload of the stuff, was entangled around a green tree in such a mat that all our efforts to pull it apart proved futile. The accumulation appeared so promising a place for cobras that I finally put a match to it to drive out any snakes that might be hiding there. Immediately I was filled with remorse for the débris was tinder-dry and flared up in a sheet of flame so fierce that both of us retreated hastily to avoid being scorched. Impotently we watched the foliage shrivel and burst into flame until the living tree resembled a big torch. Nothing emerged and as soon as conditions would permit a near approach we beat out the glowing embers and flung sand against the tree until the fire was smothered. By this time it was dark and we hurried back to camp.

Two hours later a great gust of wind smote the side of my tent so suddenly that it overthrew with a crash a table and two heavy uniform cases, raised on bricks, pressing against the canvas wall. The gale was followed by some rain, and swarms of beetles with which I filled my killing bottles with a minimum of effort. Apparently the same wind fanned the charred tree into flame again, for when next I passed that way nothing was left of it but a blackened stump.

Proceeding up the river bed I obtained a hornbill and other birds. The last of these fell from a tree growing on the river bank, to the dead leaves and scattered stones at its foot. Afridi ran to pick it up, but instead of doing so he whirled about and fled behind me. I turned round to see what was the matter with him. Obviously he had received a terrific fright and, momentarily speechless, repeatedly smote on his bare chest to indicate, I assume, how violently his heart was pounding. Small wonder, for the barefoot child had nearly run on to a young cobra (*Naja n. nigricollis*) that reared up and probably spat venom at him. These cobras aim for one's eyes where their poison produces searing pain and temporary blindness.

I called to Duncan, who was far behind, to bring my snake stick. Meanwhile Afridi, finding his tongue, said: "*Nyoka* too beeg." As I approached the reptile it rose and, spreading its hood, spat repeatedly. When I continued to stand my ground, being out of range, for the cobra was not over eighteen inches in length, the scared snake dropped to the ground and, turning tail, fled to a rock beneath which it was disappearing when I pressed my stick upon the last four inches of its tail. Out came the head, up went the hood, and again and again the cobra spat. To make it desist I inconsiderately kicked a shower of sand at the reptile each time its mouth opened. When it stopped I flicked the snake out onto a stretch of sand where, after walking around it twice, I was able to pin it down with my stick and pick it up by the neck without further difficulty.

That evening John accompanied me for a change and when I shot a hoopoe we both ran to retrieve it. John, leading, came unexpectedly on a four-foot Sharp-snouted Snake (*Rhamphiophis oxyrhynchus rostratus*) that looked so much alive it caused him to leap aside. The reddish-brown reptile had evidently been killed that morning and left lying on the path where it was partly screened by bushes. Though undamaged, decomposition had already set in and it was not worth saving. Apparently the slayer was unaware of a market a mile or two away where he could have claimed sixpence for his snake. A distressing reflection after all my efforts at publicity.

Just then it started to rain so John and I hurried to shelter in the lee of the nearest big baobab. As we approached the tree I noticed its hollow trunk housed a considerable swarm of wild bees which were coming and going through one of several holes. From another protruded the head and tail of a Variegated Wood-Snake (*Philothamnus s. semivariegatus*). The head retired and the tail followed suit before I had a chance to do anything, for the reptile was twelve feet from the ground.

XVII

Policeman Attacked by Bullfrog—Nocturnal Visitors

SEEKING fresh areas to work we occasionally took the lorry some distance from camp. Shortly after sunrise one morning Duncan was driving merrily along when sharp rapping on the gasoline drum in the back of the truck caused him to draw up abruptly. "What's the matter?" I called out, expecting Thomas had discovered some essential bit of equipment had been left behind. "I have mouse," replied Thomas, who was already clambering over the stake side. The reply was a trifle premature for we were already fifty yards beyond the place where he had seen the rodent dash into some sparse yellow grass that had struggled up through a pile of brambles where it was free from molestation by the ubiquitous goats. As Thomas approached the clump the mouse or rat *(Lemniscomys griselda calidior)* dashed out and down a burrow beneath an adjacent pile of thorn. The refuge was too shallow, for scarcely six inches below the surface we captured the rodent.

A few evenings later, continuing our search of the dried-up watercourses, Thomas, the wood and water man and I returned to digging out rat and root holes in the river bank. At the entrance of one burrow squatted a fat bullfrog *(Rana adspersa edulis),* a species one rarely sees except during the monsoon rains; what this fellow was doing aboveground in such heat I cannot imagine. On catching sight of us it apparently thought so too and quickly retired down the burrow from which we dug it. It was only three-quarters grown, for the East African race, which was described from Tete by Peters, attains a length of over six inches from snout to rump.

In East Africa these bloated bullfrogs are most plentiful along the coastal plain, though occurring also in semi-arid upland savanna. However, owing to their burrowing habits they are rarely encountered except at the onset of the rains at which time the ground sometimes swarms with young ones ranging from a half to one and a half inches in length. What strikes the observer most is the disproportion of their short limbs to the obese, smooth-skinned bodies. The fingers, of course, are free of web, but the toes, with the exception of the longest, are half-webbed. At the base of the shortest toe is a compressed ridge that becomes quite horny in old rugose-skinned frogs. It is with this metatarsal tubercle that the bullfrog digs itself into sandy soil.

With the breaking of the rains the adults assemble to breed in flooded areas. The tadpoles are gregarious but a writer who, in 1946, said they "are guarded by their parents for at least part of their lives" was very much mistaken. On the contrary I have more than once found both tadpoles and young *edulis* in the stomachs of full-grown bullfrogs. The writer in question had seen five hungry ducks, feeding in a pond, repeatedly molested by a bullfrog that popped up from time to time to see where the ducks were before submerging for a fresh attack. Finally the five ducks left the water and the voracious amphibian was seen to follow them out. It is on record that the South African race *(Rana a. adspersa)* eats ducklings.

A far more extraordinary occurrence was related to me by Monsieur C. Caseleyr, administrator of the Niangara Territory in the Belgian Congo. One evening a Native policeman came to him for iodine; in one hand the man carried a large frog that he had killed with a stick. Unfortunately the frog was not preserved, but from the description there seems little doubt that it was either an East African bullfrog or more probably the West African form *(R. a. bufonina)*.

The policeman stated that he had been walking past a small pool when something sprang at, and bit, his leg. Though dark the man could see to club the creature that had attacked him, and was surprised to find it was a large frog. M. Caseleyr then examined the policeman's calf which bore "two punctures, very much like the marks a dog's teeth would leave. The man's leg swelled up rather badly and he was considerably bothered by it for a few days, after which the swelling went down."

On opening the frog's mouth, M. Caseleyr recalled having seen two teeth like the canines of a dog, but much smaller, in the upper jaw, two similar ones in the lower jaw. For interest I might add that I have examined a six-and-a-half-inch *adspersa* from Dordrecht, Cape Province, South Africa, and found only numerous fine teeth in the upper jaw but a pair of great tooth-like projections at the front of the lower jaw. These bony cusps rise five-sixteenths of an inch from the jaw and are set three-eighths of an inch apart with a minor cusp between them, and could undoubtedly inflict a very nasty bite.

These frogs tackle a great variety of prey but the largest vertebrate I have recovered from the stomach of an East African bullfrog was an adult lizard *(Latastia johnstonii)* of moderate size. Two young *edulis* emphasized their voraciousness when picked up and dropped into an ordinary entomological killing bottle. Despite the fairly rapid action of the anesthetic they seized and partly swallowed two of their companions. In one *edulis* was a young Mascarene Frog *(Rana m. mascareniensis)* in another a partly digested sedge frog *(Hyperolius* sp.*)* together with a small crab *(Potamon bottegoi)*, a yellow millipede, various beetles and other insects.

But the most astonishing meal I ever found in one of these amphibians had been eaten by a Mikindani bullfrog, and appeared to indicate an imperviousness to stings that was astonishing. This creature's stomach held three scorpions, each measuring one and a quarter inches from head to end of sting; a centipede four inches long and one-third of an inch broad; a millipede two and three quarter inches long; a scutigera; a carabid beetle one and a half inches long of the kind that ejects formic acid when molested; three black stink ants eleven-sixteenths of an inch long; and the remains of a snail whose shell measured seven-sixteenths of an inch in diameter.

A bullfrog's enemies range from ants to man. Near Dar es Salaam I found one with more than a score of dead driver ants attached to its belly and limbs. In some instances only the jaws and shiny head remained, like amphibian war medals, mute testimony to an unpleasant encounter. At Mkonumbi I removed a young *edulis* from the stomach of a Northern Stripe-bellied Sand-Snake *(Psammophis s. sudanensis)* and at Mangasini a larger one from a spitting cobra (*Naja n. nigricollis*). Mr. B. L. Mitchell has stated that at Port Herald, Nyasaland, he found many bullfrogs had been swallowed by pelicans *(Pelecanus rufescens)* and later regurgitated, their bodies being found near the nests. Man must also be reckoned among their foes, for the name *edulis* was given these bullfrogs by Peters on account of their being eaten by the Natives of Mozambique. This is also true of the Sena tribesmen at Port Herald, according to Mitchell, and in neighboring Northern Rhodesia, as reported by S. A. Neave.

But of Peters' sedge frogs there was still no sign though we had been at Kasumbadedza three weeks. Somewhere they lay buried, but digging had proved as fruitless as searching the sedges along the Zambezi—where they would have been if *only* we could have had heavy rain. Another of their favorite hiding places is between leaf and stem of a banana but the Natives did not cultivate them and said that the nearest were at San Josef's Mission at Boroma about eight miles west of us. After calculating whether we could spare the amount of carefully husbanded gasoline to take us there, I decided to go.

On January 25 we drove over and up the winding track to the mission which was situated on a hill commanding a fine view of the Zambezi flowing serenely below. The mission buildings were surrounded by a great fortlike wall and from a distance looked quite imposing, but on closer inspection the walls were seen to be built of mud bricks plastered with chrome, pink or whitewash. Within the walls I met an unshaven lay brother supervising some fresh construction and he, speaking no English and I no Portuguese, conducted me to the Father Superior with whom I conversed in French, his fluent, mine feeble and halting.

Graciously he granted permission for the search, adding sadly that the plants no longer bore any fruit we could damage. Indeed, fruit of any kind was unobtainable on account of the drought. The bananas, planted along the bank of the Zambezi immediately below, appeared uncared for and desiccated, despite the abundance of water flowing so close to them. A cement aqueduct constructed for their irrigation was choked with dirt and débris. The extensive plantations owned by the mission appeared almost as neglected though in a corner of one field a score of Native girls, all dressed in gray, were hoeing under the supervision of an African "sister" who was entirely enveloped in white cotton despite the 90° temperature. We searched in vain for sedge frogs, then boarded the lorry and headed for home.

On the way to Boroma we had passed a swamp containing the only stagnant water to be found within a ten-mile radius of Kasumbadedza. It provided my sole hope of finding specimens of Müller's Clawed-Frog (*Xenopus mülleri*), a wholly aquatic species described from Tete by Peters. Perhaps "wholly aquatic" calls for some qualification as their extensive distribution shows they must migrate from pond to pond under favorable conditions. After a night of torrential rain I found one floundering helplessly on a muddy road at Kilosa, and during the First World War several appeared in our trenches following nocturnal downpours.

This floppy amphibian is a near relative of the South African Smooth Clawed-Frog *(Xenopus l. laevis)* which reached a pinnacle of fame during World War II for its services to medical science in pregnancy tests. Almost overnight it became the most famous frog in the world, for only recently has it been demonstrated that other kinds exhibit similar sensitivity. Both species derive their names from the conspicuous black claws on three of their fully webbed toes; the claws alone distinguish them from all other East African amphibians.

Both kinds make great use of their tapering fingers to cram recalcitrant worms or other prey into their capacious, tongueless mouths. From an aquarium they regard one intently with their lidless beady eyes beneath each of which is a tentacle that is half the diameter of the orbit in the common species, rather longer in Müller's frog. Along either flank are two rows of weallike marks that are strongly reminiscent of the tribal cicatrices raised on face or chest by many Africans. The smooth and slimy skin of a clawed-frog is so tender that it quickly shrivels on exposure to the tropical sun—good and sufficient reason for the frog's remaining under water.

As we approached the Boroma swamp there was ample evidence that it had shrunk to half its size during the past fortnight. To reach it we had to cross several hundred yards of mud strewn with the dark green shells of large water snails that had perished by the thousand as the receding water exposed them to the hot sun. Now the water was restricted to two great pools surrounded by such deep mud as to render them quite unapproachable. On realizing this my heart, as well as my feet, sank for I had hoped to net the frogs and our last chance of securing any seemed to have gone.

Standing at the water's edge were a dozen wild duck, some white ibis, and three Hammer-headed Storks (*Scopus umbretta bannermanni*). One of the latter, disturbed by my approach, took to wing and as it passed overhead I shot it. The momentum of its flight carried it on a hundred yards planing downward to the hard-caked mud behind us. Thomas turned and ran to retrieve the dead bird. On reaching it, however, he called out excitedly to me to come and see, then laughingly pointed to three of the very Müller's frogs we so much wanted. The slimy amphibians lay in a line ahead of the stork's bill, having slid from the gullet as it struck the ground. Later, when Dondon was preserving the bird's skin, he found in the gullet and stomach five more of the frogs, all so recently swallowed that I was able to preserve them as specimens.

The remaining two days of our last week at Kasumbadedza had been set aside for the packing of specimens and the purchase of ethnological material. Before the animals and birds could be packed I required their Nyungwe names. Late on Thursday afternoon the skins were classified and spread on tables set up outside my tent in readiness for the chief and a couple of knowledgeable ancients he was to select.

Meanwhile the sky grew darker and blacker. In due course we finished dealing with the twenty-three kinds of animals and were just starting on the birds when the inevitable gale preceding rain blew up. The dust it raised was so dense as to completely obscure the Zambezi though only a quarter-mile away. Our meeting—for by this time at least a dozen interested parties had gathered around to join in the discussion—came to an abrupt end as Thomas and I rushed everything into my tent where it was so dark I had to light the lamp in order to see to clear up the chaos. There was considerable thunder and lightning, but the two showers that followed were so slight they failed even to lay the dust.

The following morning I was up long before 5:00 A.M. and had the 150 birds I had collected at Kasumbadedza all ready for the chief and elders when they arrived an hour later. That they greatly enjoyed the show was evident from the exclamations that greeted recognition of certain species. But naming the birds was a slow business for the men were not very bright, finding it difficult to recognize in a museum skin the birds with which they were familiar.

After their departure Thomas and I turned to and carefully packed all the skins for a journey that would only end with their arrival in faraway Cambridge, Massachusetts. Immediately afterward we started to fill a large packing case with bulky zoological material, but in this we were interrupted by the arrival of a horde of villagers. There were over a hundred women and children anxious to sell various paraphernalia, especially pots which the women make in great variety for distinctive purposes and decorate with simple patterns. So many pots did I buy that they completely filled the three remaining packing cases I had brought from Blantyre.

More interesting to me, however, were the "charms" and "cures." One old woman with a pot to sell was wearing a necklace of python vertebrae. She had no intention of disposing of the necklace as she wore it to strengthen the throat—and she coughed realistically to illustrate her meaning. Afterward she withdrew to remove a belt of snake vertebrae worn beneath her wrap for the purpose of strengthening an old woman's stomach (digestion).

There were such things as a girdle of handmade wooden beads to be worn by a baby when it shows signs of attempting to walk "to assist it in succeeding" and tiny antelope horns containing "medicine" to put on a child's head to prevent it from straying when it first begins to run about.

There were necklaces composed of aluminum beads, each separately and painstakingly beaten out by hand, but also curative necklaces of special materials, one for those suffering from irregular heartbeats, another for persons subject to fits which cause them to froth at the mouth (ably illustrated by Thomas), others for the prevention or cure of coughs and colds—of these I bought ten; they should be appreciated in Boston. There was an antelope horn containing powder to be applied to a snakebite; also a piece of wood to be chewed, the resulting saliva being allegedly efficacious when ejected onto the wound made by a venomous snake. There was an armlet to be worn when the hand is injured or incapacitated from any cause; the vendor showed me that his hand was almost healed so that he had little further use for the armlet.

Naturally I confined my purchases to articles that were obviously old and showing signs of wear. The eagerness of the women to sell was rather puzzling when contrasted with the relative lack of interest displayed in bringing in zoological specimens when I first arrived. Then I assumed there was a lack of incentive, for though there is a definite shortage of food there is not much to be bought. More probably the difficulties of collecting during a drought (which I had experienced despite such aids as guns and frogging nets) made them think the effort too great for the reward offered. This applied to the women and boys, for the men, so they told me, were mostly at work as Portuguese law requires of them for six months in the year.

The small boys who had been urged to catch rats ever since our arrival, seemingly stimulated by the sight of so much big business, suddenly displayed an almost annoying last-minute activity that was quite typically African. I had to interrupt other work repeatedly to purchase their captures, measure the rodents, and send them along to Dondon who was kept busy skinning. The sun was just setting as I finished nailing down the fifth box after being on my feet for thirteen hours except for a few brief respites for meals.

Next morning the old chief, energized perhaps by the new belt he had received for his earlier help, turned up with his two stalwarts at 5:30 A.M., though I had told him he would be notified when the reptiles had been removed from the four drums of Formalin and sorted ready for naming. Before we started on the job I took pains to make it perfectly plain that if they entertained any doubts as to the correctness of a name, I would much prefer them to say they did not know. Periodically during the next four hours I asked Thomas to re-emphasize the importance of this attitude. Consequently fully agreed-on names were obtained for only half of the sixteen species of snakes taken at Kasumbadedza.

We did better with the lizards and frogs as a man who was something of a naturalist and had brought me specimens at long intervals, for he lived far away, arrived when we were starting on the lizards. He was able to name everything to the satisfaction of the crowd which had gathered. After he had proposed a name, I would hold the specimen up while briefly describing its outstanding habits, then put it to the meeting to know whether all approved the name. The response varied considerably; sometimes there would be a hearty chorus of approval, more frequently grunts or nods of assent from a few, at times a spirited protest from someone followed by a vivacious discussion.

Packing continued till late afternoon when Duncan backed the lorry up in front of my tent and we half-filled it with great boxes. Then over it we rigged a tent awning as I had visualized it in the States although never before had I had occasion or the time to install it! To the front and rear of the stake-sided ends we lashed the upper sections of two tent poles, on these we placed the ridgepole which was exactly the right length! Over this went the awning which was pulled down over the stake sides and securely bound about their base so as to preclude any flapping. When finished the lorry resembled a trim twentieth-century edition of the old-time prairie schooner. Thomas, who had periodically exclaimed this or that would not do, laughed when he saw it all worked out so well that he and his companions would be protected snugly from any possible rainstorms.

Then I returned to my half-emptied tent and reduced the chaotic residue within to a semblance of order before turning in for the night. After so strenuous a day I was thankful that the villagers were holding their regular Saturday-night *ngoma* farther away. Even without that disturbance I had to contend with a kind of zoological nightmare in which I was repeatedly awakened and called upon to classify creatures by sound!

It began with a rat running up and down the canvas and across the grass-covered floor. Another noise in the grass I rightly interpreted as being made by a frog, even deciding it must be a bullfrog as the only other local species heavy enough to make such a noise would be a square-marked toad—and of these we had encountered only young ones. Then I thought I could distinguish a snake rustling after the frog. I switched on my flashlight but could see nothing at the far end of the second tent from which the sound had come. I concluded the noise might have been caused by a big millipede similar to the ten-inch specimen I had taken in my tent a few days before.

So much restlessness and rustling on the part of my tent mates set me speculating as to whether army ants might not be the cause. Yet a whole week had elapsed since the invaders had been sprayed with DDT as they were retiring into the termite workings around the tent. Was it possible, I ruminated, that ants soaked with DDT had not gone underground and contaminated their companions so the whole army had perished? Growing tired of these interminable speculations I got up before sunrise.

As I threw back the mosquito net, an unexpected bite above the elbow apprised me of the presence of an army ant which I slew with gusto. A dozen of its companions had to be dislodged from my left shoe before I could put it on. A noise coming from behind the chop-boxes revealed a fat bullfrog, bigger than my fist, scrabbling between box and canvas, curious conduct for a species addicted to burrowing.

Then I caught sight of an unnerved carabid beetle (*Anthia*) cowering in the lee of a stone that was holding down the canvas skirting. Apparently its formic-acid Flit gun afforded only limited protection against the myriad army ants. Taking care to keep its tail end directed downward, I picked the beetle up gingerly with my five-inch forceps and dropped it into a killing bottle which it promptly filled with billowing white clouds of formic-acid fumes. This was the third of its kind I had taken in the tent within twelve hours.

Next there was a loud rustling as something hurriedly tried to force its way up through the matted rushes. A mouse, surely, but this time I was wrong for it was only a heavy-bodied cricket (*Brachytrypetes membranaceus*), big as a man's thumb, that struggled into view, leaped across the tent and came to rest beneath the table. Such behavior on the part of an essentially burrowing and darkness-loving insect, could mean but one thing—army ants were after it. Parting the rushes here and there I found the sand beneath swarming with yellowish ants. They were *Dorylus helvolus*, a more subterranean, and slightly less aggressive species than the previous visitors (*Dorylus nigricans molestus*), whose dark reddish cohorts are addicted to swarming over bushes, trees and human habitations.

I sprayed DDT on the denser concentrations I had uncovered, but beneath my carpet of rushes the ants were so widespread there was little I could do. As on many occasions in previous years, my plans to shift camp seemed to coincide with an invasion of these ants, our departure coming just in time to save us from continued discomfort. Army ants are usually more in evidence during the rains, possibly because their insect prey is more abundant at that time.

Yet for four weeks we had been awaiting the arrival of the monsoon, already two and a half months overdue. Nothing less than heavy and prolonged downpours would make the Kasumbadedza frogs I most wanted emerge from their estivating quarters. Of the 290 frogs of 10 species we had captured during our stay only one kind could honestly be considered as interesting or rare. Of lizards, on the other hand, we had collected 267 of 23 species, one was unquestionably new and would have to be described, while 10 others had not been taken previously during the course of the expedition. The same might be said for half a dozen of the 16 species of snakes represented by 48 specimens. The more than 200 skins of birds and mammals we had preserved at Kasumbadedza were assignable to over 100 species.

I had promised to call the boys at four o'clock the following morning, but an hour before, I was aroused by Thomas conversing with Dondon and Duncan—who had slept on the lorry as a precaution against pilfering. "Oh!" was all Thomas answered in a rather depressed voice when I told him the time, for, as I subsequently learned, he had already struck their tents. He returned to the fire around which Jim and Royd were evidently sitting for there was a continuous murmur of voices. Soon realizing that further sleep was out of the question I rose, dressed and set about cutting enough sandwiches for both lunch and tea.

With this in view Royd had hard-boiled three recently purchased eggs. Though definitely good the night before, I found on shelling them that two were now definitely bad. In the torrid heat of the Zambezi Valley boiling seems more than an egg can stand. Throughout our stay we had had this trouble and though Royd was punctilious in testing them, about half the eggs purchased decomposed before they could be eaten. Not that we bought in bulk; indeed, I doubt if we got more than a score during the month despite the hundreds of fowls to be seen about the village. Possibly the Natives preferred raising chickens to selling the eggs, no larger than bantam's, at the controlled price of 1$00 escudo (i.e. three cents) each.

It had been the same with milk. On arrival at Kasumbadedza the chief had promised to arrange for a daily supply. After the first morning the man came only at erratic intervals so there was no depending on him. Moreover, he might arrive with it at noon after I had opened a tin of my small stock of canned milk. Once Royd was successful in keeping a bottle of milk uncurdled for twenty-four hours by boiling the contents immediately and then immersing the bottle in one of the five-gallon cans of water standing in the shade of the mango tree. I managed to keep evaporated milk for two to two and a half days by providing the can with a tubular khaki shirt that, fitting closely around it, kept the contents cooler by soaking up water from the saucer in which it was placed to keep out ants.

Shortly after our arrival my entire stock of canned butter turned to oil, in which condition, much to my surprise, an opened can would remain good for four full days if stood in a shallow bowl of water.

While fresh fish were plentiful at Kasumbadedza the supply was erratic. Most Zambezi species were too bony or tasted too strong, according to Royd who used to buy a perchlike variety that, split in half, provided me with two appetizing meals.

Throughout the month fresh vegetables and potatoes were unobtainable, but earlier on I had managed to get from the Boroma Mission a dozen finger bananas of which seven were bad by the time the messenger reached Kasumbadedza; a dozen small mangoes, worm-eaten and consequently bitter in some instances but a welcome change nevertheless; some hard little limes scarcely larger than marbles so that two or three were necessary to flavor a glass of Zambezi water; three coconuts of which the largest, on being opened, furnished less than a glass of milk—such are the effects of prolonged drought. Though mangoes and pawpaw occasionally appeared in the Tete market during this time I never managed to get any.

For the boys too there had been little variety except in the way of fish, and the flesh of the birds I shot daily. The skinners were particularly fond of the meat of Go-away Birds (*Corythaixoides c. concolor*) which were not uncommon in the denser bush around Kasumbadedza. Though I stalked them whenever possible, these gray plantain-eaters, big as a crow, were so wary it was only occasionally I was able to get within gunshot. Selecting a bare branch at the top of a baobab or some other tree rising above the surrounding scrub, the bird silently watches the perspiring hunter as he pushes through the tangle of bush or pauses to detach a thorn that has hooked into shirt or arm. Then just before the would-be collector is within range the bird cries "ko-weh, ko-weh," and taking off departs with dipping flight to the next tree a few hundred yards distant, leaving the earth-bound biped pondering whether to risk a repeat performance.

For the boys I had brought a month's supply of ground meal as cereal food was scarce because of the drought. Though doubtless there were other vendors, only once did I see a woman bring a basket of corn to camp. Having taken the burden from her head and set it down at my feet I saw she had laid a dead snake upon the corn. Its battered forward half was dried up and exposing a stretch of ribs, but the abdominal portion was green with decomposition and dripping. Clearly it had been killed the previous day, if not before. I bought it as the reptile was a species, described from Tete, we had failed to get at that time. The woman did not offer to sell me her corn which she presumably disposed of to the boys.

With our stock of mealie meal dwindling, toward the end of the third week I had dispatched the messenger with a note to Senhor de Bivar through whose kindness I was able to purchase enough corn meal to have some on hand for the return journey to Nyasaland. The *intendente* had told me that stocks were so low he had made arrangements for shipments of maize to be sent all the way from Angola via the Cape.

XVIII

A Baby Hippopotamus—The Threat of Famine

AFTER we had all breakfasted, the lorry was loaded and we left for Tete, reaching the ferry at 7:00 A.M. The man in charge was willing to take me over at once, or in an hour's time when the mail van would be crossing. As I wished to say good-by to the *intendente* before leaving Mozambique, I decided to cross at eight o'clock and was guided by the messenger to the house of Senhor Policarpo de Sousa Santos. The sentry on duty at the entrance gates summoned a uniformed attendant to conduct me to the portico. Ascending a flight of steps we passed an aviary containing several hundred weavers, the cocks resplendent in breeding plumage, their scarlet or golden livery contrasting sharply with that of their relatively dowdy and sparrow-like mates.

I was left on the spacious tiled portico while the orderly went in search of Senhor de Sousa Santos. Upon his arrival the *intendente* asked if I would join him at coffee before leaving; a welcome suggestion for at Tete one always seemed thirsty.

While we were waiting it occurred to the *intendente* that I might like to see a young hippopotamus which had been caught the day before. He gave the necessary instructions, and presently five attendant orderlies and messengers came staggering up the steps and deposited their burden, far bigger than an average full-grown sow, at our feet. I felt sorry for the poor beast which, out of its element, appeared parched and unhappy, but Senhor de Sousa Santos assured me he was going to have a pit dug to provide a pool for it that day.

Presently we were joined by Senhorita de Sousa Santos who, speaking English with perfect ease, remarked that the heat this January had broken all previous records and persons who had resided in Tete for forty-five years could recall nothing to equal it. I answered that during the last three weeks my thermometer had daily registered 100° but did not seem to go above; she laughingly replied it had been higher in Tete. Apparently my thermometer was defective for on several days 109.4° in the shade had been officially recorded. I was also interested to learn that the total precipitation for the month was only slightly over half an inch.

Then Senhora de Sousa Santos arrived, protesting that she could not allow me to start on so long a journey without breakfast which would be served in a few minutes. I mentioned that the lorry was awaiting me at the ferry and the *intendente* sent instructions for it to be taken across the Zambezi at once, saying I could follow, and much more quickly, in a boat. Senhorita de Sousa Santos added that getting vehicles across often proved a tedious affair and cited the case of a friend's car which had taken two and a half hours only the week before. To the breakfast room a nurse brought the *intendente's* curly-headed little son, who had already vigorously shouted, "Good-by, good-by," to me as I passed the room in which he was being dressed. Smilingly his father remarked that this novel greeting resulted from a limited vocabulary rather than to any intentional inhospitality. After a fortifying meal I took leave of them all, the *intendente* kindly summoning his chauffeur to drive me down to the ferry.

When I got there, the ferry, with the postal van and my lorry in tow, was still only fifty yards offshore. I clambered into a boat that had to be punted a quarter-mile upstream, hugging the south bank, before its sails were hoisted and we slowly drifted across with the current. After landing I seated myself beneath the big baobab to await the arrival of the ferry, which was long in coming. Then, turning our backs to the Zambezi we started on the 147-mile run to Blantyre.

Shortly before reaching the frontier post at Dzobwe we encountered a heavy downpour that made it necessary for us to stop and close the aperture at the front of the awning with canvas-covered bales of tentage. At Dzobwe the Portuguese customs officer passed us through in a matter of minutes; then learning we had had no fresh fruit for three weeks, he sent a Native with one of my boys to fill a five-gallon gasoline can with delicious mangoes from his garden. As we drove off I could not help reflecting that neither at New York nor Southampton had I been offered fruit by the comptrollers of customs, to whom I commend the idea.

As our truck was approaching Mpatamanga Gorge I caught sight of a handsome red-headed lizard basking on a rock beside the road. Duncan drew up and I walked back and shot what proved to be a male rock-agama (*Agama k. kirkii*). Agamas are the African counterpart of the American fence lizards. In the absence of fences Nyasaland agamas exhibit definite preferences for trees or rocks according to their kind. Females and young tend to variegated shades of brown though the adults can change color as effectively as chameleons. After death their gorgeousness fades, making it necessary to jot down the coloring at the first opportunity.

The roadside rock on which the agama had been was part of a considerable outcrop so, gun in hand, I strolled on to see if there were any other lizards present. It was midafternoon and the humidity something appalling. Having circled one knoll I was returning to the lorry when I caught sight of a large flat-lizard. It never stirred when I fired so I approached cautiously and found it was stone-dead, a dust shot having passed through its brain. No one had ever before got a *Platysaurus* north of the Zambezi, and this one was so obviously different from the Tete race that I was confident it represented an undescribed form.

Returning to the lorry with my prize, I told Dondon to accompany me with a bag and killing bottle for I was eager to get a series of the new form if possible. Dondon presently called softly that a large girdled-lizard (*Gerrhosaurus v. validus*) had slipped behind a rock. By the time I reached him, however, it had vanished into a fissure. Soon afterward I noticed a small lizard's head watching us over the top of a boulder. The head did not present much of a target but it disappeared when I fired; I ran around the big boulder and picked up my first *validus* from Nyasaland, quite dead.

A tiny lizard ran up from the drifted leaves at the base of another boulder and paused to bask. The shot actually swept it off the rock among the leaves where I might well have missed it but for Dondon's sharp eyes. It was a young Lizard-like Skink (*Mabuya lacertiformis*), also new to Nyasaland. Then I saw a pair of the handsome orange (male) and blue (female) *Mabuya quinquetaeniata obsti*, but they were already on the move when seen and did not give me a chance to shoot.

All this time Dondon and I had been driven nearly frantic by the stingless bees (*Melipona*) which hovered around our eyes, climbed up our nostrils and into our mouths, and settled wherever they could find any moisture. Evidently these thirsty insects nest among rocks as readily as in baobabs. Finally I shot a second *Platysaurus* and reluctantly returned to the lorry which had been waiting for half an hour.

There was further delay at the Nyasaland customs, and on reaching the first large village the boys asked to stop so that they might buy rice. They were unaware that its sale to Africans had been prohibited by government fiat that very day. This was an emergency famine measure to conserve the dwindling stocks which were to be rationed to Asiatics who depend largely on rice. The discovery came as a distinct shock to the boys, to whom, during recent weeks, Nyasaland, in nostalgic retrospect, had appeared as a land flowing with milk and honey. At least I concluded so on one of our last nights at Kasumbadedza when, as they were having their evening meal, I overheard an angry exclamation from the Tete messenger. "Nyasa, Nyasa, Nyasa," he shouted in Swahili, "I'm sick of Nyasa."

A car traveling along paved highways would have accomplished the journey in a third of the time it took our truck on the twisting dirt road. It was 6:00 P.M. when we turned into the familiar drive and drew up in front of the Blantyre Manse. The Rev. Stephen Green was conducting evensong, explained Wilson, who came running round the corner of the house with a beaming smile. Wilson, the Green's houseboy, was one of the nicest Africans I met during the entire *ulendo*. Shortly afterward Mrs. Green arrived and welcomed me to the well-ordered Manse with its friendly atmosphere of restful peace.

Meanwhile Thomas and his companions had been hearing from their friends about famine conditions and firmly but reasonably refused to proceed to Fort Johnston unless I could gurantee them food instead of an allowance to purchase it—a complete reversal of their previous attitude. So our first call was at the mill for 150 pounds of maize meal. The usually busy place was deserted and the yardman said his master had gone home.

The market place was almost as lifeless, so I visited the District Commissioner to ask if he would authorize my purchasing meal somewhere. Mr. Haskard shook his head. Quite impossible, he said; already every government Native in Blantyre was on half-rations. Indeed, the nearest place where food stocks were in excess of immediate needs was at Lilongwe, 228 miles to the north, and he suggested I drive there. I did not relish spending four days in such a way, to say nothing of the problem it raised regarding gasoline.

Gasoline was as hard to obtain as meal, for when I called at the Shell agency to leave my empty fifty-five-gallon drum and get a new one, Mr. Kirkcaldy, Jr., the Shell representative for all Nyasaland, told me there was no more gasoline to be had and he himself was reduced to using benzine in his car! There was some gasoline at the Public Works Department, but government sanction—next to impossible to obtain—would be necessary before any could be purchased! The entire morning was spent in going to and fro for interviews with the food controller, regional director of agriculture, police commissioner, licensing officer, and many others. The licensing clerk required certain documents which I had left at the Manse. When I suggested returning with the papers after lunch he replied that all government offices now closed at 1:00 P.M. to enable their staffs to hoe and plant seeds as a measure of famine relief. Fortunately for me the Public Works Department was an exception for I was granted the requisite authorization to draw sufficient gasoline to get me to Lake Nyasa and back.

When I called for the precious fluid I found I must sign my name thirty-four times. Being in a hurry I could have wished the government's eagerness for autographs was more restrained. I believe that even the most ardent flapper expects her idolized crooner to autograph her book only once. But in the Public Works book for four-gallon permits there were but two slips left, so after signing them I had to turn to the one-gallon book which I also finished with two gallons still to go. This posed a problem for the African clerk as the new books were locked up in a safe whose key was in the pocket of his boss, who had not returned from lunch. I resolved the dilemma to our mutual satisfaction by printing very clearly on the last one-gallon slip "+2 gals"—thereby defrauding government of two signatures for their collection. As this illegality was countenanced in the end, it occurred to me that the entire transaction might have been simplified by my writing "+38 gals" on the first four-gallon permit . . . but to secure the necessary acquiescence to such a revolutionary idea I should doubtless have had to hire the services of a skilled lawyer to plead my case. And I still had much to do if I was to get away to the lake next day.

As I was about to leave next morning I remarked that all my efforts to purchase potatoes had been unavailing and I was having to go without any. Mrs. Green suggested that I try the European Bakery as they occasionally had some. The bakery was but little out of my way so we drove there and I was given twenty pounds, which was all that one person was allowed to buy. Optimistically I asked for onions but all I got was a pitying smile from the pretty sales girl who said she would have bought them herself were any obtainable for she and her husband had been without onions for a very long time. "Then call up Mandala's on the hill," said I, suddenly remembering I had overheard someone say in a shop that Mandala's were expecting a few sackfuls on Wednesday. The girl lost no time in doing so, and all smiles asked me how much I wanted. I asked for the full twenty pounds, saying I would call for them at once; she ordered a like amount while her companion at the counter asked for another ten.

After leaving Mandala's we headed for Zomba which, being the seat of government, is headquarters for the Nyasaland game warden who I had met at Chitala River. On the eve of my departure for Tete I had written Mr. H. J. H. Borley asking if his fish warden, stationed on the lake, could suggest a suitable camp site at a point where fresh-water mollusks were reasonably plentiful. As Sanson, the fish warden, had been seconded to famine relief, Borley sought advice from Dr. W. A. Lamborn, a retired medical entomologist long resident at Fort Johnston.

Though we had never met, Lamborn wrote offering me the choice of several houses he owned. His letter had been lying at the Blantyre Bank until my arrival the previous day. I claimed it and wired my grateful acceptance of a house on the lake shore at Mtimbuka (Tembuka) just fourteen miles north of Fort Johnston. As, after the seven-hour run from Blantyre, our lorry reached the outskirts of Fort Johnston, I saw two Europeans sitting on the base of a stone cross in the middle of the crossroads. One of the men rose to greet me as we drew up to ask directions. He was Dr. Lamborn, waiting to invite me into his home near by that we might discuss my plans.

It is always interesting to meet someone of whose work you have long known, and thirty years had elapsed since Sir Edward Poulton, with whom I was staying in Oxford at the time, had asked me whether I had run across Lamborn during the war in "German East." Sir Edward went on to say that he had come to the conclusion that the keen interest in natural history enjoyed by Lamborn and myself had contributed in no small measure to keeping us fit during a notoriously unhealthy campaign.

Fort Johnston, where Lamborn had been living for thirty years, has also an evil reputation for malaria and its sequelae, but Lamborn was rosy-cheeked and admitted to being as well as he looked. His retirement enabled him to indulge in the horticultural hobbies of which he was so fond. It was arranged that I should spend the night at Dally's Hotel on the lake shore ten miles north of Fort Johnston, and Lamborn would come out on his motorcycle after breakfast to pilot the lorry to the Mtimbuka house.

It was almost dark when we drew up at Dally's Hotel, Chipoka, a hot-season resort consisting of a dozen one-roomed cottages, thatched like the single-story main building. The latter was little more than a long veranda facing the beach, backed by sundry offices, a lounge and dining room. There were only three other guests, and after an excellent dinner I was glad to retire with the music of waves lapping on the beach within fifty feet of my door. It poured during the night but I slept soundly, thankful that the rains had apparently begun at last.

When I rose, much to my surprise for never had I seen such a sight before, directly opposite my door were about two hundred Long-tailed Cormorants (*Phalacrocorax a. africanus*), quietly swimming, diving or flying low to get ahead of a shoal of fish that were close inshore.

Shortly afterward it began to rain again, and as I walked across to the main building I was surprised to see a bushbuck trotting about in the downpour. An African was vainly endeavoring to induce the handsome red antelope to come in out of the wet, but the animal was obviously enjoying what was probably its first experience of such weather—for I subsequently learned it was only nine months old though big as a full-grown goat.

After breakfast I sat on the stoep behind the dripping eaves, in front of me an uninterrupted expanse of gray water and leaden sky. Lamborn failed to turn up and a European coming from "The Fort," as they called it, said he had been asked to tell me that Lamborn would not be coming on account of the inclement weather. This faced me with a dilemma for without keys I could not get into the house at Mtimbuka.

XIX

A Chambo Fishery—Nyasa's Big Turtles

I DECIDED to return to Fort Johnston at once as it was also imperative I see the district commissioner regarding rations for the boys. When I communicated my decision to Thomas he asked why I did not purchase meal from Yiannakis, the Greek owner of a thriving fishing settlement near by, who allegedly had ample supplies. Incomprehensible as this sounded I got Thomas to guide me to the Yiannakis home. When Yiannakis heard the purpose of my visit he laughed, saying the *posho* allotted to him by government was solely for the purpose of feeding his crews. Under no consideration would he be allowed to dispose of any.

I heard that when Yiannakis came to Nyasaland in 1936 he was practically penniless, though evidently well endowed with acumen and prepared to undertake an arduous job that no Englishman had tackled. By initiative and industry he has developed the fishing business to such an extent as to have enabled him to bring out eight relatives, mostly brothers and their wives. While some assist him in his fishing venture, others manage the stores he has opened up for African custom. He is now buying up coffee and tobacco plantations. Some less enterprising people are allegedly jealous of his success, for all of Southern Nyasaland now looks to him for their daily supply of fresh fish.

This fish, the *chambo*, is distributed by Yiannakis' own fleet of lorries, in addition to the daily ton he splits, salts, and sun-dries for the market in Salisbury, Southern Rhodesia. This export of dried fish had been temporarily suspended by government order as an antifamine measure, the dried fish being dispatched to needy areas in Nyasaland instead. Unfortunately, for the better protection of its progeny, this wonderful food fish carries her eggs and hatchlings in her mouth, so that as many as two hundred young may be destroyed together with their mother. This aspect of the industry seems to suggest that the resources of the lake are really being "exploited" in more senses than one. Records have to be kept of each day's catch, and I am told that these records reveal when operations first began, a single throw of the net brought in from three-quarters of a ton to a ton of fish. In those days Yiannakis' boats went out, cast the nets once or twice and returned in short order with all the fish they needed. Today at least seven casts of the net, even a whole night's fishing, may be necessary to achieve the same results. Yiannakis blamed the crocodiles and was urging a campaign be inaugurated to reduce their numbers.

On hearing that I had come to collect reptiles, Yiannakis told me he had recently received a letter from New York, accompanying instructions on the preferred method of flaying crocodiles. There were some directions that puzzled him and he asked me if I would explain them. Only that morning he had snared and shot a ten-foot croc which he invited me to come and see. He said I might have the head if Dondon would remove the hide for him. To this I agreed and asked him if they were much troubled by crocodiles since he had said he had been engaged in fishing operations on the lake since 1934.

Crocodiles frequently damaged the nets in their attempts to get at the fish, said Yiannakis, but not since 1936 had they attacked any of his crews; then two of his men had been carried off. On the second occasion, attracted by the shouting of the crew, Yiannakis and his cousin took the launch and went out to the boats engaged in fishing. The cousin caught sight of the crocodile and fired, the first bullet cutting through the fingers of both man and reptile. The second shot hit the crocodile in the head and killed the monster, which on being taped was found to measure eighteen feet, ten inches, he said. Unfortunately, having no means of preserving so large a specimen, they threw it back into the lake. The reptile's victim was dead with marks of the crocodile's teeth across his chest for, though a powerful, brawny African, the reptile had seized him by the torso.

After giving Dondon detailed instructions regarding the flaying of crocodiles, I drove back to Fort Johnston. My first call was on Dr. Lamborn from whom I learned that his mangled message had originally been that he would wait until the weather cleared and the surplus water flooding some sections of the road had time to subside. He said he would leave for Mtimbuka immediately and I could follow as soon as I had got the maize.

When I reached the Boma, however, I found the district commissioner had just departed on *ulendo* while the acting commissioner, in his magisterial capacity, was holding court and would not be free until noon. In the interval I paid a visit to Dr. J. O. Shircore whom I had known in Tanganyika Territory, of which he was formerly principal medical officer. Retired, he was now living in a house he had had built on the outskirts of Fort Johnston, where there are probably less than a dozen Europeans and not a single European shop.

For Harvard's museum Dr. Shircore gave me a "charm" consisting of two crocodile teeth securely sewn together in a scrap of khaki so as to form a crescent from which the points alone projected. This seemingly harmless ornament would—after appropriate spells had been employed—allegedly lure an intended victim to the waterside where a crocodile was lying in wait to seize him.

It had been purchased from a Chikunda sorcerer near Port Herald, by an African. In 1911 this man was arrested for stealing growing corn. During the ensuing trial the accused said he stole the corn because the sorcerer had sold him "medicine" that was to render him invisible. Unfortunately for the would-be thief, his faith was unequal to the occasion when he saw a policeman passing the plot he was engaged in robbing. The Native took to his heels and by so doing aroused in the askari a reaction similar to that produced in a cat by a speeding mouse. The askari gave chase and captured the thief in whose possession the crocodile "charm" was found. Following the trial this potentially dangerous object passed into the possession of Dr. Shircore, who was medical officer in Port Herald at the time.

After collecting the allowance of seed corn, and getting it milled into flour for the boys, we drove round by Chipoka to pick up Dondon. He was waiting for us by the roadside but when I cheerily inquired if the crocodile-skinning had been completed, much to my surprise he replied rather quietly and sullenly, "No." "Why ever not?" I queried. By way of answer he mumbled something quite inaudible, and when I asked him what he had said he relapsed into glum silence, vouchsafing not another word. I told him to climb into the lorry for we were already late for the appointment with Dr. Lamborn. As we drove along I sat puzzling over the seemingly incomprehensible ways of Africans; for Dondon, though a bit dumb at times, was a steady sort of fellow, certainly less temperamental and more dependable than any of his companions.

The house placed at my disposal by Dr. Lamborn was almost ideal for a naturalist except for its being hidden among trees away back from the main road with which it was connected by a rather winding lane of its own. Consequently parties of Natives who occasionally passed along the highway were deprived of that visible evidence of our existence and aims which produces results more rapidly than hearsay. Besides which the place had long been unoccupied as its owner preferred spending his week ends at another house in the hills.

The lane led past the brick kitchen and boys' quarters into a compound studded with *Hyphaene* palms and a single ancient baobab which overshadowed the screened veranda where the skinners' tables were set up. At one end was a storeroom, at the other a bathroom whose faucets, for both basin and bath, were connected with an outside water cistern that required replenishing daily with buckets of water brought up from the lake, except when filled by heavy rain fed to it from the thatched roof. Forming a single row between these offices were bedroom, dining room and lounge, each opening on to both back and front verandas. The front veranda, seventy feet in length with brick pillars rising from its cement floor, faced the lake and a strip of silvery strand. The beach could be reached in a minute by running down an imposing flight of stone steps and across the intervening thirty feet of lawn.

Directly across the lake were range upon range of many-peaked mountains in Portuguese territory. It was apparently about five miles away and an illusion of being on the seashore was strengthened shortly after our arrival when driving rain completely obliterated the opposite coast.

Next morning word came from Yiannakis, who was as much puzzled as I by Dondon's behavior, that a second crocodile had been taken in the same snare as the first and he was embarrassed by the proximity of the odoriferous carcasses and anxious to rid himself of them. To throw the corpses back in the lake to be disposed of by other crocodiles would be relatively easy. But in the complicated civilization we are developing this simple solution was taboo. It had become so quite recently as a result of the experience of a young mother recently arrived from Scotland with her two very small sons. The children had been paddling or playing on the hotel beach under the general supervision of a Native nurse while their mother sat reading near by. A sudden scream from the nurse caused Mrs. Sanson to look up from her book. She got quite a shock, she told me, on seeing the sinister form of a crocodile floating close inshore. The infants were rushed to safety before it was realized that the reptile was a deceased one being realistically impelled along by the action of the waves. Though Nyasa crocodiles are mainly fish-eaters, a young boy bathing off the beach next to mine at Mtimbuka had been seized by one the year before.

In the late afternoon I drove over to Chipoka to find that the crocodile hides had been removed already by some of Yiannakis' men. With the two corpses in tow, Yiannakis and I started off in his motor launch for a reed-grown, sandy bay two miles down the lake and not far from its outlet into the Shire River. This bay, explained Yiannakis, was local headquarters for crocodiles, which could be depended on to devour their defunct companions. The two we had brought them must have weighed about four hundred pounds each, so hauling the carcasses up the slightly sloping sandbank was an arduous undertaking for the five Africans accompanying us. After the heads had been chopped off for me, the corpses were cut in sections that could be dragged far in among the reeds and sedges; so far indeed, that there would be no risk of their companions' being tempted to pull them back into the lake and possibly abandon them. Only when personally satisfied that this had been done, would Yiannakis consent to leave them. I was skeptical about the likelihood of crocodiles feeding out of their element, and thought the scavenging would more likely be accomplished by hyenas.

By this time the sun had set and we were anxious to get back, but the engine refused to start. Yiannakis opened a can of gasoline. Pouring its contents into the tank was a difficult task with the boat pitching wildly and spray breaking over us every few minutes; apparently some water got into the tank along with the gasoline for we stalled again and again. The last time this occurred was over a submerged village of which little but posts and stumps were visible in the fading light. The periodic fluctuations in the level of Lake Nyasa are due to a variety of causes. Apart from the seasonal one resulting from the annual rains—a rise that never exceeds a fathom and is normally only half that amount—there is an eleven-year cycle. This apparently is connected with sunspots, for at their maximum the lake attains its greatest depth, subsiding gradually thereafter as the sunspots decrease. A less important factor is the choking of the Shire channel with sudd and silt until such time as mounting pressure from the lake bursts through the barrier and the pent-up waters go surging downriver on their way to the Zambezi and the Indian Ocean. Darkness descended before the recalcitrant engine finally got going. As we sped back to Chipoka I was sitting directly behind the two decomposing heads which, on our arrival, were carried ashore and up to the lorry by two of Yiannakis' men.

Of Duncan and Thomas, who had been left in a near-by house from which they could keep an eye on the truck, there was no sign. For half an hour I sat tooting the horn intermittently before the delinquents arrived, having been located by a friendly Native who went in search of them. By the time we reached Mtimbuka, my voice—husky from a developing sore throat when we set out—had gone so completely I could only whisper. After a restless night with a rising temperature I decided to take things easy and only get up for meals.

After breakfast I sent word to Dondon that I wished the superfluous flesh stripped from the heads of the crocodiles, allegedly a male measuring thirteen feet, ten inches, and a female of ten feet. Hours later, learning that Dondon had not even begun, I sent for and scolded him for his dilatoriness—as well as my voice would permit. He replied he would neither trim the flesh from the heads nor skin any crocodiles, and if I insisted on giving him such work to do he was going home. Only then did it occur to me that he had some tribal taboo about handling crocodiles. I inquired if this was the case but once again he relapsed into mulish silence and made no answer. If it was really a matter of superstitious conviction with the boy I had no wish to coerce him, so I told Dondon that he need not return but to send Thomas to me. I asked Thomas whether the Ngoni had some tribal objection to crocodiles. He laughingly replied he did not know, but that Dondon certainly had. I instructed him to tell Dondon that he could have avoided a lot of trouble if only he had stated his objections frankly in the beginning.

Later I told Thomas to get the water boy to dig a hole in the beach big enough to hold both croc heads so that insects might do the work of disposing of the flesh. After burying the heads the boy should pile logs over the site to prevent hyenas—whose fresh footprints I had seen all along our beach—from digging them up.

The night was clear and peaceful, the moon throwing a streak of silver across the placid water whose ripples gently slapped the strand hour after hour. Only occasionally was the felt stillness suddenly shattered by the raucous cry of one or another of the many species of waterfowl engaged in nocturnal fishing.

Aspirin brought down my temperature so that I rose at dawn and went out onto the veranda to have some tea while my bath was being prepared. From time to time the mirror-like surface of the lake, pink-tinged by the rising sun, was broken by a school of hippo reveling in the early sunshine. I fetched my field glasses and sinking back in a Madeira chair, watched the grotesque heads which I could see quite plainly. Their popeyes are less like periscopes than were those of a fossil hippopotamus recently discovered at Olorgesailie, away to the northeast of Lake Nyasa and nearer the equator. Evidently some ancestral hippos were even better adapted to viewing life philosophically while remaining submerged, than are their contemporary cousins. My Mtimbuka herd were not always so placid as they appeared at the moment. Some nights were much disturbed by their method of settling differences. Then, as they fought, the silence would be rent by their splashing, bellowing and roaring, or whatever one chooses to call the fiendish noises that emerge from an enraged hippo's cavernous throat.

As I sat on the veranda I saw Thomas examining the burial spot which was ten feet from the water's edge. Presently he came across the lawn to tell me that a crocodile had left the lake exactly opposite the burial place, walked to it and scraped away the covering sand until part of one head had been exposed. I went to examine the evidence for myself. The footprints of the visiting reptile were plainly imprinted on the damp sand. In lieu of logs the boys had used branches that were clearly inadequate so I ordered them augmented by heavier stuff.

Daybreak the following morning found me back at the place for I was anxious that nothing should happen to the skulls. This time two crocodiles had come ashore during the night, displaced the heavier branches, and dug out the heads, now a seething mass of maggots, but done them no damage. After such an experience I had them reburied in a much deeper hole and we had no further trouble. A month later when we dug them up the skulls were white and clean and almost odorless.

On still mornings it was usual to see a crocodile floating offshore just opposite the house, the reptile evidently enjoying the surface water warmed by the rays of the rising sun. When I inquired where the local crocodiles were accustomed to lay their eggs I was told that they favored a secluded bay away to the north. Later in the month when I was able to get a boat and rowers Thomas and I set out for the place. On the way I shot a dozen birds including two species of cormorant, and hailing a passing dugout paid the occupants to take Thomas and the birds back to our beach so there might be no delay in skinning.

The bay favored by the crocodiles proved to be the delta of an ancient river that in the past had deposited about its estuary vast quantities of fine sand, which formed little undulating dunes largely overgrown by a sparse reedy grass taller than a man. My guide, who was Fisheries headman, and I landed on the beach and soon found two nests from which young had hatched out fairly recently. Eggshells were strewn around and trails of both young and old crocodiles were plentiful. The lower ground immediately behind the dunes was overgrown with scrub, interspersed with swamps and one largish, though shallow, lagoon in which could clearly be seen a number of crater-like excavations. These, said the Fisheries headman, had been made by crocodiles for the benefit of their young. I had never heard such a thing before and am unable to say whether the fellow is right or not. Failing to find any young crocodiles we returned to the boat. As we were getting in a hippopotamus popped up a hundred yards away for a breath of air; seeing visitors on the beach he eyed us intently for a minute before again submerging with a noisy gurgle.

Five days elapsed after our arrival at Mtimbuka before the first specimen was brought us. Then in quick succession we got three different species of chelonians that I had so far failed to get. Not altogether surprising, for the mountains on which most of our time had been spent did not provide suitable conditions for turtles. Two kinds, for example, were aquatic forms found only in lakes or large rivers, but one of the two—the huge Zambezi Mud-Turtle (*Cycloderma frenatum*)—was known to occur at Tete where I had sought for it in vain. The reptiles may well have been crawling about in the mud at the bottom of the river opposite my tent, for it is only the females that leave the water when they come ashore to lay their eggs.

But at Mtimbuka two men beached their dugout opposite my veranda, then came across the lawn carrying an adult Zambezi mud-turtle. Quite a hefty load for the shell alone measured twenty-two and one-quarter inches in length by sixteen and three-quarter inches in breadth. They set their burden down on the lawn where presently and cautiously the reptile thrust out its fifteen-inch neck and head, the latter four inches broad. I was standing directly behind it at the time and put a .22 bullet through its brain, the most humane way of killing big turtles whose muscles are so tenacious of life that for some time after death a foot will automatically withdraw if touched. In the same way a discarded lizard's tail will start bounding about anew if poked, or the headless trunk of a suddenly decapitated venomous snake sometimes strike blindly.

Writing of these mud-turtles, Sir Harry Johnston[1] states they "are very fierce," apparently attributing to them the reputation of their American allies, the flapjack turtles of the genus *Amyda*. In reality the Zambezi mud-turtle is timid, shy and inoffensive, but admittedly my acquaintance with them has been confined to hatchlings and females that have come ashore to dig a hole for the reception of their eggs. These closely resemble ping-pong balls, being white and spherical with a diameter of about an inch and a half. Evidently February was the laying season on Lake Nyasa for on the seventh Natives brought me three clutches of eggs numbering fifteen, sixteen and nineteen respectively, though whether complete sets or not I cannot be certain.

Scores of broken shells were to be seen on the village middens in the vicinity, and Thomas, whose home was only a few hours' walk north of Mtimbuka, accepted some gladly, though the rest of my sophisticated staff scorned the idea of eating turtle eggs. Of the nineteen eggs removed from the turtle brought by the two men, I ate eighteen—Royd scrambling them six at a time for three successive breakfasts—and found them quite edible though not nearly so palatable as poultry eggs.

I had expected them to have a fishy flavor, but this was not the case as these mud-turtles chiefly subsist on aquatic snails (*Lanistes ellipticus* and *sordidus*) and clams (*Mutela alata* and *simpsoni*). To crush such stout shells the turtles have broad-flanged, horn-encased jaws, admirably adapted for the purpose. Mr. B. L. Mitchell of Blantyre, who has kept young mud-turtles as pets, found they would take strips of fish and raw meat when held out to them.

In coloration young mud-turtles are utterly unlike their almost uniformly olive-colored parents. For example the skin covering their upper shell is pale gray to plumbeous, usually edged with white; from eye to eye across the top of the head is a light-edged dark bar;

[1] H. H. Johnston, *British Central Africa* (Methuen & Company, 1897), p. 356.

while from the hinder part of the head five blackish lines, but wavy and sometimes broken, extend the full length of the absurdly long neck which enables the turtle to put its nose out for a breath of fresh air without troubling to rise from its muddy bed.

On the day before the turtle arrived, four small urchins had appeared on the veranda with a foot-long black snake that I immediately recognized as a Nyasa File-Snake (*Mehelya nyassae*), a species I was especially pleased to get as it was first described from Lake Nyasa. The boys were overjoyed to receive my standard price of sixpence for the small reptile. The recipient drew himself up, saluted punctiliously and said, "Thank you," in English; after which all four took to their heels and ran away laughing as if they were afraid I might come to my senses and change my mind. Of that there was no fear, however, for in twenty years' collecting I had taken only two Nyasa file-snakes, aptly named on account of their triangular outline and coarsely keeled scales, a combination suggesting a three-cornered file. Apart from the fact that the reptile is of a quiet disposition, relying for defense on the superlatively foul odor it emits when disturbed, little is known of its habits. One captured at Lumbo in Mozambique appeared to be spending the hot season in the cool depths of the termitarium from which it was dug. The other, found among grass on the banks of the Tana in Kenya in June, held three eggs which would probably have been laid in July.

Snakes were present at Mtimbuka in pleasing variety for each of the first six brought in represented a different species, while the first I caught made a seventh. This was a young stripe-bellied sand-snake that had climbed into a bush where, relying on its cryptic coloring and twiglike appearance to escape detection, it remained motionless almost up to the moment I grabbed it. At the time, accompanied by Dondon and Duncan, I was exploring the possibilities of the extensive Native plots on the far side of the road behind the house. Assiduously we turned every log or pile of rubbish but found nothing. The heavy showers that heralded our arrival at Mtimbuka had immediately sunk into the dry soil, soil so sandy that it may well have formed part of an old lake bottom when Nyasa was more extensive.

Then we were overtaken by a youngster who had a hatchling

mud-turtle for sale. Quite casually he mentioned that in a tree in his village lived a very big snake of which everyone was much afraid. Undoubtedly a "black" mamba, I thought, so we accompanied the boy on the mile-and-a-half walk back to the village. On its outskirts was an enormous mango tree whose upper branches, intermingling with those of a great hollow baobab, provided an ideal situation for a mamba's residence. As we vainly scanned the branches for a glimpse of the allegedly ten-foot reptile, I realized there was an abundance of food to support it in comfort.

The place was alive with olive-hued squirrels that throve by plundering the Native granaries. Elsewhere we had seen an occasional squirrel in the bush, but they had been excessively wary and never provided me with an opportunity to shoot. This I desired to do as they were probably a different race (*Paraxerus cepapi cepapoides*) from the one we had met with at Kasumbadedza. Here they almost swarmed, chasing each other along the branches and over the thatches of the huts and granaries, their behavior suggesting it was the season of courtship. I shot seven, every one a male, and most of them suffering from a disfiguring skin disease that chiefly affected the hind limbs where it left large areas covered with black scabs.

Many of the huts comprising Nkungumbi village were widely scattered as each was apt to be surrounded by its own plot of—at this time—uncultivated ground. On our way back to the road we passed one hut against which a man was idly leaning. Directly in front of him lay a collapsed hut. For this termites were possibly responsible; alternatively it may have been deliberately destroyed after the death of its owner, a widespread and wise custom of many primitive peoples. Whatever the reason, such ruins afford excellent cover for snakes, so, halting abruptly, I pointed to it with my stick as I called upon the following I had accumulated to clear away the débris.

Soon half a dozen willing youngsters were busy removing armfuls of thatch and piling it on one side. The work was barely under way when one boy let out a yell and took to his heels, halting a dozen feet away. He had disturbed a sharp-snouted snake which I almost as promptly seized, thereby creating quite an impression, some wondering how I knew the snake was there! As, holding the squirming reptile, I waited while Dondon searched the haversack he carried for an empty bag, most having been engaged by squirrels, I remarked to the man: "Just think of it, you could have had sixpence for this if you had brought it to me; sixpence lying almost at your feet while you stand idle." This, part of my advertising technique, evoked a hearty burst of laughter from the boys who were in a mood for entertainment, but the man's unsmiling face suggested he did not consider it funny.

The afternoon was overcast and threatening but I returned to the village hoping to secure a few female squirrels. Finding no sign of any we turned our attention to searching through old thatching but with little result. Beneath some logs, however, I got three Sharp-nosed Frogs (*Hemisus m. marmoratus*) a burrowing species that had been brought to the surface by the stimulus of recent showers. They were hardly in a bag when it started to rain so we returned to the lorry. Close to it two squirrels were chattering and flirting their tails. I fired and both fell dead. They were females in fine pelage. Then, with one cartridge, I procured a pair of woodpeckers, after which we ran for the lorry as it came on to pour.

XX

Whisky and Soda—
Witchcraft and Murders

ON THE Friday following our arrival at Mtimbuka I had engaged a rather weedy-looking stripling as wood and water boy. He was late on Saturday and failed to turn up at all on Monday. Each day Royd, with justifiable grumbling, eventually fetched the bucket or two of water necessary for culinary purposes, and the others did the same for themselves. I could not hire a successor until we knew whether the absentee was ill or otherwise, and that took some time. Eventually we heard the delinquent had got the chance of a lift on a Zomba-bound lorry and abruptly departed —presumably to seek the fortune which awaits each one of us just beyond the next range of hills.

In the emergency Dr. Lamborn's caretaker, a capable, obliging, and likable old fellow who served under Lamborn in the 1914-18 campaign in Tanganyika Territory, came to the rescue. The Swahili-speaking caretaker's name was Soda, and he produced a sturdy youngster who went by the name of Whisky, which all the boys pronounced "Whis-ik-kee." I was curious to ascertain how the boy had got his name, and, with Thomas interpreting, for Whisky knew nothing but Yao, inquired if his father drank. Whisky laughingly replied in the negative but added he had been named by an uncle who did. The uncle would, I suppose, be his mother's brother, who, in matrilineal tribes like the Yao, actually exercises more authority over his nephews than the father of the family himself. To be served by such a combination as Whisky and Soda was a curious situation for a teetotaler to find himself in.

Whisky's duties were not over arduous, but he pitched into them with a fervor that was pleasant to see. He whipped off his shirt, revealing a fine little chest, and taking the gasoline can given him by Royd, waded out into the lake nearly to his knees, dipped the can to fill it and placing it, all dripping, on his head, carried it back to the kitchen. Whisky soon showed he had brains as well as brawn, for with the acumen of a Henry Ford intent on taking short cuts to lessen labor, he quickly realized that the most direct route between lake and kitchen lay through the dining room where I was writing. Besides, with so many unusual things spread about, it was probably the more interesting route.

The second time Whisky essayed the short cut with water trickling down his glistening brown torso, I arose, feeling rather remorseful at thwarting such enterprise, and directed the youngster around the house. It is surprising how a few gestures and a smile can render language superfluous; we understood each other perfectly. The solution was in the nature of a compromise. Bare feet preferring that smooth, seventy-foot veranda, Whisky cheerfully mounted the front flight of steps and walked around to the side where he had to step down again—I am not quite sure whether an efficiency expert would have approved this—and so on round to the kitchen at the back.

In humid heat any exertion induces profuse perspiration. So when Whisky had completed his sixth and final trip for the day, he returned to the lake, removed his loin cloth, and after a refreshing washdown, lay—crocodiles or no crocodiles—splashing in the shallow margin. When sufficiently refreshed he arose and, unbothered by the possession of so unnecessary an article as a towel, resumed his two garments before departing.

Presently, carrying a length of bamboo and some string, Whisky reappeared. Then, after poking about beneath the weeds washed up along the shore until he found the bait for which he was looking, he settled down to a little quiet fishing. The lake fairly teems with fish. At daybreak one has only to look out of the window to see foot-long fellows, close inshore, leaping clear of the water. It was fingerlings, however, that Whisky started pulling out, a fish about every five or ten minutes. The hook was presumably one of those I had bought in Boston a year before and given to the boys who until now had had little opportunity to use them.

Earlier Whisky generously abandoned work to invite my attention to a male egret on the beach with Dr. Lamborn's flock of Muscovy ducks. It took some maneuvering to get it in a position where a stray pellet would not endanger the ducks; then I dropped it dead, much to the delight of my little savage who would have sped like the wind to recover it had I not called him off lest he damage its snowy plumage before the skinners were ready to deal with it. Several species of egret frequented our strip of shore. All morning I kept the skinners busy with specimens picked up close at hand in the intervals between preparing and preserving a number of reptiles that were brought in by Natives.

Whisky had a round face, a small bow of a mouth, and laughed whenever he looked at you. Such was his gay spirit that most of the boys smiled whenever they mentioned his name. Royd was not one of them, however, and his wrathful reproaches sometimes carried as far as the house. These angry denunciations served only as kindling for more laughter on the part of "that Whis-ik-kee" who, it was alleged, shirked routine work on every possible occasion. At times I must admit, I abetted the miscreant whose company I enjoyed notwithstanding language difficulties. One afternoon shortly after Thomas and I had set out to look for frogs, we met Whisky coming along the road carrying a log and an ax. When, through Thomas, I inquired if Whisky thought Royd had enough fuel on hand and suggested the sturdy imp might prefer to carry my gun, the boy's eyes sparkled and he dumped the log so hastily and casually into the roadside grass that I doubted if it would be there when we returned. After Thomas had relayed this thought, Whisky concealed the log somewhat better and hid his heavy hatchet beneath the low-growing leaves of an aloe.

As I handed the gun to Whisky I explained that we were really on a frog-hunting excursion but I had brought the 12-gauge in case we encountered any monkeys. Had he happened to see any along the way? Monkeys! Why they had been causing trouble in the gardens just before he left home, where they simply swarmed . . . and Whisky waxed so eloquent his enthusiasm cajoled us into walking an extra mile down the road and almost a second by devious paths through Native plots of cultivated corn.

I had made some caustic comments about "swarms of monkeys" when the sound of distant shouting fell on our ears, the sudden and unmistakable outcry raised by boys endeavoring to scare monkeys from mothers' corncobs. "There," exclaimed the irreverent Whisky triumphantly, "You see. What did I tell you?" I turned to speak but was overcome by what I saw. Since leaving the road our progress had been something akin to the traditional snowball. As from time to time we had passed a hut or met youngsters on the path I heard them greet my guide with "Hullo, Whis-ik-kee," or rather its Yao equivalent. Then they had fallen in behind so that now, beyond my own three, I counted no fewer than seven trooping after us. But of real monkeys I glimpsed only one, and the movements of the dense foliage where another had been treed by a vociferous dog. This wretched cur, far too excited to obey its young owner, was here, there and everywhere. With it around we were just wasting time and after half an hour I reverted to the frog-hunting plan.

Whisky piloted us back toward the lake where, in a clump of bananas, our gang caught half a dozen sedge frogs of two species we had not taken previously at Mtimbuka. As we were concluding the search, one of my following, whose home was near by, brought me a wooden initiation mask that he was willing to sell. Usually youths are reluctant to part with the grotesque things. I purchased it for the Peabody Museum, whereupon another lad disappeared and presently returned with his mask, a massive affair devoid of eye openings.

The minute Whisky set eyes on it he seized the mask and after trying it on his face, wore it on top of his head like a poke bonnet. His remarks, whatever they were, evoked gales of laughter, and he marched along cheerily chattering and laughing by turns. The path wound among ill-kept plots that alternated with stretches of rank grass and scrub. Suddenly, hearing women's voices just ahead,

Whisky whipped the mask from his head and stuffed it inside the shirt that hung outside his shorts. Naturally it made a cumbersome bulge which evoked comments from the two girls who began chaffing him. Of the second mask I could see no sign, it having been unobtrusively hidden by the boy who carried it.

The young women picked up their burdens and fell in behind our procession; afterward passing us when I stopped to shoot a bird. No sooner had the girls disappeared from sight than out came the masks again; but twenty minutes later when we had reached the road and were overtaking them, one of the pair suddenly whirled around. The garrulous Whisky, caught completely off his guard, clumsily and hastily attempted to thrust the mask back inside his shirt amid a general roar of laughter. Indeed, the whole company were in a hilarious mood and exhibited a lightheartedness of which I had seen too little in Nyasaland.

Another afternoon Duncan drove us out to scrub-covered Mtimbuka Hill where I failed to find anything more interesting than a strange fly and a worm! Skirting the hill we were heading back toward the lorry when an old male baboon began barking from the top of a leafless baobab. The huge tree was one of several growing two-thirds of the way up the rocky, bush-grown slope. I wormed my way up as unobtrusively as might be, though not silently for that was quite impossible. A pair of fish eagles circled round and round above the baboon and evoked a fresh outburst of vituperation on his part.

Eventually I reached the base of the huge rock above which were the baobabs. When my attempts to get a foothold on the steeply sloping rock face failed, I started to work around it, keeping a sharp lookout for leopard as I felt sure one must be lurking in the vicinity for the baboon to be so reluctant to descend from his conspicuous perch. It was hidden from me now and the animal had fallen silent. Suddenly I caught a glimpse of the baboon's black face as he turned to look down at me through a gap in the thick screen of bushes behind which he was passing.

Quickly I discharged the 12-gauge which was loaded with No. 2 shot. Simultaneously there was a grunt and the thump of a heavy body collapsing, but not another sound. To reach the spot took some time, when I did so there on its side in an attitude of restful repose lay the baboon stone-dead. Only on stooping low could I see a clot of blood oozing from the socket through which a bullet had passed directly to the brain; a second had entered the chest in the region of the heart. The animal was a grizzled, olivaceous, Dog-faced Baboon (*Papio cynocephalus*), a monstrous old male almost five feet (thirty-one and one-half plus twenty-five inches) from end of nose to tip of tail.

I blew my whistle and Thomas and Dondon came clambering up the slope. Each handed me the gun he was carrying, and with the three weapons I had some difficulty in making my way down through the scrub. With their heavy burden the boys followed even more slowly. Half a mile up the road was a village, and at the sound of the shot and whistle half a dozen adventurous small boys had started racing down the road, then halted like a group of gazelle, uncertain where to go. When I appeared laden with three guns they came on and were there to welcome the baboon, which they did with delighted cries. As soon as they realized I did not understand Yao they indicated by dumb show how it devoured their corn whose dry stalks were still standing on either side of the road.

When Thomas and Dondon arrived we heaved the baboon into the back of the lorry, and I suggested to Thomas he tell the youngsters if they would like a ride home to climb up quickly. All did so with alacrity except one, who, rather scared, was apparently demanding assurances and explanations from his companions. They, however, were far too thrilled with the prospect of a ride to pay him any attention. Forlornly he remained alone in the road so I told Thomas to renew the offer. Maladroitly the child clambered up the wheel and clung to the stake side, afraid to climb over it lest we start suddenly. Thomas reached over and, lifting the stark-naked boy into the lorry, held him in his arms in a quite fatherly fashion to reassure him before setting him down with the rest, who chattered, cheered and whooped all the way back to the village where we discharged them—the envy of several dilatory companions who had started out and then turned back.

On arrival at the house we deposited the baboon upon the lawn where Thomas and Dondon started skinning it right away as it was already dusk. When the skin and head had been removed I attached a cord to the carcass, passed the cord through my open casement thirty feet away, and wore the other end looped around my wrist all night. Three times I rose to look at the body lying there in the moonlight, but nothing came, and at daybreak I unloaded the rifle and shotgun which had been placed ready for use. The following evening I had the decapitated body of the baboon carried out to the far side of the main road where it was set down and then dragged all the way back along the lane to its resting place outside my window. Still nothing came.

This was disappointing for the unfenced garden was a place where anything—crocodile, hyena or leopard—might turn up. At two-thirty one afternoon when the sun was shining brightly I crossed the lawn to the shore where Thomas, looking rather shaken, presently joined me. He declared excitedly that as he was coming to meet me a full-grown leopard had strolled across the garden among the citrus trees. When I told Lamborn he expressed interest, saying that two of his sheep which are used as lawn mowers, were allegedly taken by a leopard just before my arrival. He said "allegedly" for, despite the convincing evidence produced by Soda, he was somewhat suspicious as once an inferior beast had been substituted for the fine ram he owned.

After dinner I put a headlight on my forehead and wandered about among the coconut palms behind the house. Three days before I had been awakened at midnight by an appallingly raucous cry just outside my window. To my surprise it emanated from a pair of galagos in a lofty acacia at the edge of the garden. Maneuvering for a shot I circled the tree, stumbling into shrubs and hesitating to fire lest the bullets be deflected by the intervening sprays of spreading branches, for the animals were at the very top. From it they sprang to a clump of *Hyphaene* palms so that I lost them.

This time I was more successful, quickly collecting a galago whose glowing ruby orbs were reflecting the beam of the headlight I was wearing. Galagos are the African cousins of the better-known lemurs of Madagascar. I recognized the one I had just got as the beautiful, silvery-gray, southern form (*Galago c. crassicaudatus*) of which I had seen a Native skin at Chinunkha but until now had never encountered alive.

Toward dawn, gun in hand, I slipped silently out onto the veranda. The lake lay motionless as a dark mirror and the baboon carcass appeared untouched. It was already putrid so I had it dragged to the beach fifty yards to windward. The following night a crocodile and hyena between them managed to dispose of almost the entire carcass. I was duly grateful as burying so large an animal would have been an arduous and unpleasant task.

On Sunday the fish warden, Mr. A. D. Sanson, called to offer me the use of his boat while he was away. He had only returned on the Saturday from his famine relief assignment and planned to leave again on Monday. He stayed chatting for some time as we had much of mutual interest to discuss.

On Sunday afternoons my back yard was deserted by the boys and so quiet that the monkeys moved in. When I started out to have tea with the Sansons an adult guenon was seated on the ground just ten feet from my back door, while the trees round about the yard were alive with young ones.

At the Sansons I was told that last December a herd of elephant came down to the lake shore to drink just two hundred yards from their house, which is almost at the water's edge. Mrs. Sanson had suggested it would be fun to watch them from their boat, so she put on her dressing gown and they rowed out and around an intervening point. There, unfortunately, they ran onto a submerged stump. The suddenness of the impact startled Mrs. Sanson and almost capsized their craft. The elephants circled behind the house and then moved off in the direction of "mine" which is nearly two miles away—though I am their nearest neighbor, Mrs. Sanson remarked.

Mrs. Sanson had arrived from Torquay about a year before with the children—Donald, Stuart and the baby—all under ten years of age. For a time they had lived at Dally's Hotel while the Public Works Department was building their house. Eventually, tired of delays, the Sansons moved in before there were any locks on the doors, for it happened there were none to be had in Nyasaland at that time. Sanson remarked that their headboy, jealous of the table boy's being assigned the task of waiting on their guests in the lounge during the housewarming party, had employed a witch doctor to cast a spell on the table boy. During Sanson's absence he had behaved so strangely that they had thought it best to discharge him.

Mrs. Sanson added that she wished she had known Dr. Lamborn's house was occupied for, though she would not have bothered me, it would have been reassuring during recent dissensions among her Native staff over some witchcraft charges. Trials for ritual murders were by no means uncommon in the district. The year before a woman had been charged with killing another's child. The accused admitted it, saying she owed a pound of human flesh to a third woman who had once supplied her with a pound and such debts could only be discharged in kind.

Naturally we discussed the growing food shortage and the scarcity of fish attributed by some to the modern methods of trawling initiated by Yiannakis. I remarked that Duncan went over to Chipoka every second morning to receive two fish for which Yiannakis generously refused all payment. It was our one regular contact with the outside world and furnished the sociable Duncan with an opportunity to pick up any news. One morning it was that a thief had burrowed like an animal under the wall of Yiannakis' store and stolen many bolts of cotton goods and other stuff.

The week after my visit to the Sansons I was on the back veranda seeing how Dondon was progressing with the skinning of some birds. As we were talking Duncan came across from the kitchen and, standing outside the screening, remarked: "These people are very bad."

"What people?" I queried, smiling.

"The people around here," he answered soberly.

That so sophisticated a fellow as Duncan should make so sweeping an indictment of our neighbors was somewhat surprising, and I asked him what was the matter.

He replied that when he reached Chipoka there was the customary crowd waiting on the beach to buy fresh fish from the incoming boats. As usual Duncan approached one of the groups for a chat when a fellow exclaimed in Yao:

"Here comes the Bwana Cutthroat's driver." Then, to Duncan:

"Don't come near us; if ever we catch you or one of your companions alone, we'll cut your throats."

"Pay no attention to such stupid talk," I said, though my mind harked back to similar allegations leveled against us in Game Department days when I was engaged in taking blood films of game in a sleeping sickness area.

"But it's not just talk; they mean it," replied Duncan earnestly. "These people here are bad; only last year they killed three men on the road near where you shot the baboon (about three miles from the house), and they've threatened Whis-ik-kee too. This morning when Whis-ik-kee was gathering wood beside the road a man came along and said to him: "Are you still working for those people in Lamborn's house? Well, you'd better stop at once for we're going to kill the whole lot. They've been cutting the throats of our people and we'll have no more of it, we're going to cut theirs."

Duncan was obviously worried so I pooh-poohed the incidents in an effort to reassure him, telling him how we put a stop to such talk in Tanganyika, though I did not tell him action was obtained only after the delinquents had poisoned a game scout.

Later in the day I was about to go out when Dally, owner of the Chipoka Hotel, and his manageress called in. Having shown them some of the beautiful bird and mammal skins we had collected, I mentioned Duncan's recent experience. On hearing it the manageress exclaimed:

"So that's what all the talk was about this morning," and turning to Dally, continued: "Do you remember when we were at breakfast and the note was brought by Mr. Loveridge's boy, while waiting for the answer he sat all alone and our boys stood looking at him and talking incessantly? So much so that I asked ———, who was waiting at table, 'Whatever are they all talking about?' and he answered: 'We're talking about the driver there,' and indicated Duncan."

"Well, Duncan seems scared," I said, and repeated what he had told me about the murders.

"It's true enough about the three people being killed," replied Dally, "and I should know for I had the job of taking the corpses into the Fort, but it was sixteen months ago *not* last year. I was driving out in the box-body to try and get some bushfowl when I saw a man lying by the roadside with his hands bound behind him. I didn't stop, for there was a group of Natives standing near and I supposed they'd caught him stealing and tied him up as they are apt to do when they catch a thief around here. When I was coming back an askari stepped into the road and held up his hand for me to stop. When I drew up he asked if I would take a man into the Fort. I told him I was not going to the Fort and asked what was the matter. The policeman said he had a man there who was very ill. I asked where he was and the fellow indicated he was just up the road a few yards back.

"I got out, it was almost dark, and the askari led me to where the man was lying. Though he had been dragged some distance from where I first saw him, it was apparently the same man and still bound. I knelt to feel his pulse and remarked: 'He's not very ill, he's very nearly dead.' Together we lifted him into the back of the car and he died on the way in. Telling the askari to jump up, I was about to start when I said: 'You don't happen to have any more, do you?' I scarcely know what made me say it unless the thought crossed my mind that there might have been a fight. To my astonishment the policeman replied quite naturally, in a matter-of-fact sort of way. 'Yes, two more, but they're already dead; they're in a hut over there.' So I took the lot into the Fort; it was one of these witchcraft cases."

"It would be as well, perhaps, to inform the district commissioner about your man's trouble. There may be nothing in it, but he's right enough in saying the Natives hereabouts are a queer lot and you can never tell how these tales may grow. Yes, I think you would be wise to drop a line to Major Soltau; if you care to send it over to the hotel in the morning I'll take it in as I have to go to the Fort anyway."

I thanked them and they left shortly afterward.

When supper was finished I wrote Major G. R. Soltau as Dally had suggested, for there is no telling what an ignorant and superstitious peasantry may attempt under the stimulus of fear. In 1948 on the eve of our departure from the States I read of a revealing incident that had occurred on the Blantyre-Limbe road as a sequel to a series of robberies in those two towns. As the thieves were known to be carrying knives and prepared to use them, the African police assigned the task of rounding them up adopted ambush tactics. This gave rise to a story that the police were seizing their compatriots for the purpose of drinking their blood in ceremonial rituals.

One morning a police lorry was being driven from Blantyre, but stalled on the outskirts of Limbe at a spot I came to know well. On one side is a row of Indian stores raised high above the road along which the usual stream of Native pedestrians were passing at the time. Someone raised the cry: "Here is another policeman who wants our blood." It was taken up by the crowd who promptly began to stone the lorry and its lone driver, named Anusa. The man ran for his life but was overtaken and clubbed to death in the road right in front of the Indian stores. The Indians came out of their shops to watch, but not one of them made any attempt to intervene or protest, so I was informed by the magistrate who presided over the inquiry. I would add that incidents like the Limbe affair are about as uncommon in Nyasaland as are holdups on the Brink scale in Boston.

That morning Royd, who had been feeling unwell for a day or two, came to ask if he might go to Fort Johnston to see the doctor, saying that he had been promised a lift on a lorry from a near-by village. He returned to Mtimbuka about sunset saying that the promised lift had not materialized and he had had to walk both ways—about twenty-six miles. He had handed in my note at the hospital but left without seeing anyone as the doctor was away visiting outpatients. Next morning Dr. J. Whitfield dropped in, saying that he was sorry to have been out when Royd left the note and as he had a patient at Chipoka he came on to Mtimbuka to see my cook. Over elevenses served on the veranda I related Duncan's and Whisky's stories of my being charged with being a cutthroat.

Dr. Whitfield, who has lived in the tropics of several continents, agreed with Dally's opinion that the Watimbuka were a queer lot. A few months ago, he said, he had had a row with his Yao cook for gross misconduct. When dining that night he felt something sharp in his mouth and on putting it out was surprised to find a sliver of broken safety-razor blade. A careful search of the food on his plate revealed four or five more fragments of blade. The subsequent police probe revealed that the fragments had been put there, not by the cook but by the table boy who, coveting the cook's more lucrative post, decided the moment opportune for adopting this course of discrediting his colleague with their employer.

While we sat chatting on the veranda the same story was probably being recounted in the kitchen by Dr. Whitfield's orderly, for after their departure Royd asked to see me privately. His pains had been diagnosed as due to indigestion, but he was overwrought and convinced he had an enemy among the staff. I must know, so would I tell him who it was. I replied that I had supposed they were all friends. Royd answered that though it was true all ate together, Dondon was from Zomba and Duncan came from Blantyre. What was more, an enemy might put poison or sand into my food so as to get him into trouble. I endeavored to reassure Royd for he was much upset. He returned to the kitchen with a mind more at ease, at least I hoped so, for when witchcraft is in the air it beclouds African spirits and casts dark shadows on their mental processes.

After lunch I fell into a sound sleep from which I was roused by Jim tapping on the window to say that someone had called to see me. It was Major G. R. Soltau, come in response to the note I had only dispatched that morning. The commissioner was accompanied by the African equivalent of a CID man who would elicit the pertinent facts from my boys more promptly than could a European.

I showed the Major my specimens for half an hour or so until the askari returned to report the result of his interrogations. Whisky, bright lad, had been able to furnish not only the name of the man who threatened him, but also that of his village—Nkungumbi where I had shot the squirrels. The district commissioner said he would call at the village on his way back to the Fort, see the headman and tell him to put a stop to the cutthroat talk.

Before leaving he asked if I had any idea what could have started the rumor. I replied that it was probably the unusual nature of my interests, buying snakes and handling chameleons with impunity. I added that the brisk business in these things which had slowly been building up suddenly slumped so that latterly scarcely anything had been coming in. However, the falling off coincided with a return to drought conditions so might be climatic in origin. Major Soltau replied that there might well be a connection between this abrupt falling off and the spreading of the cutthroat yarn, while in local beliefs chameleons and witchcraft were very much intermingled.

It was only later that it occurred to me that possibly on a bright moonlight night a local fisherman operating close inshore might have seen the headless skinned body of the big baboon tethered outside my bedroom window where it remained for three days as bait for leopard or hyena. Such a sight, coupled with sinister doubts sponsored by the sound of shots in the night when I killed a genet and three galagos in the garden, would provide a substantial basis for speculation and rumor. And, if that were not enough, our daily habit of turning each log and grass bundle encountered, not to mention delving among the débris of disintegrating huts, savored so strongly of the witch doctor's practice of "planting medicine" that our neighbors had some grounds for suspecting our motives and wishing to drive us away.

Africans react quickly! The obvious relief evinced by the boys, mingled, it seemed, with respect at "*governmenti's*" prompt solicitude for our welfare, was an immediate result of the Major's visit. As soon as our visitors left I summoned Thomas and Dondon to come collecting and, heading out to the road, we turned north. Presently we saw approaching us two men bearing something slung on a pole. It proved to be another big baboon, snared while raiding their corn. They said they were taking it to sell to the *mzungu* (white man) living in Lamborn's house. Thomas then introduced me and I bought the animal, carriage-paid to destination. We all turned back as Thomas and Dondon would have to do the skinning. They laid it on the lawn and I took the necessary measurements, finding to my surprise this old male was even larger than the one I had shot. Though skinning started immediately, night found them with the hands and feet still to do by lantern light. I tethered the carcass outside my window and consequently had a sleepless night, rising periodically to peer out of the open casement hoping to find that something had been attracted by the bait.

XXI

The Neighbor Nuisance— A Native Piano

SHORTLY after moving into the Mtimbuka house I was awakened one night by a tapping on the uncurtained glass doors which opened onto the veranda from my bedroom. Such a noise might well startle a sleeper unacquainted with the cause, but from past experience I soon guessed the rapping was made by a gecko (*Hemidactylus mabouia*) hammering some recalcitrant prey that objected to being swallowed. Geckos were especially plentiful about the house; one in particular haunted the windowpane in front of my table when the lamp was lit. It amused me to see the incessant twitching and waving of its tail as it watched or stalked some insect. An abortive attempt to seize its prey almost invariably provided the stimulus for vigorous tail-waving.

Another nocturnal nuisance resulted from the rioting of rats in the thatch, from which they would not condescend to enter my traps. One night I was awakened again and again by a rodent in my chest of drawers. By suddenly whipping open the drawer I surprised the rat on top of everything gnawing a strap. It lost no time in taking cover. Getting down on my knees I felt about to see whether the bottom board of the bureau extended to the back so as to enclose the drawers. Satisfied that it did I fetched a bottle of chloroform, poured a generous helping on to some cotton wadding, popped it into the drawer and closed it again.

Then, picking up the lantern, with wick turned low, I went through to the bathroom but as I took hold of the doorknob something soft squirmed under my grasp. Snatching away my hand I raised the lantern. Pshaw! It was only an enterprising young house-snake about fifteen inches long. With its tail coiled tightly around the handle, the harmless reptile was endeavoring to climb the not too well-fitting door by insinuating its body between door and frame.

After these disturbances I overslept and was aroused at 6:00 A.M. by Jim tapping on the windowpane. He knew I was anxious to make an early start for a whole-day outing we had planned and had put my morning tea on the veranda. First, however, I cautiously opened the drawer to remove the rat's body, but this the animal had managed to do for itself, squeezing its way to freedom through an apparently impossible space at the back of the bureau. In addition to damaging the strap, the enterprising rodent had gnawed holes in an empty bag that had formerly held corn meal.

Next I proceeded to pour out a cupful of tea but noticed what appeared to be tiny tadpoles floating around and around in it. After all, people eat frogs' legs, I reflected, why jib at boiled tadpoles? Nevertheless, before drinking, I fished out five of the most prominent and carried them indoors to examine with a lens. The result was herpetologically humiliating, for what I had thought to be tadpoles were actually fish. Probably the tiny vertebrates were colorless until stained by the tea, for they were only a shade darker than the liquid. Being no ichthyologist I called Jim to remove the pot and make me some fresh fish-free tea. As I lunch off lake fish almost daily Jim probably thought me unnecessarily fussy.

Fortunately there were a number of steamer chairs on the veranda, as it became increasingly difficult to remain in any one chair for very long. Within five minutes of sitting down I would find myself swarming with hundreds of very tiny ants. Their inconspicuous advance from chair to hair was rapid and thereafter it was useless to hope for "peace in our time." Of all seats deck chairs were the worst, for up their sloping legs the ants quickly ascended to one's knees which were then employed as a base for further explorations to all points of the compass. When alone I usually remembered the menace and periodically shifted from chair to chair, but on the rare occasions when I had a visitor, seeing him scratching was apt to be my first reminder of the ants. The morning's choice of a new location availed me nothing; within a matter of minutes I was discovered by ant scouts. Slaying the first arrivals gained a little grace, but shortly afterward I arose to find the entire canvas seat and back alive with thousands of the insects.

I traced the unbroken column that was streaming up the legs of the chair across the cement floor to where they were descending one of the brick pillars that supported the thatch. The grass roof probably harbored many ant nests, for one evening I suspended the freshly removed skin of a monkey by hands and feet hammock-fashion, from two long cords attached to one of the horizontal beams of the roof. I got Dondon to paint the cords with arsenical soap. However, by morning ants were passing unhesitatingly down the cords and were swarming over face, hands, feet and other exposed parts of the skin.

While raw meat or dead insects seemed to be a major attraction for these ants, they also appeared excited by warmth and water. Daily Jim placed a bowl of warm water on a previously bare, and ant-free, circular table which is supported by a single central leg that stands on the veranda. Five minutes later the surface of the table would be crisscrossed by lines of ants scurrying hither and thither with an energy that was positively annoying. You pick up your sponge, immerse it in the water and a score of ants are left floating behind; unfortunately others, half-drowned, presently recover to drag themselves about your neck or face. After the first few days at Mtimbuka, I learned to snap my towel violently several times before using it; even so a few clinging ants were likely to remain on it to transfer themselves to my face or hair.

Any basin of water left on any table on the veranda soon had a ring of thirsty ants drinking around the water's edge. Taking advantage of this, I used the basin as a trap, going out from time to time to set the water in motion. Its rotary swirling dislodged the ants while its continuing centrifugal action carried them to the center where they sank to form a brown mass in the bottom of the bowl. By this simple device I probably destroyed several thousand ants in the course of the day but it made no appreciable difference for millions survived. Food, a live squirrel and specimens in process of drying, all had to be protected by being kept in screened safes or cages whose legs stood in cans of water filmed over with a strong disinfectant.

Even in my bedroom if a shirt were hung on a wall peg at night there would be ants on it before morning. Ants so small one failed to notice them until they were in the hair for they always seemed to make for one's head. Happily, though ubiquitous on the veranda, the little pests confined their peregrinations to one wall of the large bedroom and completely ignored the dining room. The boys were not so lucky, for in their room, adjoining the kitchen on the far side of the yard, the tiny aggressors turned up in force one night and made things so uncomfortable for the five fellows that they removed their bedding to the lorry where they slept unmolested. The boys' room was of brick with a cement floor and, as on the veranda, the ants emerged from minute holes where the walls joined the cement floor. I thoroughly sprayed around the bottom of the four walls with DDT, and for a week or ten days the boys had peace, after which I had to repeat the spraying.

The bite of an individual ant was trifling, certainly it raised no lump, but one morning I drew Jim's attention to a boil-like swelling above my ankle. It was an unlikely spot to be attacked by a burrowing chigoe flea (*Tunga penetrans*) so I thought it might be caused by a warble fly (*Cordylobia anthropophaga*). This fly is about the size of a bluebottle but has black markings on its otherwise straw-colored back, so that it bears a superficial resemblance to a stout tsetse that has forgotten to fold its wings scissor-fashion. Not infrequently one will enter your tent and if driven out it returns with great persistence. If left alone the fly will deposit an egg here and there in the bed or on freshly washed linen spread upon the grass to dry in customary African fashion. For this reason, at least in districts like Mtimbuka where warble flies are plentiful, it is advisable to insist that washing be hung on a line in a breeze which, by frequent flapping of the laundry, deters the fly from settling long enough to lay in comfort. Otherwise, when the linen is worn, or the bed lain in, the heat of the body hatches the eggs and the ungrateful maggot bores through a pore into the skin of its foster parent. If unmolested, the larva develops into a repulsive-looking maggot half an inch in length that raises a boil-like swelling. In this there is an opening through which the grub breathes, and through which it finally forces its way to drop to, and burrow into, the ground where it pupates.

Thirty years had elapsed since I last had been bothered by a warble-fly larva, so I asked Jim if it was a *liputsi,* as the maggot is called in Nyasaland. In his taciturn way Jim, without vouchsafing an answer, went into my bedroom to get a safety pin from the mosquito net. Divining his purpose I produced a needle instead and sterilized its point in the flame of a match. With the needle Jim dug away at the white center, rather clumsily it seemed to me, at least it was so painful that I purposely diverted my attention elsewhere. Consequently it was too late to intervene when Jim, with all the force he could muster, suddenly squeezed the place between his thumb nails. The performance was so different from the skillful removal of chigoes as practiced by almost every Tanganyika Native that I did not like the method and again inquired whether it was a *liputsi*?

"No, nothing," replied Jim.

"Is it a boil then?" I queried in Swahili.

"Yes."

By this time the entire area surrounding the central mess he had made was so inflamed I clapped on a wad of cotton soaked in iodine and strapped it in position.

The next morning my knee exhibited a similar, though smaller, swelling consisting of a white center and an inflamed aurora.

"Are you sure this isn't a *liputsi*?" I asked Jim, more to test his intelligence than anything else for my own mind was about made up. When he replied in the negative I told him to bring a bowl of hot water and in this, as hot as I could stand it, I bathed the spot for fifteen minutes without result. Then I sent for Thomas and asked his opinion. He examined it carefully and announced quite confidently that a *liputsi* was present. After washing his hands he deftly extracted the grub, no larger than a big chigoe, on the point of his needle. I touched the wound with iodine and it healed completely within a few hours. Thomas then turned his attention to the place on my ankle from which he removed the mangled corpse of the maggot crushed by Jim; this wound took a long time to recover.

The affair, however, had delayed my departure in the boat brought round an hour before by the Sansons' cook. As things turned out, the delay was fortunate for it enabled their regular boatboy, an incorrigibly late riser, to reach us in time to take over. The previous week when we set out in search of the crocodiles' nesting place I had shot half a dozen cormorants, whose skinned bodies had been carried off jubilantly by Thomas and his comrades. That they would eat such birds was something of a surprise, but I was only too thankful to be able to augment their straitened diet. This time I shot a pair of snake-necked darters, a pair of white herons, three green-backed herons, a pygmy kingfisher and a monitor lizard. All, with the exception of the last two, were eaten by the boys.

On the return journey we were hugging the shore when, with a remark to Thomas I failed to understand, the boatboy suddenly pulled in and beached the boat near to some fishermen's huts. In front of the huts a net was spread to dry upon the shingle. Thomas explained that our boatman wanted to look at it. We watched him critically examining the floats. Thomas called to him in Yao and getting an answer in the affirmative, remarked to me that the net was one which had been stolen from the Fish and Game Department.

Thomas clambered out of the boat and went over to see for himself, then accompanied the boatman in search of someone, for the huts were all closed. Presently the pair returned with a man and much palaver ensued. Then all three of them went off and in due course returned with three others for a lot more talk. I was getting rather tired of waiting when at last my two returned to the boat.

With interest I had observed that Thomas had taken charge of the proceedings. On reaching the boat he asked me to write down the name of the hamlet and that of the owner of the net, who, it was said, had bought the net from one of Yiannakis' fishermen who had stolen it from Sanson. The boatboy was tremendously elated and could talk of nothing else, alleging that at the time the net disappeared he was under suspicion and had even been threatened with discharge.

Some time before Yiannakis had promised to let me go out with the fishing boats so that I might get any deep-water shells that might be brought up in the nets. We had gathered a dozen kinds of mollusks from the beach directly in front of the house, but none like two big snails I had picked up on Chipoka beach where the fishing nets had been drying. There seemed to be considerable difficulty in arranging the excursion, but eventually a day was agreed upon and after a 6:00 A.M. breakfast I reached Yiannakis' place at the appointed hour. Yiannakis then told me that as the boats had caught very little the preceding morning he had decided to cancel the customary schedule and send them out in the afternoon for a change. Most of the intervening five hours I spent collecting in the vicinity of Chipoka.

The two thirty-foot fishing boats, each carrying a crew of ten Natives, were commanded by Yiannakis' cousin, a barefoot Greek fisherman who spoke no English and little French. He was in one boat and I was put in the other. The entire forward portion of each craft was piled high with net, half of which was carried by each boat, and what with spars, oars, anchors and crew there was little space left to move about on the rear deck. Both boats were decked eight inches below the gunwale and the only place for me to sit down was on a tiny foot-high hatch beside the anchor.

The engines were started up, and side by side we sped straight out into the lake for a full-hour before beginning operations. The two boats, which had been lashed together, now parted company, and, going into reverse, raced backward as they paid out net in a great circle until their sterns met and were temporarily tied together once more. This left an area about two hundred yards in circumference enclosed with net which was supported on top by a thousand bobbing corks and weighed at the bottom by almost as many iron rings. Through the rings passed a rope which four men on each boat commenced pulling in as fast as they could. When the rope would come no farther, another group of four took over and started hauling in the net. This laborious operation took half an hour and ended by bringing the two boats right alongside each other.

As the last lengths of net were being brought up the larger fish began leaping as much as a yard above the water, only to fall back with much splashing and thrashing. There were about fifty fish in the first draw, the poorest catch of all. As the operation was repeated the number steadily increased until one haul resulted in thirteen baskets of fish, each basket the size of a half-barrel. Periodically the catches were transferred to a barge that had come out from shore in tow of a third boat that had been following us at a distance until signaled to draw near and relieve us of the fish. Only three or four species of fish were taken, ninety-nine per cent being of the one kind—*chambo*. Not a single shell appeared in the nets for a recent government regulation had decreed, as a measure of protection for the smaller fish, that only nets with a two-inch mesh might be used.

I was thankful I had brought dark glasses, for the glare off the water would have been insufferable as hour after hour the sun smote me, painting arms and legs bright pink above the sunburn line of shorts and short sleeves as I sat cramped upon my hard seat. By four o'clock I had seen quite enough, and asked one of the crew who spoke Swahili when we would be returning. "At 6:00 P.M.," he replied. Eagerly I awaited the hour, but it came and went while we were engaged in net-laying once again.

The monotonous efficiency of these operations was now palling, so when next the boats came together—about 7:00 P.M., I thought, for my watch had stopped—I hailed Yiannakis in the darkness and asked when he expected to finish. "Not before nine-thirty," he answered, then added: "And soon it is going to be very rough." His prophecy proved correct. As the boats pitched and plunged he was drenched to the skin by the spray. I would have been also but for a kindly African who dived into a locker and produced an excellent British Army officer's waterproof. Speaking no word of English, he just handed me a possession that was probably too treasured to be worn while working. Without it I should have shivered with cold, so rapidly had the temperature fallen with the going down of the sun. We eventually beached about ten o'clock and by the time we reached Mtimbuka I was feeling pretty well all in, having neither eaten nor drunk for the last eleven and a half hours of my eighteen-hour day.

In addition to submerged huts, tangible evidence of the current rise in lake level was presented by groups of crownless *Hyphaene* palms that occur offshore at intervals along the coast. The trunks of the drowned palms were riddled with woodpecker holes that provided both swallows and kingfishers with potential nesting places. As we approached the lake on February 21 I caught sight of a Bare-faced Whistling Hawk (*Polyboroides typus*) with rapidly flapping wings, clambering up the trunk of a dead palm that rose from the water a hundred yards offshore. Clearly the omnivorous bird was hoping to extract young birds from their nest holes, for which purpose its unusually long yellow legs were well adapted. Previously I had seen a bare-faced hawk examining the globular nests of a colony of yellow weavers. This bold rifling of other birds' nests has nothing to do with the hawk's first name, which refers to the conspicuous expanse of featherless yellow skin around its eyes. The plumage was predominantly gray, showing that the bird, considerably larger than an American duck hawk, was adult. Disturbed by my presence on the shore, the hawk flew toward a distant palm emitting its characteristically shrill whistling cry.

Then we set off in the general direction taken by the hawk until, while passing a creeper-smothered tree, I noticed some of its topmost leaves move ever so slightly, though what caused the motion was not to be seen. Suspecting a snake I raised my gun and covered the spot, which was twelve feet from the ground. Then I told Dondon to gently shake the great mat of vegetation by pulling one of the lianas. He did so in a defeatist spirit, exclaiming: "Nussing, sir." Even as he spoke, however, the tiny head of a smallish lizard appeared for a moment among the foliage. I fired, and down fell the reptile. It was a Spotted-lip Skink (*Mabuya maculilabris boulengeri*), first of its race to be taken in Nyasaland. Nor did we so much as see another during the remaining months of the *ulendo*.

We continued our search for reptiles in which we were joined by two young boys seeking adventure. It was not long before I caught an Olive Marsh-Snake (*Natriciteres o. olivacea*) beneath a tussock of uprooted grass to which the little frog-eater had retired to sleep off its last meal. Then, with relatively little trouble, I captured two twenty-inch spitting cobras that had secreted themselves in loose soil beside a fallen palm trunk. Only a few days before I had uncovered a young cobra concealed beneath the thatch of a collapsed hut.

That same afternoon Thomas and I went into the garden in search of lizards. A passing Native paused to watch us and was offered two razor blades to overturn the mulch and straw under which we were searching. Finding little we moved outside the aloe hedge that bounds the garden on the north and started shifting the piles of fallen palm fronds thrown out of the garden. Scarcely had we begun when Thomas sprang back, having seen a large Puff Adder (*Bitis arietans*) coiled right beneath the frond he had started to raise. I picked up the heavy-bodied reptile, which was just under three feet in length, and carried it into the house where I put it into an anesthetizing can.

When I called on Dr. Shircore at Fort Johnston, he had suggested I investigate a local belief to the effect that the puff adder, notorious for its sluggishness, could be aroused to an exhibition of active indignation by smashing one of the large *Achatina* snail shells in front of its nose. Allegedly such conduct goads the puff adder to chase its tormentor with amazing vigor! As Thomas' home was near Mtimbuka, I asked him if he had heard the story. He laughingly replied in the negative, adding that the only connection between snake and shell was that a man, in the absence of a handy stone, might take up a snail and use it to kill the snake. Young puff adders sometimes seek shelter in empty *Achatina* shells, he added. I regard both of Thomas' tales as plausible suggestions rather than records of fact.

Soda, who tended the garden, had brought me four or five young puff adders he had found there since our arrival. But the big fellow had been lying within ten feet of the acacia around which I had wandered on several nights, clad in pajamas and sneakers with my attention concentrated on the treetops illuminated by the headlight worn on my forehead. As puff adders are also nocturnal, going on the prowl in search of rats and mice, I resolved to be more circumspect in future.

At the house I called Dondon to open the anesthetizing tin for me and, finding he had just completed work on a blesmol skin, told him to bring a bush knife (machete) and help clear the scrub around the base of a big baobab where I had left Thomas and our new recruit. Hardly had Dondon begun the task when he gave a start and exclaimed quietly: "Snake, sir." In the bush he had been about to strike was a four-and-a-half-foot vine snake of a race (*Thelotornis kirtlandii oatesii*) differing from those we had encountered in the mountains. I transferred the reptile to a cotton bag with a minimum of fuss.

These incidents, following each other in quick succession, induced a most amusing change of attitude on the part of our casual aid. Abandoning his rather bored nonchalance, he became excessively cautious, scrutinizing the litter on the ground with utmost care each time he moved a foot. But so far as snakes were concerned our luck was over for not another did we see though continuing the search for a full hour. I had to be content with the half-dozen different species I had taken during the day. As we searched around the baobab a hippopotamus periodically bellowed just offshore.

Thomas, who had been home for a long week end, came to me early the following Saturday saying a man had called in on Thursday with a message from Thomas' wife that she wished to see him before we left Mtimbuka. Possibly true, though with Thomas one never knew whether he was speaking the truth or not. I gave him the benefit of the doubt and told him he might leave the minute he produced a black-and-red banana-dwelling frog, one of the two remaining species on my list of those known to occur in the neighborhood which we had failed to find. I suggested he and Dondon examine some banana plants growing among the sedges fringing the lake two hundred yards from the house, promising to meet them there as soon as I had finished breakfast.

I started for the spot and was joined by the two boys coming from the direction of their quarters. When I reproached them Thomas said they had searched the sedges but found nothing. By the tracks I should say they had just walked straight there and back. The rank grass ranged in height from waist to shoulder; I was pushing through it when Thomas, who was following, called me back to catch a snake. Neither head nor tail were visible, only about three feet of a stout olive-colored body extended across some beaten-down grass a foot or so above the ground. My guess is that it was a more or less harmless hissing sand-snake which I could easily have killed with a blow. But such is habit that I tried to pin it down with my snake stick and failed, for the reptile darted away at the last moment.

Though scarcely expecting to see any more of the snake, I detoured to head it off from the tangle of vegetation bordering the sedges. Then, as I turned and moved through the grass toward the boys, the startled snake made off again, its hurried departure setting the long grass in motion. Thomas, still standing where he had first seen the snake, cried out that its mate was calling. Quietly I returned toward the place and heard a persistent squeaking. Laughingly reminding Thomas that snakes do not squeak, I suggested that possibly a shrew or mouse had a nestful of young there which the snake may have been investigating. Cautiously Thomas parted the grass and a rodent darted between his bare legs so swiftly he mistook what was underfoot for what was uppermost in his mind, and leaped about with commendable agility. Sure enough, on the ground among the grass stems was a rodent's nest—but empty! Thomas averred that he had seen two snakes at the beginning; whether this was so I have no means of knowing.

With a bush knife Dondon began clearing away the sedges surrounding a seedy-looking clump of bananas. Seeing three yellow-waisted hornets fly up, and supposing they had a nest in the bananas, I called on Dondon to desist. However, reconnoitering revealed no nest, and when the hornets settled on the banana inflorescences we concluded they were only there for the nectar. After the clearing was completed Thomas caught three sedge frogs (*Afrixalus f. fornasinii*). "One for each of us," said Thomas, adding, "now I can go because the sun will soon be too hot." The frogs were not the red-and-black species I longed for, but it was 8:00 A.M. so I let him leave. I went back to the house for a mousetrap which I gave Dondon to set outside the rodent's nest. He returned to examine the trap at intervals until late afternoon when it was stolen by someone.

As the time for our departure from Mtimbuka drew near I began picking up ethnological items for the Peabody Museum when the opportunity offered. One day when out hunting along the foot of a rocky hill I came upon five sticks lying on the ground beside some broad bars of wood that had been laid across two thin bundles of grass. I guessed they formed parts of a Native piano, left there perhaps by someone whose duty was to guard the corn from baboons that might leave the scrub-covered hill to raid the crop. For the sticks were lying on the fringe of a vast, though desperately parched plantation. I asked Thomas if he thought he could find the owner. In true African fashion he cupped his hands and shouted to a woman, now out of sight, whom we had seen working at the farther side of the great clearing.

We heard her relay the message and by and by a poor, skinny, scared-looking, crippled lad came hurrying toward us as best he could. Thomas inquired if he would care to sell the piano, and I asked if he would be willing to play us something on it. Promptly his face underwent a complete change; transformed by a beaming smile he picked up two sticks and squatted down beside the instrument, already reconstructed by Thomas. Thomas himself seized two of the remaining sticks and sitting opposite the lad they started playing one duet after another with much gaiety and laughter. As Thomas was a Yao from West Nyasa he too knew the simple tunes which one or other would propose while Dondon commented on them in his whimsical fashion. The three would have remained playing indefinitely, this being just the type of hard labor popular with my two! The cripple seemed pleased when I paid just what he asked without demur, but I hesitated to carry away his treasure. However, Thomas declared the lad would prefer the money and could soon whittle himself a new set of bars.

Another interesting acquisition was a miniature Yao fishing net made by an old man I encountered weaving a full-size net outside his hut. When I showed an interest in his skillful workmanship and suggested he make a small-scale model complete with floats, for white men who could not visit Lake Nyasa to see, he was quite taken with the idea.

Apart from a great bundle of spears, paddles, bows, hatchets and hoes, which Thomas neatly sewed up in scraps of canvas, we acquired enough ethnological material to fill three and a half large packing cases. Unhappily two of them lacked lids but the deficiency was remedied by Dr. Lamborn who, with customary kindness, told me to go ahead and use the planking that covered the water tank as he intended to have a new lid made anyway. Fitting and nailing the tops on the boxes involved a good deal of heavy sawing and occupied me for most of the morning.

After lunch we went over to Yiannakis' store with the last can of reptiles requiring soldering. Then Duncan drove the lorry up onto a ramp so that a powerful grease gun might be used on its springs and other parts of its anatomy; finally the engine was carefully checked by Mr. Yiannakis' mechanic. On our return to Mtimbuka all hands turned to and stowed the five heavy packing cases on the lorry, covered them with a tarpaulin for the week end and cleared up the packing litter on both front and back verandas. Soda had been told by Dr. Lamborn to give me one of his flock of Muscovy ducks. Resolutely refusing to reflect on what I had seen of the feeding habits of these fine birds, I had Royd roast it for dinner; a job he did excellently.

XXII

Crowing Crested Cobras—Rain at Last

IN PLANNING our itinerary before leaving the United States I had, for several reasons, left Cholo Mountain Forest to the last. By mid-March the monsoon rains might well have made outlying roads impassable for a truck, and I had no wish to miss the vessel by which I was booked to sail from Beira. Cholo was sufficiently near to Blantyre as to eliminate this hazard, so near in fact that in the event of my having to curtail the trip and omit Cholo it would not matter much. Indeed the only creature of importance occurring at Cholo, so far as I knew, was one of those strange wormlike amphibians known as a caecilian (*Scolecomorphus k. kirkii*) which only appear above ground when there is an abundance of rain. Back in the States I had optimistically envisioned collecting caecilians on every forested mountain from the Misukus to Mlanje but the weather had been so unpropitiously dry that not one had been seen.

That they occurred on Cholo I knew for three had been taken there by the American Museum of Natural History Expedition. As our truck rolled southward my last hope of securing any caecilians centered around Cholo Mountain where I determined to camp on the same site occupied by the Vernay party in 1946. When we arrived at Cholo district office, fortune smiled upon us as the only person who could guide us to Vernay's overgrown camp site had just come into Cholo for his monthly pay. To us Gabriel was certainly an angel in disguise; officially he was *capitao* (headman) of the forest guards and naturally delighted to get a ride back home instead of a three- or four-hour tramp.

After traversing Miangi Estate and sundry foothills we came to a halt at the foot of a steep rise not far below the forest. Gabriel, pointing to two spreading umbrella acacias, said it was beneath them Vernay had pitched his tent. I immediately recognized the spot from a photograph that accompanied an article[1] on the Vernay Expedition. When his party were there in September the grass had been burnt off; now much of it was above our heads. Gabriel, Thomas and I got down and walked ahead to survey a route then, turning, signaled Duncan to come on. To watch the Dodge lurching about as it slowly forged a way through the rank vegetation, shoulder-high sedges and shrubs going down before it, was to be reminded of a bulldozer. Eventually the undergrowth became too thick for the lorry to proceed farther and Gabriel departed to procure help in clearing the site. To the villagers, as to Gabriel, I talked incessantly of caecilians which they knew as *nyongolotzi*. To avoid possible confusion with earthworms I described them over and over again—glossy black burrowers a foot or so in length with maybe a spot to indicate where an eye should be, and quite harmless despite their tiny-toothed jaws.

After allowing us a day to make camp, Gabriel returned with two guides and one of them was carrying a precious caecilian he had found squirming on the path. Unfortunately the man had split its head open with his bush knife, but to get one of these creatures so soon after my arrival augured well and I was very pleased.

I protested, however, that *two* guides were unnecessary, but Gabriel said that the second old fellow was absolutely essential to "make medicine" before we enter the gloomy forest, as Cholo is a "very bad mountain."[2] This statement of Gabriel's was most earn-

[1] *Journal* of the New York Botanical Garden, Vol. 49, No. 582 (June, 1948), p. 130.

[2] Since returning to the States I have read in Sir Harry Johnston's *British Central Africa* (Methuen & Company, 3rd ed., 1906, p. 447) that he "had not been long in Nyasaland before I heard that cannibalism of a more or less secret

estly seconded by Thomas and others. I told the educated ones I was surprised to hear them talk so for surely they knew that the coming of Bwana Yesu Christo rendered such rites unnecessary.

As we entered the forest I noticed that old Mwitanitza fell behind, doubtless to plant his tribute to the spirit of the place beneath some log or in the ground. The leaf-strewn forest floor was swarming with army ants for whom Duncan's army trousers afforded attractive cover, twice compelling their owner to hastily remove the treasured garments. We turned logs assiduously, dug about them and between the buttress roots of the many fine trees. All we got for our labor was snails, pill-millipedes, and large, lively earthworms which coiled and uncoiled so vigorously that they bounced about like the night crawlers of North America. This was disappointing, for I had hoped to find caecilians as in the forests of the Uluguru Mountains. But both the guides and Gabriel stoutly averred that none of them had ever seen either caecilians or small ground-dwelling snakes in Cholo Forest!

Indeed, the only snake inhabiting the forest, they declared, was the dreaded *songo* (crested snake) which resides in the treetops. As evidence of its presence Mwitanitza picked up an oval fruit rather resembling an avocado pear. In one side was a long narrow opening through which much of the contents had been removed. This *mbobo* (snake) fruit, he said, was poisonous to human beings but eaten by the *songo*, while from the roots of the tree that produced it *waganga* (witch doctors) make a medicine.

So far as the medicine men were concerned, I replied, that might be so, but would they tell me how a snake's needle-like teeth could gnaw out the hard cheesy flesh of the fruit? Oh, but it was so, they clamored, substituting mass avowal for explanation. "Never," I said, and went on to suggest that the fruit had been gnawed by an arboreal rat or a squirrel, probably a *sindi* (*Paraxerus cepapi sindi*), the Native name having been utilized by taxonomic science. "Show

---

kind still lingered amongst the timid mountaineers of Nyanja race on Cholo Mountain." Sir Harry, who arrived in Nyasaland late in 1889, devotes several pages to the Nyanja practice of disinterring and eating corpses, with details of a case that occurred at Mponda's—now Fort Johnston—in 1891. Old beliefs are very tenacious of life.

me a squirrel," I continued, "that I can shoot. Then we will examine its stomach and see if it does not contain *mbobo* fruit." However, though we found the gnawed fruits fairly frequently, squirrels seemed to be as scarce as crested snakes!

Occasionally I had heard talk of this crested snake in Tanganyika but in Nyasaland the attributes and doings of *songo* seemed stock conversation of the superstitious Natives as soon as the subject of snakes came up. The gist of this nonsense is ably expressed by one of the earlier Nyasaland officials, from whom I quote after omitting some unessential Native words and a misspelled scientific name.

> Apropos of snakes, it is worth while to mention that, all over Nyasaland, as in many other parts of Africa, there is a firm belief in the existence of a crowing snake, with a comb on its head, a sort of parallel to our own cockatrice. Sitting outside my tent on Chumalumbe's peak near Zomba one June evening between sunset and dark, I was struck by a curious, oft-repeated noise—long-drawn, subdued, yet metallic, like the sound of a wire in the wind. I thought at the time that it must be the note of some bird or large insect, which indeed was probably the case. My servants, however, on being interrogated, at once replied that it was the cry of a serpent with a head like a cock.
>
> Later on I obtained a more detailed account of this monster. I had been hunting on the right bank of the Shiré, from Matope to the Murchison Cataracts; and wishing to explore the other side of the river, I told my gun-bearer to get a canoe for the purpose of ferrying me across. To this he demurred, and on being pressed for a reason, declared that the low, wooded hills which there border the left bank of the Shiré were the haunt of a large and fierce serpent. Further questioned, he said that the serpent was very dark in colour, lived in trees, and would pursue human beings at sight, darting through the forest from branch to branch faster than any man could run on the ground. At the moment of overtaking its prey, the serpent, he told me, would drop suddenly from above, delivering its blow on the crown of the head. He added that it would not immediately devour the body of its victims, but would go away and return later, as the crocodile does, when decomposition had softened the flesh.
>
> When I visited Northern Angoniland, I was told by Mr. Murray, of the Livingstonia Mission, that all the natives in that neighbourhood professed the greatest dread of this serpent. He also informed me that a man who complained of having been chased and struck by one had been

brought into the mission, and had died shortly afterwards in great agony. It is probable that this extraordinary reptile, shorn of the fictitious attributes with which native fancy has endowed it, is really some species of mamba or cobra—perhaps the tree cobra.[3]

In suggesting that the snake responsible for the Native's death was a mamba—which may reasonably be described as a hoodless tree cobra—Duff was unquestionably correct. There the matter might be allowed to rest were it not for the periodic publicity given to the fanciful Native beliefs regarding the reptile. Such an account, emanating from Nyasaland, appeared in *African Affairs*[4] and reawakened interest at the time of our visit. The writer of the article had been supplied by witch doctors with skeletal fragments of three separate *songo*. Unfortunately for romance, when studied by zoologists, these turned out to be the vertebrae of pythons together with sundry fish bones.

The name "*songo*," said the writer, literally means "the one that, striking downward, pricks the head." In relation to the reptile's length—allegedly from eighteen to twenty feet—the head of a *songo* is small. While it may at times swallow birds or small mammals, conceded the Natives, its purpose in killing people is to provide food for the maggots which constitute the principal food of a *songo*! Both sexes of this vicious arboreal snake were said to display a forward-directed, red crest; in addition the male bears wattles. It is only the male that crows, the cry of the female being "te-te-te," but both unite—with an unsuspected philanthropy—in warning intruders from their haunts by rapidly repeating a sound like "chu-chu-chu"!

To this fictitious reptile Africans are apt to attribute any unfamiliar or uncanny cry, but the one most frequently alleged to be that of a *songo* has been identified by Dr. James P. Chapin of the American Museum as being the call of a pygmy rail. These elusive little birds, scarcely larger than a robin, inhabit long grass bordering a brook or swamp; and there at certain seasons the male may be heard calling. The cry of the Congo race (*Sarothrura elegans*

[3] H. L. Duff, *Nyasaland under the Foreign Office* (1906), pp. 138-39.
[4] October, 1944 (London).

reichenovi) has been ably described by Chapin in the following words:

It might be called a low wailing, with almost the clarity of a tuning fork, and offering no measure of distance. Starting faintly, it swells in volume without change of pitch, and then ceases abruptly after three or four seconds. Often it is repeated persistently, with intervals of silence lasting six or eight seconds, and in the stillness of night is audible at 300 yards. The sound becomes commonplace, and natives attribute it to a variety of creatures, even chameleons or a large skink. . . .[5]

When I have attempted to steal upon the author of the call and take it unawares, the procedure has proved futile as the bird, falling silent, runs swiftly to some distance before calling again. If pressed hard he—for apparently it is only the male that calls—may rise from within a yard or two and, skimming swiftly over the grass stems for twenty feet, drop among them as abruptly as he rose. The whole operation is executed so suddenly and at such close quarters it would be senseless to shoot as the shot would irreparably damage the tiny rail for study purposes.

But on Cholo Mountain the basis of Mwitanitza's mythical *songo* (Manganja) or *songwe* (in Yao) was unquestionably one of the long-fanged mambas whose small heads and slender bodies might reasonably lead an American to mistake them for racers (*Elaphe*). Until six years ago everyone thought there was only a single species of mamba in East Africa, a snake that was green when young and "black" when full-grown. This is not the case, however, nor are the distinctions wholly academic for because of its size, swiftness, aggressive temperament, and potency of venom, the "black" mamba is justly regarded as the most dangerous snake in all Africa.

"Black" mambas appear to be particularly troublesome in the vicinity of Mount Hora, a rocky hill lying to the left of the main road running north from Mzimba. We had been warned to be on the lookout for them by Mr. W. J. Rangeley, acting provincial commissioner stationed at Mzimba, who said that mambas were fairly common in the district. If surprised while basking on the road these

[5] J. P. Chapin, *Bulletin*, American Museum of Natural History, Vol. 75 (1939). pp. 22-23.

snakes rear up chest-high. When bus drivers see a mamba ahead they stop for fear it might strike a passenger.

Major D. N. Smalley, agricultural officer for the Northern Province, told us that a mamba which was lying stretched across the road reared up as his car approached and struck the windscreen a resounding thwack. Mr. S. E. Illingworth, when assistant district commissioner at Mzimba, had a somewhat similar experience except that the snake struck the door of the open touring car in which he and his family were driving. I heard of a third authentic case but neglected to record the details at the time.

The so-called "Black" Mamba (*Dendroaspis polylepis*) is never really black in my experience, being green when young and olive to buffy brown when adult. It was a "black" mamba that Thomas encountered at Nchisi, and we had preserved two at Mtimbuka. The half-century of confusion has been due in part to the fact that the two kinds of mamba often occur in the same locality, as for example at Mzimba, and were consequently supposed to be but color phases of a single species. Though doubtless both are present on Cholo, during our brief stay on the mountain we got only the beautiful emerald-green species (*Dendroaspis angusticeps*). The differences may be tabulated as follows:

Common or Green Mamba	*"Black" (green or brown) Mamba*
Inside of mouth white to bluish white	Inside of mouth bluish gray to black
Scales around middle 17 to 21	Scales around middle 21 to 25
Shields from throat to anus 201 to 232	Shields from throat to anus 242 to 282
Paired shields on underside of tail 99 to 126	Paired shields on underside of tail 105 to 127

On Cholo two youngsters brought me a six-foot green mamba that had been killed in their hut—where it had probably gone in search of rats, for its stomach was empty. Unfortunately one of the most abundant of Cholo snakes (*Philothamnus i. irregularis*), though quite harmless, is sufficiently like a green mamba to be mistaken for one by most Natives—with fatal consequences for the green snake.

At least one African knew the difference, for on a sunny afternoon a youth came down the mountain fondling a four-foot snake, the anterior third of whose brilliant green body was handsomely cross-barred with jet black.

I scrutinized the snake carefully before taking hold of it. A gasp, followed by a burst of laughter, came from a passing bevy of women who had paused to watch. The reptile was quite uninjured, and its captor, who spoke Swahili with ease, declared he was accustomed to handling snakes and knew "good from evil." This stripling—for he was only in his teens—told me his name was Jackson and that he wasted his talent (he did not express it like that, however) working on one of the neighboring tea plantations.

Jackson was not the only one to show an intelligent discrimination with regard to snakes, for in an interval between rainstorms one day I heard a cry of "*Hodi* (Anyone at home)?" Opening the tent door I found a sturdy, twelve-year-old boy who went by the name of Harry. In an ingenious container made of banana stem he had carefully boxed a live water snake. The gentle, somewhat torpid, reptile was quite unharmed and represented a genus we had sought for in vain up north from whence had come the only known Nyasaland specimen. Harry said he had caught his *chirumi* in a tributary of the Nswadzi River about an hour-and-a-half's walk from our camp. As I had never seen a live *chirumi*[6] at large, I decided at the first opportunity to get Harry to show me the exact place where his had been caught.

Some passers-by directed us to the hamlet where Harry lived. On reaching it we inquired for Harry and learned that he was away plucking leaves in a tea plantation. Among the children who gathered about us I recognized the podgy pal who had accompanied Harry the day he came to our camp with the precious snake. This boy took us to the precise spot on Muyenda stream where they had found it. The shallow, ankle-deep water was flowing among numerous well-rounded stones between almost vertical banks varying in height from four to six feet.

Two men appeared from near-by huts, and saying they were

[6] Several more specimens subsequently obtained on Mlanje Mountain revealed this snake represented an undescribed race of *Lycodonomorphus rufulus*.

familiar with the ways of *chirumi*, began groping for the snakes beneath the stones in much the same way as one would tickle for trout. In this fashion, with Thomas and me following at their heels, we worked upstream for a hundred yards turning every movable boulder, but without result.

Half a dozen small boys "assisted," while from the bank above as many little girls with sparkling eyes watched us. One three-year-old started to run each time I happened to look in her direction, then broke into peals of laughter. When we abandoned our fruitless search and made our way back up the steep path that led past the half-dozen huts, one of which was Harry's home, two toddlers on the mud "veranda" of one hut fled, one infant crying lustily at the sight of the white apparition. At such an exhibition of childishness the three-year-old, now following at my heels, laughed scornfully.

Though our excursion had failed in its objective, and reptiles appeared to shun Cholo Forest, we did rather well during our stay on the mountain. Of the fifteen species of snakes acquired there, six were of kinds we had failed to get during the preceding eight months in Nyasaland. While credit for this felicitous state of affairs should go, in part, to tea-leaf pickers like Harry and Jackson, unquestionably the weather was very largely responsible.

On March 10, the day following our arrival, our nearest neighbour, Mr. A. Smith, manager of the huge Miangi Tea Estate, came up the mountain to see if there were anything we needed. Rain was the only thing I could think of at the moment, but Smith thought that we might both face the grim fact that "except for a shower or two" the rains were over without ever having properly materialized.

On the twelfth I awoke to find the sky heavily overcast, but the boys and I set off for the gloomy forest where we spent four hours. During this time it grew steadily darker, and the only noteworthy capture was a fat little female frog I found hopping on the leaf-strewn path as we were leaving. It was of a Congo species (*Arthroleptis boulengeri*) which, except for some we had encountered in the forests farther north, was unknown from Nyasaland. After popping it into a bag, we hurried back to camp, sprinting the last hundred yards or so as it began to rain. At the conclusion of the downpour, which lasted fully an hour, a tiny little rufous frog came hopping in under the awning of my tent. It was a male of the same kind we had caught in the forest little more than an hour before! Nor did we see another during the fortnight we remained on Cholo.

That same afternoon as I was sitting in the tent, a slender-bodied Vine Snake (*Thelotornis kirtlandii capensis*) slithered silently under the awning where it paused with upraised head and body almost fully extended. Obviously it was relying on its remarkable resemblance to a branch, supplemented by appropriate coloring, for it never stirred as I rose and approached to pick it up. Only when firmly seized by the neck did it begin to struggle. Clearly the rain was already having an effect in arousing and activating torpid reptiles and amphibians.

And not only vertebrates, for when we returned to the dripping forest in the morning we found the ground swarming with snails (*Zingis whytei*). Many of them, stimulated by the congenially moist conditions, were busily courting. Two mollusks, their horns partially retracted to protect the eyes on their tips, began butting each other with their snouts. The butting was followed by rapid lateral sweeps of the opposing snouts, sweeps which appeared to become faster and faster. I had never seen such a thing before but the snails were engaged wherever one looked. We paused to gather some to get them identified, then pushed on up to the very summit of the mountain. As we emerged from the forest at the base of the huge rock which crowns Cholo at 5,500 feet above sea level, the heavy precipitation which had been falling in the forest changed to a steady rain that drove us to seek shelter beneath a cavernous overhanging rock. Later we began a search for frogs, visiting every likely clearing and one dried out marsh, without finding a single amphibian. Apparently it was too raw and chilly for them.

Yet when I was having lunch, the table as usual being halfway across the entrance to the tent, I saw a caecilian heading straight for the awning. So serpentine was its sinuous method of progression that I rose up thinking it was a snake. I picked it up and was turning back to get a lethal bottle just as Jim arrived to clear away.

"A ticky came to call on me," I exclaimed jubilantly. A ticky, or threepenny bit, was the standard remuneration for a *nyongolotzi*, the rather cumbersome Manganja name for caecilian. It really seemed as if I would do better to sit in my tent and let the creatures I most wanted come and look for *me*!

Rain began to fall about 4:00 P.M. and continued until sunset in true monsoon fashion. Immediately it ceased I went scouting for frogs along either side of the broad track we had had cleared down the mountain. I found none. Within an hour or so it began to rain again, torrential rain whose roar on the taut canvas woke me time and again during the night. At 4:00 A.M. a blustering westerly gale arose and I heard plunk after plunk as first one and then another tent peg pulled out with the strain.

When it grew light enough Jim arrived to unlace the tent door. Hardly had he started than, with a terrific bang, the entire westerly half of the wet awning came away and, with pegs still held by the sodden flailing ropes, started noisily flogging the other half. Seizing a rope in either hand, Jim tried hard to pull the billowing canvas back into position, but the pressure was so great that all he could manage was to hold on.

Slipping a raincoat over my pajamas I hurried to his assistance, then dove back again under the canvas to get a mallet. After each peg was driven well in, the two of us struggled violently to get the rope over it, each success making the next attempt a trifle easier. Our herculean efforts, however, were all in vain, for as I was shaving one sudden and mighty blast of wind whipped out all six pegs along the westerly side. Realizing the futility of replacing them in the sodden soil until the gale subsided, we did not attempt it.

Later, taking advantage of an interval when the wind had abated somewhat, I went out to wrestle with the awning. I wore a topee, raincoat and thigh boots, Jim his army greatcoat. Together we rolled, pushed and pulled a big tree trunk into a position parallel with the western side of the awning. This was the side most affected by the wind for it was close to the edge of the ridge on which my tent was pitched. To the log, that we were incapable of lifting, we lashed the five awning ropes. If they held, then the sixth, or guy rope, would likely do so too. And they did. However fiercely the canvas tugged and shook those ropes during the remaining ten days on Cholo, it failed to shift the anchor though it managed to break a rope or two.

As for the rain, storm followed storm without letup for three consecutive days. After that there was an interval in which we and our mountain were wrapped in a damp mist that restricted visibility to a hundred yards or less. Then back came the rain for another three days, making me wonder if it was not a "Chiperone" rather than a belated monsoon to which we were being treated.

Chiperone is a mountain just across the border in Portuguese territory. During the dry season it is a focal point for clouds that, driven before a south wind, deposit wet mist or rain on the Shire Highlands for periods of from three to five days, a familiar phenomenon which Nyasalanders call a "Chiperone."

During these unwelcome periods of enforced confinement I found plenty to do in one way or another, writing up my natural history notes, labels or letters. The pages of my diary were clammy to the touch and so limp they developed a ripple. After finishing the letters I discovered the entire stock of envelopes were self-sealed and had to be steamed open one by one as required. Worse still, all postage stamps were welded into a homogeneous mat and stuck to the envelope in which they were stored. Periodically I had to pause to wipe beads of moisture from the glossy enamel tops of my camp tables.

The day before, Jim had done some washing and, in view of the weather without, had hung it in the tent to dry. Beneath the garments I kept a hurricane lamp burning all day, for I had come on this trip without a primus stove. Condensation was so continuous, however, that woolen socks and sports stockings all but sparkled with the dew they collected. My towel, once used, remained wet, and a stick of shaving soap showed a marked tendency to become shaving cream. As day succeeded day things grew worse. Gummed labels slid down the bottles they adorned, cardboard boxes simply fell apart, cartons wilted and some even disintegrated. Many of the plywood chop-boxes warped and their lids gaped widely.

Not only was my trunk bright green with mold but boots, belts and other leather articles were similarly affected. Worse still, mold was beginning to appear on the tails of some of the smaller specimens. The possibility that all the small birds and animals we had collected on Cholo might be ruined filled me with consternation. On the second day I rigged up a drying apparatus.

Taking the plywood sheets which, by means of wing nuts, we bolt onto the sides of the drying safe to protect the gauze screening during lorry transport, or the contents of the safe from rain during head porterage, I reversed them so they stood up high above the safe, held there by a single wing nut at the bottom of each board. Though the nuts were screwed tight, the boards showed a tendency to bend outward, even to slew sideways. This I counteracted by tying a piece of cord around all four sheets so as to hold them in position as a boxlike structure on the top of the drying safe. Into this "box" I put my chimneyless, clockwork table lamp, and on either side of it stood a plywood shelf from the safe to which were already pinned several dozen mice and bird skins. Then I completed the "box" by laying a third plywood shelf over the top, but upside down so the skins were on its lower side and directly above the naked flame of the lamp. On top of this I placed yet a fourth shelf the right way up. This last lot would not dry anything like as well as the three within the "stove." I examined them at frequent intervals and changed the boards around every hour throughout each day. There was a real risk of fire if, in drying, one of the plywood boards should buckle or fall against the lamp. But the situation was growing desperate and risks must be taken if the specimens, on whose collection and preservation so much time had been spent, were not to be lost.

The boys were rather better off than I for they could leave their tents for the stout little hut which had been built to serve as a kitchen. There they squatted around a blazing fire and chattered away to their hearts' content. It need not be supposed that we were entirely isolated during this time. On the second day Mr. Smith, to whom we were indebted for the kitchen, sent a messenger up with my mail, a note to enquire how I was faring, and an offer to put me up at Mianga if tent life was proving unbearable.

A few days later Messrs. Smith and Street, the assistant manager, clad only in double terais, shirts, shorts, socks and shoes, came tramping up the mountain to carry me off to dinner. They had expected to drive right up to the tent but, after strewing the muddy track with grass and brushwood, they had had to abandon the attempt and leave the car a mile away. Scarcely were they inside the tent before a veritable deluge began to fall, rendering it necessary for us to wait until it abated a bit before returning to their automobile.

A great many Natives are employed in various capacities about Mianga Estate and Street told me that recently, while he was engaged in the weekly business of paying the laborers, a fight developed between two youngsters. As he was busy at the moment Street ordered the aggressor be taken to his office, intending to deal with him later. However, preoccupied with other matters, the incident slipped his memory until talk among the assembled crowd rose to such a pitch Street asked one of the overseers what the babel was all about. The man replied: "The people are saying you have put the boy in your room intending to kill and eat him later." On hearing this Street sent for the culprit and released him with all possible speed.

When one feels exasperated with the Nyanja or Yao for their superstitious ideas, it is well to recall that until about 1848 many Scots and Irish believed in elf arrows and treasured prescriptions for the treatment of imaginary wounds wrought by these invisible darts, which were thought to be the cause of various obscure complaints. I feel that in fairness to Africans they should be allowed another thousand years to adjust their thinking. Would-be reformers, however, are a most impatient lot!

Before going up to the house we dropped in for a quick look around Nyasaland's most modern tea factory, and there I got an inspiration. As we entered the boiler room I was most pleasantly reminded of Tete! In answer to my inquiry, Smith said they maintained an even temperature of 95° both day and night. Now the crude little "stove" rigged up in my tent had been successful in saving the smaller specimens, but had proved inadequate for the larger, so: "Just the place for my monkey skins to dry out," I exclaimed. For I was weary of trying to dry them over lamps or moving them outside each time the sun peered wanly through the overcast, only to have to rush them back into the tent a few minutes later as a fresh shower came over. Immediately the hospitable Mr. Smith suggested I send them down, even reproaching himself for not having thought of it before.

Throughout that night it rained torrentially as storm after storm hammered upon the taut canvas. Shortly after dawn two of the boys set off for the tea factory carrying a couple of rubber-lined sacks in which three or four stuffed monkeys were carefully protected from the rain. On arrival the specimens were removed from the bags and placed in the boiler room where they remained until I called for them three days later on my way to Mlanje.

Thanks to the rain we had more than two dozen beautiful specimens of the caecilian which had been the primary reason for my visiting Cholo. Cholo was to have been my last camp—until notified of the cancellation of the scheduled sailing of the vessel on which I was due to leave Beira. So, on a day when downpours on Cholo made collecting impossible, I amused myself by compiling a list of species still needed, and concluded that as promising a place as any in which to look for them would be the forest on southeast Mlanje.

XXIII

Ruo Gorge Forest—Drought in Reverse

When we were camped in the Likabula Valley at the other end of Mlanje in July, we had driven over to take a look at the forest in the Ruo Gorge. Apart from the fine remnants on the Misukus and Nchisi, it had been about the only forest in Nyasaland worth looking at! That in the Ruo Gorge was associated with an annual rainfall of 120 inches, the heaviest in all Nyasaland. In the lower part of the valley between the Ruo and Lujeri Rivers is the tea estate of Messrs. Lyons and Company covering eighty thousand acres. When the manager of the estate, Mr. F. J. Ramsden, heard that I planned to camp in the forest, he generously placed at my disposal one of the company's houses nearest to the forest and little more than a stone's throw from the Ruo itself.

The day we drove over we were fortunate in having many sunny intervals, though it was raining when we left Cholo, raining when we wished to off-load and pouring all that evening. How strange to hear it pounding on corrugated iron instead of canvas; how pleasant to lie on a comfortable bed in a house. A house provided with electric light and a modern refrigerator, besides plumbing. Lujeri Estate was indeed proving a fairy godfather to me. At six-thirty next morning Mr. Ramsden dropped in to inquire if I were all right or in need of anything. I thanked him for a lorryload of wood that had been delivered the previous evening, and he told me that during my stay I would receive milk and butter daily and such fruit and vegetables as might be available. The forest path up the mountain was very much overgrown so eight laborers had been assigned the task of clearing it.

I discovered that Ramsden was not only tremendously interested in horticulture and plant life, but quite keen on natural history. He told me how he had watched a Native using an ingenious technique to catch the great fat crickets (*Brachytrypetes membranaceus*) that the boy probably wanted to use as a relish with his stodgy *ngaiwa* porridge. The lad had captured a big black stink ant (*Megaponera foetans*) by slipping a noose of cotton thread about its waist. By means of the thread he lowered the ant into one of the conspicuous cricket burrows on Ramsden's lawn. As each agitated cricket, either alarmed by the presence of the carnivorous ant or appalled by its smell, hurried out, it was pounced upon by the African who had already gathered quite a pile of the insects.

Though dawn next day revealed a leaden-gray sky, we piled into the lorry and drove up the valley as far as was possible. Then, abandoning the lorry, we started up the path leading to Ruo Falls at the very head of the valley. As we toiled upward through much magnificent evergreen forest, far below to our right we could hear the Ruo River roaring among the rocks. When a gap in the screening vegetation enabled us to look down to the foaming torrent, a majestic spectacle met our gaze. On the far side, as a backdrop, rose a thousand feet of green forest that in places reached to the precipitous rim of the plateau above.

Quite early we passed the point reached by the men engaged in clearing the path the day before. We continued up as far as the remote dam that conserves the water supply for the Lujeri Estate in the valley far below. Along the shore we searched through the most promising piles of flood débris, finding nothing but snails. Everything was so chilly and the ubiquitous vegetation so sodden we eventually turned back, discouraged at the extraordinary absence of wildlife.

Then we made a wonderful find, perhaps the best of the entire *ulendo*. The sun came out and on a boulder beside a rustic bridge I shot a small lizard that I immediately realized was a new species of flat-lizard.[1] Being largely black, though greenish around the mouth, it was not exactly handsome; but the black was offset by three yellow lines or series of dashes extending from the back of the head to the base of the tail; cream-colored spots brightened the flanks and limbs; the fingers and toes were crossbarred with white. A second was obtained basking on the bridge, then another and another. Obviously conditions were just right and we concentrated on the search until we had twenty of this new and most northerly member of its genus.

On April 4 the sky was overcast but looked as if it might clear later. So we made an early start up the valley and reached the foot of Ruo Falls just before 10:00 A.M. Most opportunely the sun broke through the overcast in time to make rainbows of the fine spray which rose in clouds from the three successive cascades. The drifting spume and spray wet us as we toiled and climbed up the almost vertical cliff beside the falls until we reached the plateau. Once again I was back on Mlanje but this time at a point about twenty-five miles east of the Lichenya Plateau where Mary, Billy and I had stayed on our previous ascent.

Though the sun was still shining it felt distinctly chilly so the boys sought out a sheltered spot and I sat down to eat some lunch while enjoying the marvelous view. But before I had finished an ominous bank of black clouds came drifting slowly toward the mountain from the southwest, and presently wisps of mist, rising from the gorge, started blowing over the edge of the plateau. The guides declared that if it came on to rain we should have difficulty in getting back. I assumed they meant it would be too slippery to descend the precipitous route to the foot of the falls, but later it occurred to me that the river might rise rapidly and cut us off from the west bank. So down we went and crossed the Ruo on boulders at the base of the falls. Ten minutes later it started to rain and looking back I found the plateau was completely obscured by clouds and the downpour.

I was hastening up the farther bank when my attention was

[1] Subsequently named after Mr. B. L. Mitchell of Blantyre who, upon our return from the Likabula River, told me he had once seen a *Platysaurus* there.

attracted by a frog. Being brownish red, marbled with black, it was inconspicuous on the sodden, leaf-strewn ground until it hopped. Pausing to pick it up, I remarked to Thomas as he held open a bag for its reception that we had better keep a sharp lookout for more as the frog did not look quite like any we had so far seen in Nyasaland, though clearly one of the free-toed frogs (*Arthroleptis*). During the next ten minutes, while making our way along the east bank, we got twenty-eight of the same kind but ranging in size from one-third to just over an inch in length.

All were taken within a few hundred yards and close to the very spot where, the following month, F. H. France was swept to his death while trying to get a rope across the raging Ruo so his companions and carriers might follow in safety. France was the keen young forestry officer who had befriended us when we made our first camp—beside the Likabula River at the opposite end of Mlanje Mountain. When, upon my return to Cambridge I found that the frogs did indeed represent an undescribed southern race, I took pleasure in naming them after France so his name should be forever linked with the mountain he loved so well.

Rain continued to fall as we made our way down to the lorry and so back to the house, which was reached seven hours after we had set out. So localized were frogs, or the requisite conditions they considered congenial, that during the whole of this time we neither saw nor heard any others but the thirty taken in less than half an hour.

Throughout that long night and several succeeding days and nights the rain thundered down on the corrugated iron roof and cascaded from the overflowing guttering like Niagaras in miniature. In twenty-four hours the Ruo rose four feet and at times the roar of its turbulent waters tossing in their narrow bed made sleep difficult. Two big trees, uprooted by the flood, were swept down river and lodged against the piers of a bridge which they damaged. The whole structure was being submitted to tremendous pressure from the surging flood waters. This I learned from Mr. Ramsden, who drove up on April 6 to warn me against attempting to use either of the bridges which were definitely unsafe. He had learned by telephone that the Likabula River, beside which we had made our first camp, had also risen and was now flowing over the tops of tea bushes—whose average height was about four to five feet—in neighboring plantations.

Indeed, there seemed to be an abundance of water everywhere except in the faucets. This anomalous situation, I learned, was due to the estate pumps' being under water and their inability to function had resulted in the cutting off of my piped supply. It could not be restored until the storm subsided, but with every rain barrel around the house overflowing and water cascading from the roof, perhaps I would be able to manage! Surely these were the monsoon rains at last, I suggested, but Ramsden was not sure. I was given a day-old copy of the Nyasaland *Times.* From this I learned that Blantyre residents were still being rationed eight gallons of water per person each day, and must present a ration card in order to obtain their allotment of the vital fluid.

The gauges on Lujeri Estate registered seventeen and a quarter inches of rainfall during the storm which slackened and finally stopped on the third day about two hours before sunset. It seemed to me conditions were now ideal for frogs so, accompanied by Thomas, Dondon and Duncan, I set off to look for them. Though the four of us walked slowly along the fringing vegetation on either side of the road, not a single frog or snail was to be seen. The unpredictable behavior of Nyasaland's fauna continued to baffle me.

Next morning dawned clear and sunny and one might have supposed that every enterprising snake would be out basking, or on the prowl for food. Yet a four-hour search in likely spots along the Lujeri River produced no results, the only snake seen being a young Defilippi's Night-Adder (*Causus defilippi*) which I caught as it was crossing the road. Two house-snakes and a white-lipped snake were all that the hundreds of plantation hands brought in during the day, fairly good evidence that they too found snakes scarce.

Up north in equatorial Africa rain, particularly the breaking of the monsoon rains, had always been so vital to successful collecting that almost every shower which fell during our nine-months Nyasaland expedition was recorded in my diary. By placing so much emphasis on precipitation I may have given the impression that Nyasaland enjoyed a good rainfall during 1948-49, whereas the country suffered its worst drought in twenty years. Such rain as there was had fallen chiefly on the mountains, especially forested mountains like Mlanje, whose Ruo Valley region enjoys the heaviest fall in all Nyasaland.

The time for my departure having come, we left Mlanje behind us and started on the forty-mile run to Blantyre. We were soon back on a dusty road that had seen no rain for many months, and found the commercial capital of Nyasaland still sweltering under a brassy sky. It looked much the same as on that July day nine months before, when, with Billy at the wheel, we had set out for Mlanje with such high hopes.

While awaiting the plane that would take me on the first stage of my return journey to the States, I amused myself by compiling a provisional summary (now amended as below) of the material to be studied upon my arrival in Cambridge, Massachusetts. In some respects I had not done too badly for, besides voluminous notes on their habits, I had enriched Nyasaland's known fauna by 13 kinds of frogs, 16 of lizards, 5 species of snakes, and 12 of mammals. The 1,680 amphibians collected represented 43 of the 50 kinds in Nyasaland, the 1,120 reptiles collected represented 91 of the 106 kinds in Nyasaland, the 510 birds collected represented 203 of the 678 kinds in Nyasaland, the 600 mammals collected represented 82 of the 160 or so kinds in Nyasaland, to say nothing of numerous invertebrates and a certain number of races or species taken at Tete which are not found north of the Zambezi.

INDEX

Set in Linotype Baskerville
Format by Marguerite Swanton
Manufactured by The Haddon Craftsmen, Inc.
Published by HARPER & BROTHERS, *New York*